PERSUASÃO
JANE AUSTEN

Título original: *Persuasion*

Copyright © Jane Austen

Persuasão
4ª edição: Junho 2024

Direitos reservados desta edição: Citadel Editorial SA

O conteúdo desta obra é de total responsabilidade do autor e não reflete necessariamente a opinião da editora.

Autor:
Jane Austen

Tradução:
Jana Araújo

Preparação de texto:
Fernanda França

Revisão:
3GB Consulting

Projeto gráfico e capa:
Dharana Rivas

DADOS INTERNACIONAIS DE CATALOGAÇÃO NA PUBLICAÇÃO (CIP)

Austen, Jane 1775-1817

Persuasão / Jane Austen ; tradução de Jana Araújo. –- Porto Alegre : CDG, 2022.

288 p.

ISBN:978-65-87885-64-3
Título original: Persuasion

1. Ficção inglesa I. Título II. Araújo, Jana.

21-0546   CDD 823

Angélica Ilacqua - Bibliotecária - CRB-8/7057

Produção editorial e distribuição:

contato@citadel.com.br
www.citadeleditora.com.br

PERSUASÃO
JANE AUSTEN

Tradução:
Jana Araújo

TEMPORALIS

2022

Sumário

Capítulo 1	7	*Capítulo 20*	207
Capítulo 2	17	*Capítulo 21*	219
Capítulo 3	23	*Capítulo 22*	241
Capítulo 4	33	*Capítulo 23*	259
Capítulo 5	39	*Capítulo 24*	281
Capítulo 6	51		
Capítulo 7	63		
Capítulo 8	75		
Capítulo 9	87		
Capítulo 10	97		
Capítulo 11	109		
Capítulo 12	119		
Capítulo 13	137		
Capítulo 14	147		
Capítulo 15	155		
Capítulo 16	165		
Capítulo 17	173		
Capítulo 18	185		
Capítulo 19	199		

Capítulo 1

Sir Walter Elliot, de Kellynch Hall, em Somersetshire, era um homem que, para sua própria diversão, nunca escolhia nenhum livro além do *Baronetage*[1]; nele encontrava distração para os momentos de ócio, e consolo para aqueles de angústia. Ali suas faculdades eram estimuladas pela admiração e pelo respeito, ao contemplar os vestígios das patentes mais antigas. Nele quaisquer sensações inoportunas que surgissem a partir de assuntos domésticos se transformavam naturalmente em pena e desdém conforme ele passava pelas quase infinitas criações do último século. E lá, se nenhuma outra página funcionasse, ele poderia ler a própria história com um interesse que nunca falhava. Esta era a página em que o volume favorito era sempre aberto:

ELLIOT de Kellynch Hall.

Walter Elliot, nascido em 1º de março de 1760, casado em 15 de julho de 1784 com Elizabeth, filha de James Stevenson, ilustríssimo senhor de South Park, no condado de Gloucester (falecida em 1800), com a qual teve Elizabeth, nascida em 1º de junho de 1785, Anne, nascida em 9 de agosto de 1787, um filho natimorto, em 5 de novembro de 1789, e Mary, nascida em 20 de novembro de 1791.

Precisamente assim o parágrafo saíra das mãos do impressor; sir Walter, no entanto, o havia melhorado, acrescentando, para a própria

---

[1] *The Baronetage of England*, publicado com o título *Peerage and Baronetage* (Nobreza e Baronagem), é um livro da editora Debrett que cataloga os nomes dos principais nobres e aristocratas do Reino Unido.

informação e da família, estas palavras, após a data de nascimento de Mary: "Casou-se em 16 de dezembro de 1810, com Charles, filho e herdeiro de Charles Musgrove, ilustríssimo senhor de Uppercross, no condado de Somerset", além de inserir de forma mais exata o dia do mês em que perdera a esposa.

Em seguida, havia a história e a ascensão da antiga e respeitável família, nos termos de sempre: como havia se estabelecido em Cheshire; como mencionado em Dugdale, servindo como alto xerife do condado, representando um burgo em três parlamentos sucessivos, empenhou-se na lealdade e na distinção do baronato no primeiro ano de Carlos II, com todas as Marys e Elizabeths com quem os homens se casaram, formando juntos dois belos livretos de vinte e quatro páginas e concluindo com o brasão e a divisa: "Sede principal, Kellynch Hall, no condado de Somerset", além da caligrafia de sir Walter mais uma vez nesse final:

Herdeiro presumível, William Walter Elliot, ilustríssimo senhor, bisneto do segundo sir Walter.

Vaidade era o começo e o fim da personalidade de sir Walter Elliot; vaidade de pessoa e de situação. Ele fora notavelmente bonito na juventude e, aos cinquenta e quatro anos, ainda era um homem muito atraente. Poucas mulheres se preocupavam tanto com a aparência quanto ele, e nenhum criado de nenhum recém-ordenado lorde era mais satisfeito com o lugar que ocupava na sociedade. Ele considerava a bênção da beleza inferior apenas à bênção do título de baronete, e sir Walter Elliot, que reunia tais dádivas, era objeto constante de seu respeito e de sua devoção mais afetuosos.

Sua boa aparência e sua posição social tinham uma reivindicação justa sobre sua afeição, uma vez que lhe renderam uma esposa de caráter muito superior ao que seu próprio caráter merecia. Lady Elliot fora uma mulher excelente, sensível e amável, cujos julgamento e conduta, apesar de talvez terem que ser perdoados devido à paixão juvenil que a tornou lady Elliot, nunca exigiram considerações posteriores. Ela relevara, suavizara ou disfarçara as falhas dele, e promovera sua real respeitabilidade por dezessete anos. E muito embora ela própria não tenha sido a criatura mais feliz do mundo, encontrara felicidade o suficiente em seus afazeres, seus amigos e suas filhas para se apegar à vida e para não se sentir indiferente quando foi chamada para deixá-las. Três meninas, as duas mais velhas com dezesseis e catorze anos, eram uma terrível herança para uma mãe legar, certamente uma responsabilidade horrível para confiar à autoridade e à orientação de um pai pretensioso e tolo. Ela tinha, porém, uma amiga muito íntima, sensível e digna que havia sido levada, pela força da afeição entre elas, a morar perto dela, na vila de Kellynch. E era principalmente de sua gentileza e de seus conselhos que lady Elliot se fiava para o melhor apoio e manutenção dos bons princípios e das orientações que ela ansiosamente passava às filhas.

Essa amiga e sir Walter não se casaram, não importava o que tivesse sido antecipado acerca da questão por seus conhecidos. Treze anos haviam se passado desde a morte de lady Elliot e os dois ainda eram vizinhos próximos e amigos íntimos; ele permaneceu viúvo, assim como ela.

Que lady Russell, de idade e caráter estáveis, e em situação financeira muito confortável, nem sequer tenha pensado em um segundo casamento não precisa de explicação ao público, que costuma ficar mais irracionalmente descontente quando uma mulher se casa de novo do que quando ela não se casa; entretanto, a viuvez permanente de sir Walter exige explicação. Sabe-se que sir Walter, como um bom pai (tendo tido uma ou duas decepções particulares em pedidos nada razoáveis), orgulhava-se de continuar solteiro pelo bem de suas queridas filhas. Por uma delas, a mais velha, ele poderia mesmo ter aberto mão de tudo, algo que pouquíssimo o tentava. Elizabeth, aos dezesseis anos, dentro de tudo o que era possível, havia herdado os direitos e a importância de sua mãe, e, por ser muito bonita e lembrar muito o pai, sua influência sempre fora enorme, e os dois seguiram juntos muito felizes. Suas duas outras filhas eram de valor muito inferior. Mary adquiriu importância pequena e superficial ao se tornar a sra. Charles Musgrove; mas Anne, com uma mente elegante e um caráter doce que fariam qualquer pessoa com real discernimento tê-la em alta conta, não era ninguém para o pai nem para a irmã; suas palavras não tinham peso, sua conveniência nunca era considerada – ela era apenas Anne.

Para lady Russell, de fato, ela era a afilhada mais querida e mais valorizada, favorita e amiga. Lady Russell amava a todas, mas era apenas em Anne que ela conseguia ver a amiga revivida.

Alguns anos antes, Anne Elliot fora uma menina muito bonita, mas seu desabrochar logo desvanecera; e mesmo em seu auge, o pai não encontrava muito o que admirar na filha (suas feições delicadas e seus meigos olhos escuros eram totalmente diferentes dos deles), e agora que ela se encontrava desbotada e magricela, ele não via na filha nada que suscitasse sua estima. Ele, que nunca se permitira ter muitas esperanças de ler seu nome em qualquer outra página de seu livro favorito, agora não tinha nenhuma. A aliança igualitária repousava apenas com Elizabeth, pois Mary se unira a uma antiga família rural de respeito e grande fortuna, a quem dera toda a sua honra e de quem não recebera nenhuma. Elizabeth, cedo ou tarde, se casaria adequadamente.

Por vezes acontece de uma mulher ser mais bonita aos vinte e nove do que era dez anos antes; e, de modo geral, se não sofreu nenhuma doença ou tormento, é um momento da vida em que quase nenhum encanto é perdido. Esse era o caso de Elizabeth, ainda a mesma bela srta. Elliot que florescera treze anos antes, e, portanto, sir Walter deve ser perdoado por esquecer a idade dela ou, ao menos, deve ser considerado apenas meio tolo por acreditar que ele e Elizabeth estavam na flor da idade em meio ao naufrágio da boa aparência de todas as outras pessoas, uma vez que ele podia ver claramente o quanto o restante de sua família e conhecidos envelheciam. Anne tinha aparência emaciada, Mary, grosseira, cada rosto da vizinhança piorava, e os pés de galinha que avançavam pelas têmporas de lady Russell eram havia muito motivo de angústia para ele.

O contentamento pessoal de Elizabeth não correspondia exatamente ao do pai. Treze anos a viram ser a senhora de Kellynch Hall, presidindo e gerindo com uma compostura e uma firmeza que nunca passaram a ideia de que ela fosse mais jovem do que era. Durante treze anos, ela fizera as honras, dera as ordens domésticas, fora à frente de todos até a carruagem puxada por quatro cavalos e seguira logo atrás de lady Russell em todas as salas de estar e de jantar do país. Treze recorrentes invernos gélidos a viram abrir todos os bailes de boa reputação que uma vizinhança limitada conseguia oferecer e treze primaveras desvelaram seu florescer enquanto ela viajava a Londres com seu pai para algumas semanas de diversão anual do grande mundo. Ela tinha lembrança de tudo isso, tinha a consciência de ter vinte e nove anos, o que lhe trazia alguns arrependimentos e algumas apreensões; estava completamente satisfeita com ainda estar tão bela quanto sempre fora, mas sentia a aproximação dos anos de perigo, e teria se deleitado com a certeza de ser adequadamente solicitada por alguém com sangue de baronete no próximo ano, ou dois. Então ela talvez pudesse novamente segurar o livro dos livros com tanto prazer quanto em sua juventude; entretanto, ela não gostava mais dele. Sempre se deparar com sua data de nascimento sem nenhuma data de casamento na sequência, exceto do nome da irmã mais nova, tornava o livro um infortúnio; e, mais de uma vez, quando seu pai o deixara aberto sobre a mesa, ela o fechara e, desviando o olhar, o empurrara para longe.

Além disso, ela sofrera uma desilusão que aquele livro, e especialmente a história da própria família, sempre a fazia lembrar. O herdeiro presumível, o próprio William Walter Elliot, ilustríssimo senhor, cujos direitos foram muito generosamente apoiados por seu pai, desapontara-a.

Ela, quando ainda menina, por não ter nenhum irmão, assim que soubera que aquele seria o futuro baronete, tivera intenção de se casar com ele, e seu pai sempre a encorajara. A família não o conhecia quando criança, mas, logo após a morte de lady Elliot, sir Walter buscara conhecê-lo, e, embora suas tentativas não tenham encontrado nenhuma simpatia, ele insistira, condescendendo ser aquela uma recusa modesta da juventude, e, em uma de suas excursões primaveris a Londres, quando Elizabeth estava na flor da idade, o sr. Elliot foi forçado a conhecê-la.

Na época ele era ainda um rapazote que acabara de começar o estudo do Direito, e Elizabeth o achou extremamente agradável, e todos os arranjos a seu favor foram confirmados. Ele foi convidado a Kellynch Hall, foi assunto e foi esperado durante todo o resto do ano, no entanto, nunca apareceu. Na primavera seguinte, foi novamente visto na cidade, considerado igualmente agradável, mais uma vez encorajado, convidado e esperado e, de novo, não apareceu, e as notícias seguintes foram que ele havia se casado. Em vez de aumentar sua fortuna através da linha que lhe fora traçada como herdeiro da família Elliot, ele comprou sua independência unindo-se a uma mulher rica, mas de berço inferior.

Isso deixou sir Walter ressentido. Como chefe da casa, ele sentia que deveria ter sido consultado, especialmente depois de ter tomado o rapaz pela mão de forma tão pública, "pois os dois deveriam ser vistos juntos", observou, "uma vez em Tattersall e duas no saguão da Câmara dos Comuns". Sua desaprovação foi exprimida, mas, aparentemente, muito pouco considerada. O sr. Elliot não tentara se desculpar, e mostrou-se tão indisponível para aproximações da família que sir Walter não mais o considerava digno daquilo: todo o contato foi cessado.

Essa embaraçosa história com o sr. Elliot, mesmo depois de muitos anos, ainda enfurecia Elizabeth, que gostava do rapaz por quem ele era, e ainda mais por ser o herdeiro de seu pai, e cujo forte orgulho familiar enxergava nele apenas um par adequado para a filha mais velha de sir Walter Elliot. Não havia nenhum baronete, de A a Z, que os sentimentos dela reconhecessem de tão bom grado como um igual. Contudo, ele havia se comportado de maneira tão terrível que embora ela estivesse, neste momento presente (o verão de 1814), usando fitas pretas em respeito ao luto pela esposa dele, não admitia pensar nele como digno de consideração novamente. A desgraça do primeiro casamento do sr. Elliot talvez pudesse, já que não havia razão para supor que fosse perpetuado pela prole, ser superada se ele não tivesse feito algo pior; entretanto, como souberam, por meio da intervenção costumeira de amigos gentis, ele falara de todos eles com enorme desrespeito, insultando e desdenhando do sangue ao qual pertencia e das honras que seriam suas no futuro. Isso não podia ser perdoado.

Tais eram as emoções e impressões de Elizabeth Elliot; tais eram as preocupações para atenuar, as agitações para se desviar da mesmice e da elegância, da prosperidade e da frivolidade de sua cena de vida; tais eram os sentimentos que geravam interesse na imensa e monótona residência em uma comunidade rural e que preenchiam os vazios deixados pela falta de hábitos úteis fora de casa, de talentos ou de atividades domésticas.

Agora, entretanto, outra preocupação e inquietação começavam a se juntar a essas. O pai estava ficando apreensivo com dinheiro. Ela sabia que agora, quando ele pegava o *Baronetage*, era para distrair os pensamentos de suas altas contas com comerciantes e dos palpites indesejáveis do sr. Shepherd, seu administrador. A propriedade de Kellynch era boa, mas não tanto quanto sir Walter acreditava ser condizente com o proprietário. Enquanto lady Elliot era viva, houvera método, moderação e economia, o que restringia seus gastos a seus ganhos, porém, morrera com ela todo o bom senso, e desde então ele constantemente excedia o que ganhava. Gastar menos não lhe fora possível; ele não fizera nada além do que sir Walter Elliot fora obrigado a fazer. Contudo, por mais irrepreensível que fosse, ele não apenas estava ficando cada vez mais terrivelmente endividado, como também recebia notícias sobre isso com tanta frequência que se tornou inútil tentar esconder por mais tempo da filha, mesmo que em parte. Ele havia dado alguns indícios da situação na última primavera na cidade; chegou ao ponto de dizer: "Podemos economizar? Você consegue pensar em algo, ou mesmo algum artigo, no qual podemos gastar menos?", e Elizabeth, para fazer-lhe justiça, no fervor inicial do alarme feminino, se pôs a pensar com seriedade no que poderia ser feito e, por fim, propusera estas duas possibilidades de economia: reduzir algumas caridades desnecessárias e dispensar a renovação da mobília da sala de estar, expediente ao qual ela depois adicionou a feliz ideia de não levarem nenhum presente para Anne, como era o costume anual. No entanto, essas medidas, por mais que fossem boas, não foram suficientes para conter a verdadeira extensão do mal, cujo valor total sir Walter se viu obrigado a confessar à filha mais tarde. Elizabeth não tinha nenhuma outra proposta mais eficaz. Ela se sentiu maltratada e infeliz, assim como o pai; e nenhum dos dois era capaz de elaborar nenhum meio para diminuir as despesas sem comprometer a dignidade ou abdicar dos confortos de uma forma que pudessem suportar.

    Havia apenas uma pequena parte de sua propriedade da qual sir Walter poderia dispor; porém, mesmo que todos os acres estivessem alienados, não faria diferença. Ele havia cedido à hipoteca tudo o que estava em seu poder, mas jamais aceitaria a venda. Não, ele nunca desgraçaria seu nome a esse ponto. A propriedade de Kellynch deveria ser transmitida em sua totalidade, assim como ele a recebera.

Seus dois amigos e confidentes, o sr. Shepherd, que morava na cidade comercial vizinha, e lady Russell, foram chamados para aconselhá-lo, e tanto o pai quanto a filha pareciam esperar que um dos dois encontrasse uma solução que os tirasse do constrangimento e que reduzisse seus gastos sem envolver a perda de qualquer deleite ocasionado pelo bom gosto ou pelo orgulho.

Capítulo 2

O sr. Shepherd, um advogado cortês e prudente, independentemente de sua influência ou percepção acerca de sir Walter, preferia que a questão desagradável fosse abordada por outra pessoa; absteve-se de oferecer qualquer palpite e apenas pediu licença para recomendar uma referência implícita ao excelente julgamento de lady Russell, em cujo conhecido bom senso ele confiava plenamente para aconselhar medidas tão resolutas quanto as que ele desejava finalmente ver adotadas.

Lady Russell foi ainda mais ansiosamente zelosa com o assunto, e o considerou com muita seriedade. Era uma mulher de habilidades mais sensatas do que rápidas, e suas dificuldades para chegar a qualquer decisão a respeito desse assunto eram enormes, pela força da oposição entre dois princípios cruciais. Ela era de uma integridade rigorosa e tinha um senso de honra delicado; entretanto, ao mesmo tempo que desejava poupar os sentimentos de sir Walter, preocupava-se com o crédito da família e tinha ideias bastante aristocráticas acerca do que era dela por direito, como qualquer pessoa honesta e de bom senso. Era uma mulher benevolente, caridosa e boa, capaz de afeições firmes, muito correta em sua conduta, rigorosa em sua noção de decoro, e tinha modos que eram um exemplo de boa criação. Ela tinha uma mente refinada e era sempre, de modo geral, racional e consistente. Mas tinha uma inclinação para a ancestralidade; dava valor à posição social e à importância, o que a deixava ligeiramente cega para os defeitos daqueles que as possuíam. Sendo ela mesma viúva de um simples cavaleiro, dava a um baronete toda a sua devida dignidade; e sir Walter, em seu entendimento, independentemente do apelo de ser um velho conhecido, um vizinho atencioso, um senhorio agradável, o marido de uma amiga muito querida, o pai de Anne e suas irmãs, era, por ser o sir Walter, merecedor de grande compaixão e consideração por suas presentes dificuldades.

A família precisava economizar, disso não havia dúvidas. Porém, ela estava muito ansiosa para que isso se desse com o menor sofrimento possível para ele e Elizabeth. Traçou planos de economia, fez os cálculos exatos e o que ninguém mais pensou em fazer: consultou Anne, que parecia nunca ser considerada pelos outros como alguém com algum interesse pelo assunto. Ela a consultou e, em certo grau, foi influenciada pela afilhada ao criar o esquema de economia que, por fim, foi submetido a sir Walter. Todas as emendas de Anne foram feitas levando em consideração a honestidade, não a importância. Ela queria medidas mais vigorosas, uma reforma mais completa, uma quitação mais rápida das dívidas, um tom muito mais indiferente para tudo que não fosse justiça e equidade.

— Se conseguirmos convencer seu pai de tudo isso — disse lady Russell, olhando por sobre o papel —, muito poderá ser feito. Se ele adotar todas essas regras, em sete anos estará livre. E espero que possamos convencer a ele e Elizabeth que Kellynch Hall é, por si só, digna de respeito, que não será afetada por essas reduções e que a verdadeira dignidade de sir Walter estará muito longe de ser diminuída aos olhos de pessoas sensíveis se ele agir como um homem de princípios. O que ele fará que nossos antepassados já não tenham feito, ou deveriam ter feito, afinal? Não haverá nada de singular nesse caso, e é a singularidade que costuma ser a pior parte de nosso sofrimento, bem como de nossa conduta. Tenho muitas esperanças de que nos sairemos bem. Precisamos ser sérias e decididas, pois, no final das contas, a pessoa que contraiu as dívidas tem de pagá-las. E embora muito se considerem os sentimentos do cavalheiro e chefe da casa, como seu pai, deve-se considerar ainda mais o caráter de um homem honesto.

Esse era o princípio que Anne gostaria que o pai seguisse, e que seus amigos o encorajassem a aceitar. Ela considerava aquele um ato de dever indispensável para a quitação de obrigações com credores com toda a urgência que as mais compreensíveis contenções de despesa poderiam assegurar, e não enxergava dignidade em nada menos que isso. Queria que o plano fosse estabelecido, e sentido, como um dever. Ela considerou excessivamente a influência de lady Russell; e com um severo grau de negação suscitado pela própria consciência, acreditou que haveria pouca dificuldade em persuadi-los a adotar uma reforma completa, e não parcial. Com o conhecimento que tinha de seu pai e de Elizabeth, acreditou que o sacrifício de dois cavalos dificilmente seria menos doloroso do que de quatro, e assim por diante, ao longo de toda a lista de reduções brandas demais de lady Russell.

Como as reivindicações mais rígidas de Anne seriam recebidas pouco importava. As de lady de Russell não obtiveram sucesso nenhum: não poderiam ser toleradas, não seriam aceitas. "O quê? Abrir mão de todos os confortos? Viagens, Londres, serviçais, cavalos, comida... reduções e restrições em tudo? Não, seria preferível deixar Kellynch Hall de vez a permanecer em termos tão vergonhosos."

"Deixar Kellynch Hall." A ideia foi imediatamente aprovada pelo sr. Shepherd, cujo interesse recaía na realidade da situação financeira de sir Walter, e que estava perfeitamente convencido de que nada ocorreria sem uma mudança de endereço. "Já que a ideia foi sugerida por quem dita as regras, não havia escrúpulo algum", ele disse, "em confessar que seu julgamento se voltava completamente para esse sentido. Não lhe parecia que sir Walter conseguiria mudar seu estilo de vida em uma casa que demandava a manutenção de tal padrão de hospitalidade e dignidade ancestral. Em qualquer outro lugar, sir Walter poderia julgar por si mesmo, e seria respeitado ao regular seu modo de vida por qualquer escolha que fizesse a respeito de sua casa."

Sir Walter deixaria Kellynch Hall, e, depois de poucos dias de dúvidas e indecisões, foi definida a grande questão: para onde a família iria? E o primeiro passo para essa importante mudança foi dado.

Havia três alternativas, Londres, Bath e outra casa no campo. Todos os desejos de Anne repousavam na terceira opção. Uma pequena casa na própria vizinhança, onde ainda estariam na companhia de lady Russell, ainda estariam perto de Mary e ainda teriam o prazer de ocasionalmente ver os gramados e os bosques de Kellynch, esse era o objeto de sua ambição. No entanto, o destino usual de Anne veio a seu encontro: algo exatamente oposto ao seu desejo foi decidido. Ela não gostava de Bath, não achava que era o ambiente adequado para ela; e Bath se tornaria seu lar.

Sir Walter primeiro considerou ir para Londres, mas o sr. Shepherd achou que não se poderia confiar nele na cidade, e foi habilidoso o suficiente para fazê-lo mudar de ideia e se decidir por Bath. Era um lugar muito mais seguro para um cavalheiro na situação difícil em que se encontrava: lá ele poderia ser importante com custos consideravelmente mais baixos. Duas vantagens palpáveis da escolha de Bath sobre Londres receberam o devido peso: sua distância mais conveniente de Kellynch, de apenas cinquenta milhas, e o fato de lady Russell passar parte dos invernos por lá; e para grande satisfação de lady Russell, cujas primeiras apostas na mudança haviam sido para Bath, sir Walter e Elizabeth foram levados a acreditar que não perderiam importância nem diversão ao se estabelecerem no local.

Lady Russell se sentiu obrigada a se opor aos conhecidos desejos de sua querida Anne. Seria demais esperar que sir Walter se rebaixasse a ponto de se mudar para uma casinha na mesma vizinhança. A própria Anne veria que as humilhações decorrentes da situação seriam maiores do que o esperado, e, do ponto de vista de sir Walter, isso seria aterrorizante. E acerca do desgosto de Anne a respeito de Bath, ela considerou que fossem prejulgamentos e equívocos suscitados, em primeiro lugar, pelo fato de ter frequentado a escola lá por três anos após a morte da mãe e, em segundo, pelo fato de não ter estado com bom ânimo no único inverno que passara na cidade sozinha.

Em resumo, lady Russell gostava de Bath e estava disposta a achar que todos se encaixariam ali; e quanto à saúde de sua jovem amiga, passar os meses de calor em Kellynch Lodge afastaria todos os perigos. E aquela era, de fato, uma mudança que faria bem à saúde e ao humor dela. Anne havia saído muito pouco de casa, havia sido muito pouco vista. Seu ânimo não estava muito bom. Uma sociedade mais ampla ajudaria a melhorá-lo. Lady Russell desejava que Anne fosse mais conhecida.

A falta de interesse de sir Walter em qualquer outra casa da vizinhança foi certamente muito fortalecida por um aspecto, e um aspecto muito importante do esquema, que felizmente fora implantado desde o início. Ele não apenas deixaria sua casa, mas também a veria nas mãos de outras pessoas; um teste de força moral que mentes mais inabaláveis que a de sir Walter teriam considerado exagerado. Kellynch Hall seria alugada. Isso, porém, era um segredo profundo, e não poderia ser murmurado para ninguém fora daquele restrito círculo.

Sir Walter não teria suportado a indignidade decorrente de saberem que ele alugaria a própria casa. O sr. Shepherd havia mencionado uma vez a palavra "anúncio", mas nunca se atreveu a repeti-la. Sir Walter abominou a ideia de sua casa ser oferecida de tal maneira, proibiu que a menor alusão fosse feita a respeito dessa intenção, mesmo da forma mais discreta, e foi somente na suposição de que fosse espontaneamente questionado por algum interessado irrepreensível, nos seus termos e como um grande favor, que ele aceitaria alugá-la.

Com quanta rapidez surgem as razões para aprovar algo de que gostamos! Lady Russell tinha mais um excelente motivo à mão para estar extremamente feliz com a mudança de sir Walter e sua família para o campo. Elizabeth vinha estabelecendo uma intimidade que ela desejava que fosse interrompida. Era com a filha do sr. Shepherd, que havia retornado à casa do pai após um casamento desafortunado, com a responsabilidade adicional de dois filhos. Ela era uma jovem inteligente, que dominava a arte de agradar – a arte de agradar, pelo menos, em Kellynch Hall – e que conseguira ser tão bem aceita pela srta. Elliot que passara a noite lá em mais de uma ocasião, apesar de tudo o que lady Russell, que considerava a amizade inadequada, podia sugerir a respeito de cautela e reserva.

Na verdade, lady Russell tinha pouca influência sobre Elizabeth, e parecia amá-la mais porque deveria amá-la do que por merecimento da moça. Ela nunca recebera da jovem mais do que atenção superficial, nada além do cumprimento da complacência; nunca fora bem-sucedida em persuadi-la de coisa alguma que desejasse fazer quando suas inclinações prévias fossem contrárias. Repetidamente fora bastante perseverante em tentar incluir Anne nas visitas a Londres, sensivelmente honesta em relação a toda a injustiça e infâmia dos arranjos egoístas que a deixavam de fora, e em poucas ocasiões empenhara-se em oferecer a Elizabeth a vantagem de seu julgamento e de sua experiência mais desenvolvidos, mas sempre em vão. Elizabeth faria o que desejasse, e nunca o fez em tamanha oposição a lady Russell do que na escolha da sra. Clay: virou as costas para a companhia de uma irmã tão merecedora para depositar sua afeição e confiança em alguém que não deveria ser nada além de um objeto de civilidade distante.

A respeito da situação, a sra. Clay, na opinião de lady Russell, era muito inferior, e a respeito da pessoa, ela acreditava ser uma companhia muito perigosa. Uma mudança que deixasse a sra. Clay para trás e que trouxesse a escolha de intimidades mais adequadas ao alcance da srta. Elliot era de vital importância.

Capítulo 3

— Devo pedir licença para observar, sir Walter — disse o sr. Shepherd certa manhã em Kellynch Hall, enquanto deixava o jornal de lado —, que a conjuntura atual está muito a nosso favor. Essa paz trará todos os nossos ricos oficiais navais de volta a terra firme. Todos estarão em busca de um lar. Não poderia haver momento melhor, sir Walter, para escolher inquilinos, e inquilinos muito responsáveis. Muitas valiosas fortunas foram acumuladas durante a guerra. Se um almirante rico viesse ao nosso encontro, sir Walter...

— Ele seria um homem de muita sorte, Shepherd — respondeu sir Walter. — É tudo o que tenho a dizer. De fato, Kellynch Hall seria um prêmio para ele; certamente o maior prêmio de todos, ainda que já tenha ganhado muitos antes, hein, Shepherd?

O sr. Shepherd riu, como sabia que deveria fazer diante dessa graça, e então acrescentou:

— Ouso observar, sir Walter, que, do ponto de vista dos negócios, os cavalheiros da Marinha são fáceis de lidar. Conheço um pouco seus métodos de fazer negócios e sinto-me à vontade para confessar que eles têm noções muito liberais e são tão propensos a serem inquilinos desejáveis quanto qualquer grupo de pessoas que se possa conhecer. Por essa razão, sir Walter, o que eu gostaria de sugerir é que, caso haja quaisquer rumores de sua intenção, algo que deve ser considerado possível, pois sabemos como é difícil manter em segredo as ações e desígnios de uma parte do conhecimento e da curiosidade de outra, já que prestígio tem seu preço, eu, John Shepherd, poderia ocultar qualquer assunto de família que escolhesse, pois ninguém acharia que vale a pena vigiar-me. Porém, sir Walter Elliot vive sob olhares dos quais pode ser muito difícil escapar, e, portanto, devo especular que não seria grande surpresa para mim se, mesmo com toda a nossa cautela, algum boato da verdade se espalhasse. Supondo a possibilidade, como eu ia observar, propostas certamente chegarão, e acredito que valeria a pena receber qualquer um de nossos ricos comandantes navais; e peço licença para acrescentar que eu levaria duas horas, a qualquer momento, para chegar aqui e poupar-lhe do trabalho de responder.

Sir Walter apenas assentiu. Mas logo depois, levantando-se e andando de um lado para outro na sala, observou sarcasticamente:

— São poucos os cavalheiros da Marinha, imagino, que não ficariam admirados por se encontrarem numa casa como esta.

— Eles olhariam ao redor e, sem dúvida, agradeceriam a Deus pela boa sorte — disse a sra. Clay, que também estava presente. Seu pai a havia trazido de carruagem; nada seria tão útil para a saúde da sra. Clay quanto uma viagem até Kellynch. — Mas concordo inteiramente com o meu pai quanto à ideia de que um marinheiro pode ser um inquilino muito desejável. Conheci muitos homens dessa profissão, e, além de sua liberalidade, eles são muito organizados e cuidadosos em todos os sentidos! Estes seus valiosos quadros, sir Walter, se decidir deixá-los, estariam perfeitamente seguros. Tudo dentro e em torno da casa seria bem cuidado! Os jardins e arbustos seriam mantidos quase tão impecáveis quanto agora. Não precisa temer, srta. Elliot, que seus belos jardins de flores sejam negligenciados.

— Quanto a tudo isso — respondeu sir Walter com frieza —, supondo que eu fosse induzido a deixar minha casa, de modo algum tenho uma decisão a respeito dos privilégios que seriam vinculados a isso. Não estou particularmente disposto a favorecer um inquilino. O parque estaria aberto a ele, é claro, e a poucos oficiais da Marinha, ou homens de qualquer outro tipo, que podem ter tal classe. Mas as restrições que eu poderia impor acerca do uso dos jardins ingleses são outra coisa. Não gosto da ideia de meus arbustos estarem sempre acessíveis; e recomendaria à srta. Elliot que ficasse vigilante com relação ao seu jardim de flores. Estou muito pouco disposto a conceder a um inquilino de Kellynch Hall qualquer benefício extraordinário, asseguro-lhes, seja ele marinheiro ou soldado.

Após uma curta pausa, o sr. Shepherd ousou dizer:

— Em todos esses casos, existem costumes estabelecidos que esclarecem e facilitam tudo entre senhorio e inquilino. Seu interesse, sir Walter, está em boas mãos. Confie em mim para cuidar para que nenhum inquilino tenha nada além do que lhe for justo por direito. Atrevo-me a sugerir que sir Walter Elliot não poderia ser tão zeloso a respeito do que é seu quanto John Shepherd.

Nesse momento, Anne falou:

— A Marinha, penso eu, que tanto fez por nós, tem direitos no mínimo iguais que qualquer outro grupo de homens a confortos e privilégios que qualquer casa possa oferecer. Os marinheiros trabalham duro o suficiente por esses confortos, todos devemos concordar.

— Isso é verdade. O que a srta. Anne diz é verdade — foi a réplica do sr. Shepherd, e — Oh, Certamente! — foi a de sua filha. Entretanto, esta foi a observação de sir Walter logo depois:

— A profissão tem a sua utilidade, mas lamentaria ver algum amigo meu dedicando-se a ela.

— É mesmo? — foi a resposta, e com uma expressão de surpresa.

— Sim. E é ofensivo a mim em dois pontos; tenho dois fortes motivos de objeção a isso. Em primeiro lugar, seria um meio de trazer pessoas de origem obscura a uma distinção indevida, e de elevar homens a honras com as quais pais e avós nunca sonharam. E em segundo, por arruinar a juventude e o vigor de um homem de forma terrível: um marinheiro envelhece mais cedo que qualquer outro homem. Tenho observado isso toda a minha vida. Mais do que em qualquer outra ocupação, na Marinha um homem corre muito mais risco de ser insultado pela ascensão de alguém cujo pai teria sido desdenhado pelo próprio pai desse homem, e de se tornar, ele mesmo, prematuramente objeto de repulsa. Certo dia, na última primavera, na cidade, eu estava na companhia de dois homens, exemplos notáveis do que estou falando, lorde St. Ives, cujo pai todos sabemos ter sido um pároco no interior que não tinha nem mesmo pão para comer, e um certo almirante Baldwin, a pessoa com a aparência mais deplorável que puderem imaginar: seu rosto tinha cor de mogno, áspero e encarquilhado, cheio de linhas de expressão e rugas, com nove fios de cabelo branco na lateral e nada além de um pouco de pó no topo da cabeça. "Por Deus, quem é esse velhote?", perguntei a um amigo que estava próximo (sir Basil Morley). "Velhote?", exclamou sir Basil, "É o Almirante Baldwin. Qual idade acha que ele tem?", ao que respondi: "Sessenta, talvez sessenta e dois". Sir Baldwin redarguiu: "Quarenta, quarenta e nem um ano a mais". Imaginem meu espanto. Não me esquecerei tão cedo do almirante Baldwin. Nunca vi um exemplo tão lastimável do que uma vida no mar pode fazer. Porém, em maior ou menor grau, sei que ocorre o mesmo com todos eles: estão sempre para lá e para cá e expostos a todos os climas e a todas as temperaturas, até não estarem mais em condições de serem vistos. É uma pena que não levem uma pancada na cabeça de uma vez, antes de atingirem a idade do almirante Baldwin.

— Não, sir Walter — exclamou a sra. Clay —, isso é severo demais. Tenha um pouco de misericórdia dos pobres homens. Nem todos nascem para ser belos. O mar certamente não traz beleza; os marinheiros envelhecem cedo. Isso eu já notei, eles logo perdem a aparência de jovens. Mas o mesmo não ocorre com muitas outras profissões, talvez com a maioria delas? Os soldados, quando em serviço ativo, não estão em melhor situação. E mesmo nas profissões mais tranquilas, há a fadiga e o trabalho da mente, se não do corpo, que raramente deixam a aparência de um homem ao efeito natural do tempo. O advogado labuta cheio de aflição, o médico está sempre acordado e viajando sob qualquer clima, e até o clérigo... — ela parou um instante para considerar o que serviria para o clérigo — e até o clérigo, sabem, é obrigado a entrar em cômodos contaminados e expor sua saúde e aparência a todos os danos de uma atmosfera venenosa. Na verdade, como há muito estou convencida, embora todas as profissões sejam necessárias e, por sua vez, honrosas, somente aqueles que não são obrigados a seguir nenhuma podem viver de maneira harmoniosa, no campo, escolhendo como utilizar suas horas, seguindo suas próprias ocupações e vivendo em sua propriedade, sem o tormento de tentar alcançar mais; são apenas essas pessoas, afirmo, que têm as bênçãos da saúde e da boa aparência ao extremo: não conheço nenhum outro tipo de homem que não perca algo de sua personalidade quando deixa de ser jovem.

Pareceu que o sr. Shepherd, na ansiedade de evidenciar a boa vontade de sir Walter de ter um oficial da Marinha como inquilino, conseguira prever o futuro, pois a primeira proposta para a casa foi do almirante Croft, com quem ele pouco depois se deparou nas sessões trimestrais em Taunton; e, de fato, recebera informações sobre o almirante de um correspondente de Londres. De acordo com o relatório que se apressou a fazer em Kellynch, o almirante Croft era natural de Somersetshire e, tendo adquirido uma vultosa fortuna, desejava se estabelecer em sua própria região. Viajara a Taunton para ver alguns anúncios de lugares naquela vizinhança imediata, que, entretanto, não lhe agradaram. Ao saber acidentalmente (assim como havia previsto, o sr. Shepherd observou, não era possível manter em segredo os interesses de sir Walter) da possibilidade de Kellynch Hall estar para alugar, e tendo conhecimento de sua ligação (do sr. Shepherd) com o proprietário, ele se apresentou para questionar algumas particularidades e manifestou, no decorrer de uma longa conferência, uma inclinação tão forte pela propriedade quanto um homem que apenas a conhecia pela descrição poderia sentir, e deu ao sr. Shepherd, em seu relato explícito de si mesmo, todas as provas de ser um inquilino muito responsável e qualificado.

— E quem é o almirante Croft? — foi a indagação fria e desconfiada de sir Walter.

O sr. Shepherd respondeu que sua família descendia de um cavalheiro e mencionou um lugar; e Anne, após a pequena pausa que se seguiu, acrescentou:

— Ele é o contra-almirante do branco, do alto escalão da Marinha Real. Participou da ação de Trafalgar e esteve nas Índias Orientais desde então. Permaneceu lá por vários anos, creio eu.

— Então posso afirmar com certeza — sir Walter observou — que seu rosto é tão laranja quanto os punhos e as capas da libré dos meus criados.

O sr. Shepherd apressou-se em assegurar-lhe que o almirante Croft era um homem muito robusto, vigoroso e de boa aparência. Um pouco castigado pelo tempo, sem dúvida, mas não exageradamente, e muito cavalheiro em seu comportamento e seus modos. Provavelmente não criaria dificuldades a respeito dos termos, queria apenas um lar confortável para o qual pudesse se mudar o mais rápido possível. Sabia que deveria pagar pela conveniência, sabia quanto custaria o aluguel de uma casa mobiliada daquele porte e não ficaria surpreso se sir Walter pedisse mais. Perguntou sobre a propriedade e ficaria feliz por receber alguns direitos, certamente, mas não dava muita importância a isso; disse que às vezes portava uma arma, mas nunca havia matado ninguém. Realmente, muito cavalheiro.

O sr. Shepherd foi eloquente sobre o assunto, mencionando todas as circunstâncias da família do almirante que o tornavam particularmente desejável como inquilino. Ele era um homem casado e sem filhos, a situação ideal. Uma casa sem uma dama, o sr. Shepherd observou, jamais poderia ser bem cuidada: ele não sabia se a mobília estaria em maior perigo sem uma dama ou com a presença de muitas crianças. Uma dama sem filhos era a melhor preservadora de mobília no mundo. Ele também conhecera a sra. Croft; ela estava em Tauton com o almirante e esteve presente durante quase todo o tempo em que discutiram o assunto.

— Pareceu-me uma dama muito educada, refinada e perspicaz — continuou ele. — Fazia mais perguntas sobre a casa, os termos e os valores do que o próprio almirante, e parecia mais familiarizada com os negócios. Além disso, sir Walter, descobri que ela está tão ligada a esta região quanto o marido, se não mais: é irmã de um cavalheiro que já viveu entre nós, ela mesma me contou. É irmã do cavalheiro que morou há alguns anos em Monkford. Minha nossa! Como era mesmo o nome dele? Não consigo me lembrar agora, embora o tenha ouvido recentemente. Penelope, minha querida, consegue me ajudar a lembrar o nome do cavalheiro que morou em Monkford, o irmão da sra. Croft?

Mas a sra. Clay conversava com tanto entusiasmo com a srta. Elliot que não ouviu o apelo.

— Não tenho ideia de a quem se refere, Shepherd. Não me lembro de nenhum cavalheiro residente em Monkford desde a época do velho governador Trent.

— Minha nossa! É muito estranho! Suponho que em breve me esquecerei do meu próprio nome. É um nome que me é muito familiar, conhecia o cavalheiro tão bem de vista. Eu o vi centenas de vezes, lembro que veio se consultar comigo em uma ocasião a respeito da invasão de um de seus vizinhos, um fazendeiro que entrou em seu pomar, derrubou o muro, roubou maçãs, foi pego em flagrante e depois, contrariando minha recomendação, submeteu-se a um acordo amigável. É muito estranho mesmo!

Depois de um momento de pausa:

— Acredito que você está falando do sr. Wentworth — Anne interferiu.

O sr. Shepherd ficou todo agradecido.

— Wentworth, era esse o nome! O homem era o sr. Wentworth. Ele foi pároco de Monkford, sabe, sir Walter, algum tempo atrás, por dois ou três anos. Chegou ali há cerca de cinco anos, suponho. Você se lembra dele, tenho certeza.

— Wentworth? Ah, sim! Senhor Wentworth, o pároco de Monkford. Você me confundiu com o termo cavalheiro. Achei que falasse de algum homem de propriedade, o sr. Wentworth não era ninguém, eu me lembro. Tinha pouquíssimas conexões, nenhuma ligação com a família Strafford. É de se pensar como os nomes de muitos de nossos nobres se tornaram tão comuns.

Como o sr. Shepherd percebeu que essa conexão com os Croft não servia para sir Walter, ele não a mencionou mais. Voltou, com todo o zelo, a discorrer com delongas sobre as circunstâncias mais indiscutivelmente favoráveis a eles; a idade, o número de familiares e a fortuna, a ideia elevada que haviam formado de Kellynch Hall e a extrema solicitude pelo benefício de poderem alugá-la, fazendo parecer que não desejavam nada além da alegria de serem inquilinos de sir Walter, uma prova extraordinária, sem dúvida, estivesse o casal ciente do valor que sir Walter secretamente estimava cobrar dos inquilinos.

Funcionou, no entanto. E embora sir Walter sempre olhasse com desdém para qualquer um que desejasse habitar aquela casa, considerando-o extremamente bem-afortunado por poder alugá-la nos termos mais elevados, ele foi convencido a permitir que o sr. Shepherd prosseguisse com o acordo e o autorizou a esperar o almirante Croft, que ainda estava em Tauton, e marcar uma data de visita à casa.

Sir Walter não era muito sábio, mas ainda assim tinha experiência suficiente do mundo para sentir que um inquilino mais irrepreensível, em todos os aspectos essenciais, do que o almirante Croft parecia ser dificilmente apareceria. Seu entendimento chegava a esse ponto, e sua vaidade oferecia um pouco mais de tranquilidade, considerando a situação de vida do almirante, que era um tanto elevada, mas não demais. "Aluguei a minha casa para o almirante Croft" soava extremamente bem, muito melhor do que para qualquer mero "senhor tal", um senhor (exceto, talvez, por meia dúzia no país) sempre precisa ser seguido de uma explicação. Um almirante já indicava sua própria importância, ao mesmo tempo que nunca poderia ofuscar um baronete. Em todos os seus negócios e relações, sir Walter Elliot sempre teria a precedência.

Nada poderia ser feito sem que se recorresse a Elizabeth. No entanto, a inclinação para uma mudança crescia tanto nela que a moça ficou feliz por ter a situação acertada e resolvida com um inquilino à mão; e ela não proferiu nenhuma palavra que pudesse suspender a decisão.

O sr. Shepherd recebeu plenos poderes para agir. Logo que a decisão foi tomada, Anne, que fora uma ouvinte atenta durante toda a discussão, saiu da sala e foi buscar o conforto do ar fresco para suas bochechas coradas. Enquanto andava por seu bosque favorito, disse, com um suspiro suave:

— Mais alguns meses, e ele talvez esteja caminhando por aqui.

Capítulo 4

Ele não era o sr. Wentworth, antigo pároco de Monkford, por mais suspeitas que fossem as aparências, mas um capitão Frederick Wentworth, seu irmão, que fora nomeado capitão de fragata em consequência da ação em Santo Domingo, e, sem ter recebido posto imediatamente, viera a Somersetshire no verão de 1806. Como não tinha pai nem mãe vivos, encontrou um lar em Monkford durante seis meses. Ele era, na época, um jovem notavelmente bonito, dotado de grande inteligência, bom humor e perspicácia; e Anne era uma menina de extrema beleza, bondosa, modesta, sensível e de bom gosto. Metade da soma desses atrativos, de ambos os lados, teria sido suficiente, pois ele não tinha nada para fazer, e ela dificilmente teria alguém para amar; o encontro de tão copiosas recomendações não poderia dar errado. Eles foram se conhecendo gradativamente e, quando se conheceram, se apaixonaram rápida e profundamente. Seria difícil dizer quem teria visto maior perfeição no outro, ou quem fora mais feliz: ela, ao receber suas declarações e propostas, ou ele, ao vê-las aceitas.

Seguiu-se um breve período de primorosa felicidade, mas muito breve. Logo surgiram problemas. Sir Walter, ao receber o pedido da mão da filha, sem realmente negar seu consentimento nem dizer que isso nunca ocorreria, exprimiu toda a negativa com enorme surpresa, imensa frieza e grande silêncio, e declarou sua decisão de não fazer nada pela filha. Ele considerou aquela uma aliança extremamente aviltante, e lady Russell, embora tivesse um orgulho mais brando e perdoável, recebeu o pedido como uma ideia muito infeliz.

Anne Elliot, com todas as honras de sua origem, sua beleza e sua mente, desperdiçar-se assim aos dezenove anos, comprometer-se dessa forma, aos dezenove anos, em um noivado com um jovem que não tinha nada que o recomendasse além de si mesmo, sem nenhuma esperança de conquistar riquezas a não ser nos acasos de uma profissão incerta, e sem conexões para garantir até mesmo uma ascensão maior na profissão, seria, de fato, um desperdício cujo mero pensamento a aborrecia! Anne Elliot, tão jovem, tão pouco conhecida, ser arrebatada assim por um estranho sem procedência e sem fortuna, ou ainda ser afundada por ele em um estado de dependência exaustiva, atormentada e destruidora de sua juventude! Isso não poderia ocorrer. Fosse por alguma interferência de amizade, fosse por intermédio de alguém que tivesse quase um amor de mãe, e direitos de mãe, isso deveria ser impedido.

O capitão Wentworth não tinha fortuna. Ele tivera sorte na profissão, mas gastar à vontade o que ganhara livremente não ajudara em nada. Entretanto, ele tinha certeza de que logo ficaria rico: cheio de vida e entusiasmo, sabia que logo teria um navio e logo alcançaria um posto que o levaria a tudo o que desejava. Sempre tivera sorte, e sabia que continuaria tendo. Tal confiança, poderosa em seu ardor e encantadora na perspicácia com a qual frequentemente a expressava, teria sido suficiente para Anne, mas lady Russell tinha uma opinião muito diferente. Ela via o temperamento determinado e a mente destemida de Wentworth de um modo muito diferente. Ela enxergava nisso somente um agravamento do mal, que lhe dava apenas um caráter perigoso. Ele era brilhante, e era obstinado. Lady Russell tinha pouco apreço pela perspicácia e achava um horror tudo o que se aproximava da imprudência. Ela desaprovava a união sob todos os aspectos.

Tal oposição, originada por esses sentimentos, foi mais do que Anne poderia confrontar. Jovem e gentil como era, ainda teria sido possível resistir à animosidade do pai, embora não fosse suavizada por uma palavra ou um olhar gentil por parte da irmã, mas lady Russell, a quem ela sempre amara e em quem sempre confiara, não poderia, com tanta firmeza de opinião e com modos tão amáveis, continuar aconselhando-a em vão. Ela foi persuadida a acreditar que o noivado era um erro: indiscreto, impróprio, com poucas chances de sucesso e indigno. Entretanto, não foi apenas em razão do alerta egoísta que Anne pôs fim ao compromisso. Se ela não tivesse suposto que fazia aquilo pelo bem dele, ainda mais do que pelo dela mesma, dificilmente teria desistido de Wentworth. A crença de estar sendo prudente e altruísta, principalmente em benefício dele, foi seu grande consolo a respeito de um rompimento, de um rompimento total. E todo esse consolo foi necessário, pois ela teve que encarar toda a dor adicional das opiniões, da parte dele, incrédulo e inflexível, e sentindo-se usado por um rompimento tão forçado. Ele deixou o país, como consequência.

Poucos meses testemunharam o início e o fim daquele relacionamento. Contudo, esses poucos meses não foram suficientes para pôr fim à dose de sofrimento de Anne. Seu afeto e seus arrependimentos, por muito tempo, embotaram qualquer proveito da juventude, e uma perda precoce do viço e do humor foi o resultado duradouro.

Mais de sete anos se passaram desde que essa pequena história de triste interesse chegara ao fim, e o tempo tinha suavizado muito, talvez quase completamente, o afeto particular de Anne por Wentworth. Porém, ela dependera demais do tempo em si; nenhuma ajuda lhe fora dada em termos de mudança de lugar (exceto por uma visita a Bath logo após a ruptura), nem qualquer novidade ou ampliação nas relações de amizade. Ninguém que adentrara o círculo de Kellynch jamais poderia se comparar a Frederick Wentworth, não como ela o guardava na memória. Nenhum segundo relacionamento – a única cura perfeitamente natural, feliz e suficiente naquela idade – fora possível ao refinamento de sua mente, à exigência de seu gosto e aos restritos limites da sociedade ao seu redor. Ela recebera um pedido para mudar de sobrenome, aos vinte e dois anos, de um jovem que pouco depois encontrou mais disposição de ânimo em sua irmã mais nova, e lady Russell lamentou a recusa de Anne. Charles Musgrove era o filho mais velho de um homem cuja propriedade fundiária e importância geral naquela região ficavam atrás apenas de sir Walter, além de ter bom caráter e boa aparência, e embora lady Russell tivesse exigido algo mais quando Anne tinha dezenove anos, ficaria feliz em vê-la naquele momento deixar as predileções e as injustiças da casa do pai de modo tão respeitoso e se instalar permanentemente próximo a ela. Todavia, nesse caso, Anne não havia deixado espaço para ouvir conselhos, e apesar de lady Russell, satisfeita como sempre com a própria discrição, nunca ter desejado que o passado tivesse sido diferente, começou a sentir uma ansiedade que beirava o desespero de Anne ser seduzida, por algum homem de talentos e independência, a um estado ao qual considerava a jovem particularmente adequada por conta de seu temperamento afetuoso e seus hábitos domésticos.

Elas não conheciam a opinião uma da outra, nem sua constância ou inconstância em relação ao ponto principal da conduta de Anne, pois o assunto nunca fora mencionado. Entretanto, aos vinte e sete anos, Anne pensava de maneira muito diferente do que fora levada a pensar aos dezenove. Ela não culpava lady Russell, nem a si mesma, por ter sido persuadida pela amiga, mas sentia que se qualquer outra jovem, em circunstâncias similares, procurasse seus conselhos, não teria recebido tanta garantia de infelicidade imediata e tanta incerteza de um bom futuro. Ela estava convencida de que, mesmo sob toda a desvantagem da desaprovação da família, toda a inquietação relativa à profissão do noivo, todos os prováveis medos, atrasos e frustrações, ela teria sido uma mulher mais feliz se tivesse mantido o noivado do que foi ao sacrificá-lo. E ela acreditava plenamente nisto: mesmo se tivessem vivido com o peso habitual, ou um peso mais do que o habitual de todas as preocupações e incertezas entre deles, sem considerar os resultados reais do caso conforme se provou, teriam tido a possibilidade de alguma prosperidade mais cedo do que poderiam ter calculado. Todas aquelas expectativas otimistas, toda a confiança dele, tinham sido justificadas. Seu gênio e seu ardor pareceram prever e comandar seu afortunado caminho. Ele conseguira um posto pouco depois do rompimento do noivado, e tudo o que dissera a Anne que aconteceria de fato aconteceu. Ele havia se destacado e logo conquistou outra patente; e então, após sucessivas conquistas, conseguiu uma bela fortuna. Ela tinha apenas listas da Marinha e jornais para se informar, mas não tinha dúvidas a respeito da fortuna dele e, considerando sua lealdade, não tinha motivos para acreditar que ele havia se casado.

Como Anne Elliot poderia ter sido eloquente! Como eram eloquentes, pelo menos, seus desejos concernentes a um precoce relacionamento apaixonado, e a uma alegre confiança no futuro, em contraste com a cautela extremamente aflita que parece insultar e recear a Providência! Ela fora coagida à prudência na juventude, e aprendeu o que era o romance com a idade: a sequência natural de um início nada natural.

Nessas circunstâncias, com todas aquelas lembranças e sentimentos, ela não conseguia ouvir a notícia de que a irmã do capitão Wentworth provavelmente moraria em Kellynch sem que sua antiga dor revivesse, e muitos passeios e suspiros foram necessários para dissipar a agonia causada pela ideia. Com frequência ela dizia a si mesma que era tolice, antes de conseguir restabelecer os nervos suficientemente para não ver mal na contínua discussão dos Croft e na negociação que ocorreria. Entretanto, ela foi auxiliada pela perfeita indiferença e pela aparente inconsciência de seus únicos três amigos que conheciam o segredo do passado, que pareciam quase negar qualquer memória do acontecido. Podia compreender a superioridade dos motivos de lady Russell nessa situação em relação àqueles de seu pai e de Elizabeth, conseguia respeitar todos os sentimentos elevados de sua serenidade, mas o clima geral de esquecimento entre eles era importante demais, seja lá de onde surgisse;

e no caso de o almirante Croft realmente se mudar para Kellynch Hall, ela alegrou-se novamente com a convicção pela qual sempre fora agradecida, de o passado ser conhecido apenas por aquelas três pessoas pelas quais, ela acreditava, nenhuma sílaba jamais seria sussurrada, e com a certeza de que, entre os conhecidos dele, apenas o irmão com que morara sabia do breve noivado. Esse irmão tinha havia muito se mudado do campo, e, sendo um homem sensível, além de ser solteiro na época, ela se apegava com afeição ao pensamento de que nenhuma criatura soubera da notícia por ele.

Quando tudo aconteceu, a irmã dele, a sra. Croft, estava fora da Inglaterra, acompanhando o marido em um posto no exterior, e sua irmã, Mary, estava na escola. Pelo orgulho de uns e pela delicadeza de outros, a menina nunca teve o mínimo conhecimento do ocorrido depois.

Com esses apoios, ela esperava que a convivência entre ela e os Croft, que provavelmente aconteceria, pois lady Russell ainda residia em Kellynch e Mary morava a apenas três milhas de distância, não precisaria envolver nenhum embaraço particular.

Capítulo 5

Na manhã do dia marcado para a visita do almirante e da sra. Croft a Kellynch Hall, Anne achou que seria mais espontâneo fazer sua caminhada quase diária à casa de lady Russell e ficar fora do caminho até que os visitantes fossem embora. Depois, achou que também seria mais natural lamentar ter perdido a oportunidade de vê-los.

O encontro das duas partes se mostrou imensamente satisfatório, e todo o negócio foi resolvido de uma vez. Cada dama estava previamente disposta a um acordo, e, portanto, não viu nada na outra além de bons modos; e quanto aos cavalheiros, havia um bom humor tão genuíno e uma liberdade tão aberta da parte do almirante que foi impossível não influenciar sir Walter, o qual, por sua vez, fora bajulado até atingir seu meu melhor e mais polido comportamento a partir das garantias do sr. Shepherd de ser reconhecido pelo almirante, pelos relatos, como um modelo de boa criação.

A casa, os terrenos e a mobília foram aprovados, os termos foram aprovados, tudo e todos estavam certos, e os escriturários do sr. Shepherd começaram a trabalhar sem ter havido nenhuma diferença preliminar para modificar "O justo e contratado a seguir".

Sir Walter, sem hesitação, declarou que o almirante era o marinheiro com a melhor aparência que já conhecera, e chegou ao ponto de dizer que, se seu próprio camareiro arrumasse aquele cabelo, não teria vergonha de ser visto com ele em nenhum lugar. O almirante, com sua cordialidade compreensiva, observou à esposa, enquanto cruzavam o parque na volta:

— Acredito que logo chegaremos a um acordo, minha querida, apesar do que nos disseram em Taunton. O baronete não fará nada grandioso, mas não parece oferecer perigo.

Eram elogios recíprocos, que teriam sido considerados equivalentes.

Os Croft se mudariam em 29 de setembro, dia da Festa de São Miguel Arcanjo, e, como sir Walter sugeriu que a mudança para Bath fosse feita em algum momento do mês seguinte, não havia tempo a perder a respeito de todos os arranjos pendentes.

Lady Russell, convencida de que não permitiriam que Anne tivesse qualquer utilidade ou importância na escolha da casa em que iriam morar, estava muito relutante em deixá-la partir tão apressadamente, e queria tentar fazê-la ficar até que fossem juntas para Bath depois do Natal. No entanto, ela própria tinha compromissos que a afastariam de Kellynch por várias semanas, e por isso não conseguiu fazer a Anne um convite tão extenso quanto gostaria. Anne, embora temesse as possíveis altas temperaturas de setembro e toda a claridade ofuscante de Bath, e se afligisse por renunciar a toda influência tão doce e tão melancólica dos meses de outono em sua terra, achou que, considerando tudo, não queria ficar. Seria o correto, mais coerente, portanto, envolveria menos sofrimento ir com os outros.

Contudo, aconteceu algo que lhe propiciou uma tarefa diferente. Mary, que com frequência sentia algum mal-estar, que sempre pensava demais em suas próprias reclamações e que tinha o hábito de invocar Anne sempre que algo do tipo acontecia, estava indisposta. E prevendo que não teria um único dia de saúde durante todo o outono, suplicou, ou melhor, exigiu, pois nem era nem um pouco uma súplica, que ela fosse até a Uppercross Cottage e lhe fizesse companhia pelo tempo que desejasse, em vez de ir para Bath.

— Não posso ficar sem Anne — foi o raciocínio de Mary.

A resposta de Elizabeth foi:

— Então tenho certeza de que seria melhor que Anne ficasse, pois não há ninguém que a queira em Bath.

Ser considerada útil, embora de forma bastante inapropriada, pelo menos era melhor do que ser rejeitada como sem nenhuma utilidade, e Anne estava feliz por ser considerada útil, feliz por ter uma tarefa a cumprir, e definitivamente nem um pouco triste por isso ocorrer no campo, em sua própria terra tão querida, e logo concordou em ficar.

Esse convite removeu todas as dificuldades de lady Russell, e consequentemente foi combinado que Anne só iria para Bath quando lady Russell a levasse, e que nesse intervalo ela dividiria seu tempo entre Uppercross Cottage e Kellynch Lodge.

Até então, estava tudo dando muito certo. Porém, lady Russell quase tomou um susto com um desvio no plano de Kellynch Hall, quando estourou nela a notícia de que a sra. Clay havia se comprometido a ir para Bath com sir Walter e Elizabeth, sendo considerada uma assistente de muito valor e importância em relação a tudo o que estava prestes a acontecer. Lady Russell ficou profundamente triste que tal medida tivesse sido tomada – ela ficou assombrada, descontente e temerosa. E a afronta que isso significava para Anne, que a sra. Clay fosse considerada tão útil enquanto ela mesma fora considerada sem nenhuma utilidade, foi um agravante muito doloroso.

Anne já estava acostumada com afrontas daquele tipo, mas sentiu a imprudência do arranjo com tanta intensidade quanto lady Russell. Por meio de muita observação silenciosa e um conhecimento do caráter do pai, que muitas vezes desejava que fosse menor, ela sentia que resultados bastante sérios para a família decorrentes dessa intimidade eram mais do que possíveis. Não imaginava que o pai, naquele momento, tivesse alguma ideia nesse sentido. A sra. Clay tinha sardas, um dente projetado e uma mão desajeitada, sobre os quais sir Walter sempre fazia duros comentários em sua ausência. No entanto, ela era jovem, e sem dúvida tinha uma boa aparência no geral, e apresentava, com sua mente aguçada e modos que com frequência buscavam ser agradáveis, atrativos infinitamente mais perigosos do que qualquer mero atributo físico. Anne ficou tão impressionada com o grau de perigo que não pôde evitar tentar demonstrá-lo à irmã. Tinha pouca esperança de ser bem-sucedida, mas acreditava que Elizabeth, na concretização desse revés, teria muito mais a lamentar do que ela, portanto, não teria razão para repreendê-la por não ter avisado.

Ela falou, e pareceu somente ofendê-la. Elizabeth não podia conceber como uma suspeita tão absurda pudesse lhe ter ocorrido, e respondeu indignada que cada lado conhecia perfeitamente a própria posição.

— A sra. Clay — disse ela, calorosamente — nunca se esquece de quem é. E, como tenho mais familiaridade com os sentimentos dela do que você, posso lhe garantir que, a respeito do assunto casamento, eles são particularmente nulos, e que ela reprova toda desigualdade de condição e de posição com mais intensidade que a maioria das pessoas. E quanto ao meu pai, eu realmente nunca pensaria que, tendo permanecido solteiro por tanto tempo por nossa causa, ele deveria levantar suspeitas agora. Se a sra. Clay fosse uma mulher bonita, eu admitiria que seria errado da minha parte tê-la tão próxima a mim. Não que qualquer razão no mundo fosse induzir meu pai a concretizar uma união degradante, pois ele ficaria infeliz. Entretanto, acho mesmo que a pobre sra. Clay, que, apesar de todos os seus méritos, nunca seria considerada uma mulher de razoável beleza, não representa nenhum perigo estando aqui. Alguém poderia imaginar que você nunca ouviu meu pai falar das imperfeições dela, embora eu saiba que já ouviu isso cinquenta vezes. Aquele dente dela, aquelas sardas... Sardas não me desagradam tanto quanto desagradam a ele. Já vi um rosto com algumas poucas que não ficou tão desfigurado, mas ele as abomina. Você já deve tê-lo ouvido falar das sardas da sra. Clay.

— Há poucos defeitos físicos — respondeu Anne — que não podem ser gradualmente amenizados por modos agradáveis.

— Penso bem diferente — Elizabeth replicou abruptamente. — Modos agradáveis podem realçar características belas, mas nunca alterar as insípidas. Entretanto, de qualquer modo, como tenho muito mais em risco do que qualquer outra pessoa nesse sentido, acho bem desnecessário que você venha me aconselhar.

Anne fizera o que precisara fazer; estava contente por tudo ter chegado ao fim, e não completamente desesperançosa de ter feito o bem. Elizabeth, embora tenha ressentido a suspeita, talvez pudesse ser mais vigilante quanto a isso.

A última incumbência da carruagem de quatro cavalos era levar sir Walter, a srta. Elliot e a sra. Clay até Bath. O grupo partiu muito animado: sir Walter acenava com a cabeça altivamente para todos os locatários e aldeões que pudessem ter sido aludidos a comparecer; Anne, ao mesmo tempo, caminhava com uma tranquilidade um tanto consternada em direção a Lodge, onde passaria a primeira semana.

Sua amiga não estava com um humor melhor que o dela. Lady Russell sentiu intensamente essa ruptura da família. A respeitabilidade dos Elliot lhe era tão cara quanto a própria, e a convivência diária havia se tornado um hábito precioso. Era doloroso olhar os jardins desertos, e pior ainda imaginar as novas mãos nas quais eles cairiam; e, para escapar da solidão e da melancolia de uma vila tão diferente, além de estar fora quando o almirante e a sra. Croft chegassem, ela estava determinada a dar início à própria ausência do lar assim que se separasse de Anne. Como havia sido combinado, as duas saíram juntas, e Anne foi deixada em Uppercross Cottage na primeira parte da jornada de lady Russell.

Uppercross era uma vila de tamanho razoável que, alguns anos antes, fora completamente construída no velho estilo inglês, tendo apenas duas casas de aparência superior às dos fazendeiros e trabalhadores: a mansão do aristocrata proprietário daquelas terras, com seus muros altos, grandes portões e árvores antigas, majestosa e sem modernidades, e a compacta e apertada casa do clérigo, encerrada em seu próprio jardim bem cuidado, com uma videira e uma pereira crescendo em torno dos caixilhos das janelas. Porém, com o casamento do jovem senhor, a vila havia recebido a melhoria de uma casa de fazenda transformada em chalé para sua residência, e Uppercross Cottage, com sua varanda, suas janelas francesas e outras belezas, tinha quase a mesma chance de capturar o olhar de viajantes quanto o aspecto e as instalações mais consistentes e consideráveis da Casa Grande, mais ou menos um quarto de milha adiante.

Anne ficava ali com frequência. Ela conhecia os caminhos de Uppercross tão bem quanto os de Kellynch. As duas famílias se viam tanto, e o hábito de sair e entrar da casa uns dos outros era tão enraizado, que foi quase uma surpresa para ela encontrar Mary sozinha, mas estar sozinha, indisposta e sem ânimos era quase um estado natural para ela. Embora estivesse mais bem amparada que a irmã mais velha, Mary não tinha a inteligência nem o temperamento de Anne. Quando estava bem, feliz e adequadamente assistida, ela tinha um ótimo humor e excelente ânimo, mas qualquer indisposição a derrubava por completo. Ela não tinha recursos para encarar a solidão, e, tendo herdado uma parte importante da presunção dos Elliot, tinha uma inclinação considerável a adicionar a qualquer angústia a ideia de que estava sendo negligenciada e usada. Fisicamente, era inferior às duas irmãs e, mesmo em seu florescer, havia alcançado apenas a dignidade de ser uma "menina bonita". Agora ela estava deitada no sofá desbotado da pequena e bela sala de estar, cuja mobília antes elegante fora gradualmente desgastada sob a influência de quatro verões e suas crianças. Diante da aparição de Anne, Mary a cumprimentou:

— Finalmente, aí está você! Estava começando a achar que nunca mais a veria. Estou me sentindo tão doente que mal consigo falar. Não vi uma única criatura a manhã inteira!

— Sinto muito por encontrá-la tão indisposta — disse Anne. — Você me fez achar que estava muito bem na quinta-feira.

— Sim, tentei fazer o meu melhor, sempre tento. Mas estava longe de me sentir bem naquele dia, e acho que nunca me senti tão doente em toda a minha vida quanto tenho me sentido esta manhã. Não estava em condições de ser deixada sozinha, disso não tenho dúvida. Imagine se eu sofresse um mal súbito e terrível e não conseguisse tocar o sino! Então, lady Russell não pôde vir até aqui? Acho que ela não esteve nesta casa nem três vezes neste verão.

Anne respondeu o que era apropriado e perguntou sobre o marido da irmã.

— Ah! Charles saiu, foi atirar. Não o vejo desde as sete horas. Ele foi mesmo eu tendo dito o quanto estava doente. Ele disse que não ficaria fora por muito tempo, mas ainda não voltou, e já é quase uma hora. Asseguro-lhe, não vi uma única alma durante toda esta longa manhã.

— Os meninos estiveram com você?

— Sim, enquanto eu pude suportar o barulho deles. Mas eles são tão indisciplinados que me fazem mais mal do que bem. O pequeno Charles não liga para uma palavra do que eu digo, e Walter está ficando igualmente terrível.

— Bem, logo mais você se sentirá melhor — respondeu Anne, animada. — Você sabe que sempre curo você quando venho. Como estão seus vizinhos na Casa Grande?

— Não posso dizer nada em relação a eles. Não vi nenhum deles hoje, com exceção do sr. Musgrove, que passou aqui agora mesmo e falou comigo pela janela, mas sem descer do cavalo. E apesar de eu ter lhe dito que estava doente, nenhum deles se aproximou de mim. Não deve ter sido conveniente para as senhoritas Musgrove, suponho eu, e elas nunca se desviam de seu caminho.

— Talvez você ainda as veja antes que essa manhã acabe. Ainda é cedo.

— Eu nunca quero vê-las, garanto-lhe. Elas falam e riem um pouco demais para o meu gosto. Ah! Anne, estou tão indisposta! Foi muito insensível da sua parte não ter vindo na quinta-feira.

— Minha querida Mary, lembre-se de que se sentia bem quando me mandou o recado! Você me escreveu em um tom tão alegre, e disse que estava perfeitamente bem e que eu não precisava me apressar. Sendo assim, você deveria saber que meu desejo era ficar com lady Russell até o fim. E além do que sinto em relação a ela, estive bastante ocupada, tinha muito a fazer, não poderia, sem grande inconveniência, ter deixado Kellynch antes.

— Minha nossa! Mas o que você teria para fazer?

— Muitas coisas, eu lhe garanto. Mais do que consigo me lembrar neste momento, mas posso lhe contar algumas. Tenho feito uma cópia do catálogo de livros e retratos do meu pai. Estive várias vezes no jardim com Mackenzie, tentando entender, e fazê-lo entender, quais plantas de Elizabeth ficariam com lady Russell. Também tenho meus interesses com que me preocupar, livros e músicas para separar, e todas as minhas malas para refazer, pois não sabia ainda o que deveria ir nas carroças. E uma coisa que precisei fazer, Mary, de uma natureza mais exaustiva, foi ir a quase todas as casas da paróquia para me despedir. Fiquei sabendo que era o desejado. Mas tudo isso me tomou um bom tempo.

— Ah, bom! — E depois de uma breve pausa, continuou: — Você ainda não me perguntou nada sobre o jantar na casa dos Poole ontem.

— Então você foi? Não perguntei pois concluí que você teria sido obrigada a desistir da festa.

— Ah, sim, fui! Ontem eu estava muito bem, não havia nada de errado comigo até hoje de manhã. Teria sido estranho se eu não tivesse ido.

— Fico feliz em saber que você estava bem, e espero que tenha sido uma festa agradável.

— Nada de extraordinário. Sempre é possível saber de antemão como será o jantar e quem estará presente. E é tão desconfortável não ter uma carruagem própria. O sr. e a sra. Musgrove me levaram na deles, e ficamos tão apertados lá! Os dois são muito largos e ocupam tanto espaço... E o sr. Musgrove sempre se senta na frente. Então, fiquei ali, apertada no banco de trás com Henrietta e Louisa, e acho muito provável que meu mal-estar de hoje seja devido a isso.

Uma persistência maior em ter paciência e uma alegria forçada da parte de Anne pareceram praticamente gerar uma cura em Mary. Ela logo foi capaz de se sentar ereta no sofá, e começou a ter esperança de deixá-lo na hora do jantar. Depois, esquecendo-se de pensar nisso, ela atravessou a sala, ajeitou um ramalhete de flores e comeu alguns frios. Então, sentiu-se suficientemente bem para propor uma breve caminhada.

— Para onde vamos? — inquiriu ela, quando as duas estavam prontas. —Suponho que você não vá querer visitar a Casa Grande antes que eles venham vê-la, não é?

— Não tenho a menor objeção quanto a isso — Anne respondeu. — Nunca pensaria em manter tamanha cerimônia com pessoas que eu conheço tão bem quanto a sra. e as srtas. Musgrove.

— Ah! Mas elas precisam vir visitá-la o quanto antes. Precisam entender o dever delas em relação a você como minha irmã. Contudo, podemos ir e nos sentar um pouco com elas e, depois que tivermos acabado, podemos fazer nossa caminhada.

Anne sempre considerou aquele tipo de relação bastante imprudente, mas deixara de se esforçar para controlá-lo por acreditar que, embora houvesse de ambos os lados motivos contínuos de desrespeito, nenhuma família conseguia viver sem a outra. Então, elas seguiram para a Casa Grande a fim de se sentarem por meia hora na antiquada sala de visitas quadrada, que tinha um tapete pequeno e o chão brilhante, à qual as filhas da casa davam, pouco a pouco, o apropriado ar de confusão, colocando ali um enorme piano e uma harpa, vasos de flores e mesinhas por todo lado. Ah! Se os retratados nas pinturas penduradas no lambril, se os cavalheiros trajando veludo marrom e as damas usando cetim azul pudessem ver o que acontecia, se tivessem consciência de tamanha ruína de toda ordem e todo o capricho! Os próprios retratos pareciam encarar aquilo com perplexidade.

Os Musgrove, assim como suas casas, estavam em uma situação de mudança, talvez de melhorias. O pai e a mãe gostavam do antigo estilo inglês, e as jovens, do novo. O sr. e a sra. Musgrove eram pessoas muito boas, afáveis e hospitaleiras, não muito estudadas e nada elegantes. Seus filhos tinham mentalidades e modos mais modernos. Era uma família numerosa, mas as duas únicas adultas, além de Charles, eram Henrietta e Louisa, jovens damas de dezenove e vinte anos, que trouxeram da escola em Exeter todo o estoque habitual de habilidades, e agora eram como milhares de outras jovens, vivendo para ser elegantes, felizes e alegres. Suas roupas eram excelentes, seus rostos eram belos e elas tinham um extremo bom humor e modos desenvoltos e agradáveis. Eram estimadas em casa e adoradas fora dela. Anne sempre as contemplara como algumas das criaturas mais felizes que conhecia, mas, ainda assim, como todos nós, cultivava um confortável sentimento de superioridade que a impedia de desejar a possibilidade de uma troca. Ela não abriria mão de sua mente, mais elegante e culta, por todos aqueles prazeres, e não as invejava em nada, a não ser na compreensão e na concordância aparentemente perfeitas que tinham uma com a outra, aquele afeto mútuo e bem-humorado, que ela tivera tão pouco com as próprias irmãs.

Anne e Mary foram recebidas com grande cordialidade. Não parecia haver nada de errado com a parte da família da Casa Grande, que geralmente era, como Anne sabia muito bem, a menos culpada. A meia hora foi despendida em conversas bastante agradáveis, e ela não ficou nada surpresa quando, ao fim da visita, por um convite pessoal de Mary, as srtas. Musgrove decidiram se juntar a elas na caminhada.

Capítulo 6

Anne não queria, na visita a Uppercross, constatar que a troca de um grupo de pessoas pelo outro, apesar da distância de apenas três milhas, muitas vezes inclui uma mudança completa de assuntos, opiniões e ideias. Ela nunca havia permanecido ali sem ser tocada por essa constatação ou sem desejar que os outros Elliot pudessem aproveitar para perceber o quanto eram desconhecidos, ou ignorados, os assuntos que em Kellynch Hall eram tratados como de conhecimento e interesse geral. Entretanto, mesmo com toda aquela experiência, ela acreditava que agora precisava se render a sentir que, na arte de descobrir toda a nossa insignificância fora de nosso próprio círculo, outra lição lhe era necessária, pois sem dúvida, por vir com o coração cheio do assunto que vinha tomando conta de duas casas em Kellynch durante tantas semanas, ela esperava mais curiosidade e complacência do que encontrou no comentário muito similar, porém feito em diferentes momentos, do sr. e da sra. Musgrove: "Então, srta. Anne, agora que sir Walter e sua irmã partiram, onde acha que vão se instalar em Bath?", sem sequer aguardarem uma resposta. Ou quando as jovens emendaram: "Espero que possamos ir a Bath no inverno. Mas lembre-se, papai, se formos, precisamos ficar bem instaladas, nada de Queen Square para nós!", ou com o acréscimo ansioso de Mary: "Palavra de honra, vejo que vou ficar muito bem sozinha quando vocês tiverem partido para serem felizes em Bath!".

Tudo o que ela podia fazer era tentar evitar tamanha desilusão no futuro, e pensar com imensa gratidão na extraordinária bênção de ter uma amiga tão verdadeiramente complacente quanto lady Russell.

Os senhores Musgrove tinham seus próprios afazeres para cuidar, seus próprios cavalos, cães e jornais para entretê-los, e as mulheres se mantinham plenamente ocupadas com todos os outros assuntos comuns das tarefas domésticas, vizinhos, roupas, dança e música. Anne considerava muito adequado que cada pequeno grupo social ditasse suas próprias questões de discurso e esperava se tornar em breve uma integrante digna do grupo para o qual fora transferida. Com a perspectiva de ficar em Uppercross por pelo menos dois meses, era muito necessário que ela envolvesse sua imaginação, sua memória e todas as suas ideias em Uppercross tanto quanto fosse possível.

Ela não temia esses dois meses. Mary não era tão repulsiva e tão pouco fraternal quanto Elizabeth, nem tão inacessível a qualquer influência sua, muito menos havia qualquer coisa dentre os outros componentes do chalé que lhe fosse desconfortável. Anne sempre estivera em bons termos com o cunhado, e nas crianças, que a amavam quase tanto quanto ela as amava, e a respeitavam muito mais do que à própria mãe, ela via um objeto de interesse, diversão e um exercício físico sadio.

Charles Musgrove era polido e agradável. Em termos de inteligência e temperamento, sem dúvida era superior à esposa, mas não em questão de influência, conversa e graça, a ponto de fazer do passado uma contemplação perigosa, dado que estavam atados – embora, ao mesmo tempo, Anne acreditasse, e lady Russell concordasse, que uma união mais equilibrada o teria melhorado bastante, e que uma mulher mais compreensiva talvez tivesse dado mais importância ao seu caráter, além de mais utilidade, racionalidade e elegância aos seus hábitos e propósitos. Da forma como era, ele não fazia nada com muita dedicação, a não ser pelos esportes; e seu tempo era desperdiçado sem o benefício dos livros ou qualquer coisa do tipo. Ele tinha muito bom humor, parecia nunca se afetar com a habitual melancolia da esposa ou se aborrecer com os disparates dela, o que às vezes deixava Anne admirada. Em geral, embora houvesse pequenos desentendimentos aqui e ali (nos quais às vezes ela tinha mais participação do que gostaria, pois os dois apelavam para ela), podiam passar por um casal feliz. Estavam sempre de acordo quanto à necessidade de mais dinheiro e à forte disposição em receberem um belo presente do pai dele. Todavia, nesse ponto, como na maioria dos assuntos, ele tinha superioridade; enquanto Mary considerava uma grande vergonha que tal presente jamais chegara, ele sempre argumentava que seu pai tinha muitos outros usos para o próprio dinheiro, e o direito de gastá-lo como bem entendesse.

Quanto ao manejo das crianças, a teoria dele era bem melhor que a da esposa, e sua prática não era tão ruim.

— Eu poderia cuidar delas muito bem, não fosse pela interferência de Mary — era o que Anne ouvia dele com frequência, e algo com o qual concordava bastante; porém, quando escutava a reprimenda de Mary, "Charles mima tanto as crianças que não consigo lhes dar ordem nenhuma", ela nunca sentia a menor tentação de responder "É verdade".

Uma das circunstâncias menos agradáveis da estadia dela ali era ser tratada com confiança demais por todas as partes, e saber demais das reclamações confidenciadas por cada casa em relação à outra. Conhecida por exercer alguma influência sobre a irmã, solicitavam-lhe, ou pelo menos havia insinuações, que assim o fizesse para além do que era prático.

— Gostaria que você persuadisse Mary a não imaginar que está sempre doente — era a linguagem de Charles, e, num tom infeliz, Mary desabafava:

— Acredito que, se Charles me visse morrendo, não veria nada de errado comigo. Tenho certeza, Anne, se quisesse, você conseguiria persuadi-lo de que eu estou mesmo muito doente... muito pior do que já estive.

A declaração de Mary era:

— Detesto mandar as crianças para a Casa Grande, embora a avó deles esteja sempre querendo vê-los, pois ela faz as vontades deles e os mima de tal modo, e lhes dá tantas bobagens e tantos doces, que é certo que vão voltar para casa enjoados e irritados pelo resto do dia.

Já a sra. Musgrove aproveitou a primeira oportunidade de ficar sozinha com Anne para disparar:

— Ah, srta. Anne, não consigo deixar de desejar que a sra. Charles tivesse um pouco do seu método com aquelas crianças. Elas são criaturas totalmente diferentes com você! É certo que, em geral, são muito mimadas! É uma pena que você não possa ajudar sua irmã a aprender a lidar com elas. São as crianças mais saudáveis e boas que já vi, meus pobres queridinhos! Mas sem favoritismos... A sra. Charles não sabe mais como devem ser tratadas! Deus me perdoe, às vezes eles são muito difíceis. Eu lhe garanto, srta. Anne, que isso refreia meu desejo de tê-los em minha casa tanto quanto gostaria. Acredito que a sra. Charles não esteja muito satisfeita com essa falta de convites mais frequentes, mas você sabe que é muito ruim ter crianças que exigem monitoramento constante: "Não faça isso" e "Não faça aquilo", ou que só se comportem de maneira tolerável quando ganham mais bolo do que seria bom para elas.

Além do mais, Anne tinha este tipo de conversa com Mary:

— A sra. Musgrove acha que todos os seus criados são tão confiáveis que seria alta traição questionar a dedicação deles. Mas tenho certeza, sem exagero, de que a arrumadeira principal e a lavadeira, em vez de se dedicarem às suas tarefas, ficam perambulando pela vila o dia inteiro. Encontro as duas em todo lugar a que vou, e afirmo que nunca vou duas vezes ao quarto das crianças sem encontrar uma delas. Se Jemima não fosse a criatura mais confiável e leal do mundo, isso bastaria para estragá-la. Ela me contou que as duas estão sempre tentando convencê-las a dar uma volta com elas.

E da parte da sra. Musgrove era:

— Tenho por regra nunca interferir em qualquer assunto da minha nora, pois sei que não serviria para nada, mas devo confessar a você, srta. Anne, porque talvez você seja capaz de consertar as coisas, que não tenho uma opinião muito boa sobre a babá da sra. Charles. Ouço histórias estranhas sobre ela, está sempre atrás de divertimentos, e, até onde observei, posso afirmar que se trata de uma dama tão bem vestida que é capaz de arruinar qualquer criada que chegue perto dela. A sra. Charles confia nela de olhos fechados, eu sei. Apenas lhe dei essa sugestão para que fique atenta para que, se vir algo de errado, não tenha medo de comentar.

Mais uma vez, Mary reclamou que a sra. Musgrove estava muito inclinada a não lhe dar a precedência que lhe era devida quando jantaram na Casa Grande com outras famílias, e que ela não via qualquer razão para ser considerada tão próxima a ponto de perder sua posição social. Certo dia, quando Anne caminhava apenas com as srtas. Musgrove, uma dela, depois de falar sobre posição social, pessoas de alta posição e inveja de pessoas de alta posição, disse:

— Não tenho escrúpulos de dizer para você quão despropositadas são algumas pessoas em relação à sua posição social, porque todo mundo sabe o quanto isso é simples e indiferente para você. Mas eu gostaria que alguém pudesse sugerir a Mary que seria muito melhor se ela não fosse tão persistente, especialmente se ela parasse de sempre se colocar à frente, tentando tomar a posição de mamãe. Ninguém duvida do direito dela de ter precedência em relação à mamãe, mas seria mais apropriado se ela parasse de insistir nisso. Não que mamãe se importe minimamente com isso, mas sei que muitas pessoas reparam.

Como Anne seria capaz de resolver todos esses problemas? Ela não podia fazer muito além de ouvir com paciência, amenizar cada queixa e desculpar uns aos outros. Dava a todos sugestões sobre a compreensão necessária à convivência entre vizinhos tão próximos, e ampliava aquelas que tencionavam beneficiar a irmã.

Em todos os outros aspectos, sua visita começou e prosseguiu muito bem. Seu próprio humor melhorou com a mudança de lugar e de assunto, por estar a três milhas de distância de Kellynch. A indisposição de Mary diminuiu com a companhia constante, e o contato diário com a outra família, que em quase nada interferia no chalé, já que não havia maior afeição, confiança ou movimento, era uma ótima vantagem. Sem dúvida, isso era levado quase até o limite, já que se encontravam todas as manhãs e raramente passavam uma tarde distantes. Entretanto, ela acreditava que tudo não teria transcorrido tão bem sem a visão das respeitáveis figuras do sr. e da sra. Musgrove, em seus lugares usuais, ou sem a conversa, a risada e a cantoria de suas filhas.

Ela tocava bem melhor do que ambas as srtas. Musgrove, mas, como não tinha voz, conhecimentos de harpa ou pais afetuosos que se sentassem ao lado dela e ficassem encantados, sua apresentação era recebida apenas como um ato de cortesia ou como um refresco entre as outras; ela tinha plena consciência disso. Sabia que, quando tocava, estava deleitando apenas a si mesma. No entanto, essa sensação não era nova. Com exceção de um curto período de sua vida, ela nunca conhecera, desde os catorze anos de idade, desde a perda de sua querida mãe, a alegria de ser ouvida, ou encorajada, por qualquer reconhecimento justo ou bom gosto legítimo. Na música, ela estava acostumada a sempre se sentir sozinha no mundo, e a estima parcial do sr. e da sra. Musgrove pela apresentação das próprias filhas, além da indiferença total à apresentação de qualquer outra pessoa, dava-lhe muito mais prazer por elas do que mortificação por si mesma.

O grupo na Casa Grande era, por vezes, avultado por outras companhias. A vizinhança não era grande, mas os Musgrove recebiam visitas de gente de toda parte, e recebiam mais pessoas para jantares, mais visitantes e mais hóspedes, fossem eles convidados ou tivessem aparecido por acaso, do que qualquer outra família. Eles definitivamente eram populares.

As meninas estavam sempre empolgadas para danças; e ocasionalmente as noites terminavam em um pequeno baile improvisado. Havia uma família de primos a uma caminhada de distância de Uppercross, que viviam em circunstâncias menos abastadas e que dependiam dos Musgrove para se divertir: eles chegavam a qualquer hora, para ajudar a jogar qualquer coisa ou dançar em qualquer lugar; e Anne, que preferia muito mais a função de musicista a uma ocupação mais ativa, tocava quadrilhas para eles durante uma hora inteira, uma gentileza que sempre elevava seus poderes musicais aos olhos do sr. e da sra. Musgrove mais do que qualquer outra coisa, e muitas vezes suscitava este tipo de elogio:

— Muito bem, srta. Anne! Muito bem mesmo! Minha nossa! Como esses seus dedinhos voam!

Assim se passaram as três primeiras semanas. Chegou o dia da Festa de São Miguel Arcanjo, e agora o coração de Anne regressava a Kellynch. Um amado lar passado a mãos alheias; todos os preciosos cômodos e a preciosa mobília, os bosques e as paisagens começavam a pertencer a outros olhos e outros membros! Ela não conseguia pensar em mais nada naquele 29 de setembro, e à noite recebeu um toque simpático de Mary, que, ao se lembrar do dia do mês, exclamou:

— Meu Deus, não era hoje o dia em que os Croft chegariam a Kellynch? Fico feliz de não ter pensado no assunto antes. Isso me deixa muito triste!

Os Croft tomaram posse com verdadeira agilidade naval, e era necessário visitá-los. Mary lastimou tal necessidade para si mesma. "Ninguém sabia o quanto ela sofreria. Ela postergaria por quanto tempo conseguisse." Porém, não sossegou enquanto não convenceu Charles a levá-la de carruagem pouco tempo depois, e voltou de lá em um estado de muita animação, satisfação e aparente agitação. Anne se alegrou genuinamente por não ter podido ir junto. Entretanto, desejava ver os Croft, e ficou feliz por estar presente quando a visita foi retribuída. Eles foram: o senhor da casa não estava, mas as duas irmãs, sim, e como a sra. Croft foi para o lado de Anne, enquanto o almirante se sentou junto a Mary, mostrando-se uma companhia agradável com suas observações bem-humoradas acerca dos meninos, ela poderia bem procurar alguma semelhança, e caso não encontrasse nas feições, poderia perceber na voz, no jeito ou nas expressões.

A sra. Croft, embora não fosse alta nem gorda, tinha uma forma robusta, ereta e vigorosa, que dava importância à sua pessoa. Ela tinha olhos escuros brilhantes, bons dentes e, no conjunto, um semblante agradável, apesar de sua tez avermelhada e castigada pelo clima – consequência de ter vivido quase tanto tempo quanto o marido no mar –, que fazia parecer que ela tinha vivido alguns anos além de seus verdadeiros trinta e oito. Seus modos eram desenvoltos, tranquilos e decididos, como os de alguém que tem confiança em si e não tem dúvidas a respeito do que fazer, mas sem nenhum sinal de grosseria ou mau humor. Anne enxergou nela, de fato, sentimentos de grande consideração acerca de si em tudo o que se relacionava a Kellynch, e isso a agradou, especialmente, logo no primeiro minuto, no momento mesmo da apresentação, por não perceber o menor sinal de que a sra. Croft soubesse, ou suspeitasse, de algo que a influenciasse de alguma forma. Ela tranquilizou a mente e, consequentemente, preservou-se cheia de força e coragem, até se sobressaltar com o súbito comentário da sra. Croft:

— Foi a senhorita, e não sua irmã, acredito eu, que meu irmão teve o prazer de conhecer quando esteve por esta região.

Anne tinha esperança de ter passado da idade de corar, mas, da idade da emoção, ela com certeza não havia passado.

— Talvez não tenha ouvido a notícia de que ele se casou — acrescentou a sra. Croft.

Ela responderia como esperado, mas ficou feliz ao se dar conta, pelas palavras seguintes da sra. Croft, de que ela falava do sr. Wentworth, e de que não dissera nada que não servisse para qualquer um dos irmãos. Ela imediatamente constatou o quanto era razoável que a sra. Croft estivesse falando e pensando em Edward, não em Frederick, e, envergonhada com seu próprio esquecimento, demonstrou o interesse adequado às informações do estado atual do antigo vizinho.

O restante da conversa transcorreu com tranquilidade até que, quando os visitantes estavam prestes a se retirar, ela ouviu o almirante dizer a Mary:

— Estamos esperando um irmão da sra. Croft em breve. Ouso dizer que o conhece de nome.

Ele foi interrompido pelos ataques irrequietos dos meninos, que se penduraram nele como se fosse um velho amigo e declararam que não poderia ir embora, e ficou tão absorvido com as propostas de levá-los nos bolsos do casaco que não conseguiu terminar nem retomar o que tinha começado a dizer, o que deixou Anne sozinha para se convencer, da melhor forma que pudesse, de que ele falava do mesmo irmão. No entanto, ela não podia ter tanta certeza a ponto de não ficar ansiosa para saber se algo havia sido dito na outra casa, que os Croft haviam visitado antes.

O pessoal na Casa Grande havia combinado de passar a noite daquele mesmo dia no chalé, e, por já ser muito tarde para que tais visitas fossem feitas a pé, era quase hora de começar a prestar atenção à chegada da carruagem, quando a mais nova das srtas. Musgrove entrou. Que ela estivesse ali para se desculpar pois a família passaria a noite em casa foi a primeira ideia que ocorreu, e Mary estava pronta para se sentir ofendida quando Louisa explicou que ela só viera a pé para dar espaço à harpa, que estava sendo trazida na carruagem.

— E vou lhes dizer a razão — ela continuou — e tudo o mais. Vim avisá-las que papai e mamãe estão meio desanimados esta noite, especialmente mamãe. Ela anda pensando demais no pobre Richard! E concordamos que seria melhor trazer a harpa, pois parece que a agrada mais do que o piano. Vou contar por que ela está abatida. Quando os Croft nos visitaram esta manhã (eles passaram aqui depois, não passaram?), acabaram comentando que o irmão da senhora, o capitão Wentworth, acabou de voltar à Inglaterra, se reformou ou algo do tipo, e virá vê-los muito em breve. Infelizmente, depois que eles foram embora, passou pela cabeça de mamãe que Wentworth, ou algo muito similar, foi o nome de um capitão do pobre Richard, não sei quando nem onde, mas bastante tempo antes de ele morrer, pobrezinho! E dando uma olhada nas cartas e nas coisas dele, ela viu que era isso mesmo, e está completamente convencida de que só poder ser o mesmo homem. Por isso, sua cabeça está tomada por esse assunto, e pelo pobre Richard! Então devemos estar o mais alegres possível, para que ela não fique absorta nessas questões sombrias.

As circunstâncias reais dessa patética passagem da história familiar eram as seguintes: os Musgrove tiveram o azar de ter um filho muito problemático e sem solução, e a sorte de perdê-lo antes que ele completasse vinte anos de idade. Ele foi enviado ao mar porque era estúpido e intratável em terra firme. Nunca foi muito querido pela família, embora tivesse sido bem mais do que merecesse; raramente se falava dele e pouco se lamentava sua ausência quando a notícia de sua morte no exterior deu um jeito de chegar a Uppercross, dois anos antes.

Apesar de suas irmãs agora lhe fazerem tudo o que fosse possível, chamando-o de "pobre Richard", ele não fora nada além de um brutamontes, insensível e inútil chamado Dick Musgrove, que nunca fizera nada para merecer mais do que a abreviação de seu nome, vivo ou morto.

Ele tinha passado muitos anos no mar e, ao longo das transferências pelas quais todo aspirante está sujeito a passar, em especial aspirantes dos quais todo capitão quer se livrar, ficara seis meses a bordo da fragata do capitão Frederick Wentworth, a Laconia. E da Laconia ele tinha, sob a influência de seu capitão, escrito as únicas duas cartas que o pai e a mãe receberam dele durante toda a sua ausência; isto é, as duas únicas cartas desinteressadas. Todas as outras foram meros pedidos de dinheiro.

Nas duas cartas ele havia falado muito bem de seu capitão, entretanto, era tão raro o hábito deles de prestar atenção a tais questões, e eles eram tão desatentos e desinteressados a respeito dos nomes dos homens ou dos navios, que os comentários mal causaram alguma impressão na época. E o fato de a sra. Musgrove ter sido repentinamente golpeada, naquele mesmo dia, por uma recordação do nome de Wentworth, e de sua ligação com o filho, pareceu um daqueles extraordinários lampejos mentais que acontecem de vez em quando.

Ela foi averiguar as cartas e confirmou suas suspeitas. A releitura dessas cartas, depois de um intervalo tão longo, o pobre filho perdido para sempre e toda a força de seus defeitos esquecidos afetaram seu ânimo excessivamente e a jogaram em um luto maior por ele do que quando ficou sabendo de sua morte. O sr. Musgrove, em menor grau, também foi afetado, e quando chegaram ao chalé, era evidente que desejavam, primeiramente, ser ouvidos a respeito desse assunto, e depois receber todo o conforto que companhias animadas pudessem oferecer.

Ouvi-los falar tanto do capitão Wentworth, repetir seu nome tantas vezes, rememorando os anos passados e, por fim, chegando à conclusão de que deveria ser, de que provavelmente era, o mesmo capitão Wentworth que eles se lembravam de ter encontrado, uma ou duas vezes, depois de terem voltado de Clifton – um rapaz muito agradável –, mas não conseguiam dizer se fora há sete ou oito anos, era um novo tipo de provação para os nervos de Anne. Ela descobriu, no entanto, que era algo com o que teria que se acostumar. Já que ele era de fato esperado no campo, ela deveria aprender a ser insensível em relação a alguns pontos. E não apenas parecia que ele era esperado, e muito em breve, como também os Musgrove, em sua gratidão afetuosa pela gentileza que ele havia demonstrado ao pobre Dick, e em respeito elevado pelo caráter dele, assim caracterizado em razão de o pobre Dick ter passado seis meses sob seus cuidados e o mencionado com os maiores elogios, apesar da ortografia imperfeita, dizendo se tratar de "um camarada bom e espirituoso, só *percistente dimais* como professor", estavam inclinados a se apresentar e a buscar conhecê-lo assim que soubessem de sua chegada.

A decisão de proceder dessa forma ajudou-os a encontrar consolo naquela noite.

Capítulo 7

Alguns dias mais tarde, soube-se que o capitão Wentworth estava em Kellynch. O sr. Musgrove o havia visitado e voltado cheio de elogios calorosos, além de um convite aos Croft para jantar em Uppercross no fim da semana seguinte. Ficou muito frustrado ao descobrir que não havia data mais próxima para o evento, tão impaciente estava ele para demonstrar sua gratidão, para ver o capitão Wentworth debaixo de seu teto e para recepcioná-lo com tudo de melhor e mais forte em sua adega. No entanto, seria preciso esperar uma semana. Apenas uma semana, no entendimento de Anne; depois, presumiu, eles se encontrariam, e ela logo começou a desejar sentir-se segura, mesmo que apenas durante uma semana.

O capitão Wentworth retribuiu com rapidez a cortesia do sr. Musgrove, e ela estava quase considerando passar por lá naquela mesma meia hora. Na verdade, ela e Mary estavam se preparando para ir à Casa Grande, onde, descobriu depois, as duas inevitavelmente o encontrariam, quando foram impedidas pela chegada do menino mais velho naquele momento, que fora levado em consequência de uma queda feia. A situação da criança cancelou completamente a visita; entretanto, ao ouvir do que escapava, ela foi capaz de sentir indiferença, mesmo em meio à agonia que sentia por causa do sobrinho.

A clavícula dele havia se deslocado, e o ferimento nas costas era tamanho que suscitou suposições extremamente alarmantes. Foi uma tarde angustiante, e Anne tinha muito a fazer de uma só vez: chamar o boticário, encontrar e avisar o pai, consolar a mãe e evitar suas histerias, controlar os criados, banir o menino mais novo do cômodo e acalmar e cuidar do pobre enfermo, além de, assim que se lembrou, mandar um aviso adequado à outra casa, o que lhe trouxe o acréscimo de companhias assustadas e curiosas, em vez de assistentes úteis.

O retorno de seu cunhado foi o primeiro consolo; ele poderia cuidar melhor da esposa. A segunda bênção foi a chegada do boticário. Até ele chegar e examinar a criança, as apreensões de todos eram piores por serem vagas: suspeitavam de um ferimento grave, mas não sabiam onde. Porém, agora que a clavícula fora recolocada no lugar, e embora o sr. Robinson apalpasse, apalpasse, esfregasse, tivesse uma expressão séria no rosto e falasse em voz baixa com o pai e a tia, eles ainda esperavam pelo melhor, e que pudessem se dividir para jantar com relativo sossego. E foi então, logo antes de partirem, que as duas jovens tias conseguiram contornar o estado do sobrinho e dar informações a respeito da visita do capitão Wentworth. Elas ficaram ainda cinco minutos a mais depois que o pai e a mãe foram embora, empenhadas em expressar quão perfeitamente encantadas ficaram com ele, o quanto o achavam mais bonito e infinitamente mais agradável do que qualquer outro homem que conheceram e que antes estavam entre seus favoritos. O quanto ficaram satisfeitas ao ouvir papai convidá-lo para jantar, o quanto ficaram desoladas ao ouvi-lo dizer que estava fora de seu controle e o quanto ficaram satisfeitas mais uma vez quando ele prometera responder aos convites urgentes para vir jantar com eles no dia seguinte – no dia seguinte mesmo; e ele prometera de um jeito muito gentil, como se sentisse merecer toda aquela atenção. Em resumo, ele se portara e dissera tudo com uma graça tão distinta que elas podiam garantir: ele havia virado a cabeça de todos. Depois, foram embora, quase tão repletas de alegria quanto de amor, e aparentemente mais repletas do capitão Wentworth do que do pequeno Charles.

A mesma história e os mesmos arrebatamentos se repetiram quando as duas moças vieram com o pai, na escuridão da noite, para ter notícias; e o sr. Musgrove, não mais tomado pela preocupação inicial com seu herdeiro, agora podia acrescentar e complementar os elogios, e esperar que não houvesse razão para adiar o jantar com o capitão Wentworth, e lamentar apenas que o pessoal do chalé provavelmente não desejasse deixar o menino sozinho só para cumprimentá-lo.

— Ah, não. Não podemos deixar o menino — tanto a mãe quanto o pai estavam ainda muito alarmados para tolerar a ideia. Anne, contente por conseguir escapar, não pôde evitar juntar seus protestos fervorosos aos deles.

Na verdade, Charles Musgrove depois demonstrou mais inclinação a sair. O menino estava indo tão bem, e ele queria tanto ser apresentado ao capitão Wentworth, que talvez se juntasse a eles à noite. Ele não jantaria fora de casa, mas poderia passar meia hora por lá. No entanto, essa ideia foi vigorosamente censurada pela esposa:

— Ah, não mesmo, Charles! Não posso suportar que você fique longe. Imagine só se alguma coisa acontecer?

O menino passou a noite bem, e assim continuou no dia seguinte. Foi preciso tempo para se certificar de que não havia ocorrido nenhuma lesão na coluna, mas o sr. Robinson não encontrou nada que aumentasse a preocupação, e Charles Musgrove, consequentemente, começou a sentir que não havia necessidade de um confinamento mais longo. O filho deveria ficar de cama e ser distraído da forma mais tranquila possível; mas o que havia ali para um pai fazer? Aquela era uma situação para mulheres, e seria bastante absurdo para ele, que não tinha serventia alguma em casa, ficar trancafiado. O pai desejava muito que ele conhecesse o capitão Wentworth, e, por não haver motivo suficiente para que não o fizesse, ele iria à Casa Grande. Tudo culminou em uma declaração ousada, quando voltou da caça, de que ele se trocaria e iria imediatamente para o jantar na outra casa.

— O garoto está indo melhor do que qualquer outra coisa — afirmou ele —, então eu disse ao meu pai, agora há pouco, que iria, e ele achou que devo ir mesmo. Com sua irmã estando aqui com você, meu amor, perdi qualquer hesitação. Você não gostaria de deixá-lo, mas pode ver que não tenho serventia. Anne mandará me chamar caso algo aconteça.

Maridos e esposas geralmente entendem quando é inútil se opor. Mary sabia, pelo jeito de Charles falar, que ele estava bastante determinado a ir, e que não seria possível convencê-lo do contrário. Portanto, não disse nada até ele sair do cômodo, mas, tão logo ficou a sós com Anne, disparou:

— Então ficamos eu e você sozinhas para nos revezar com essa pobre criança doente, e nenhuma criatura para nos ajudar a noite inteira! Eu sabia que seria assim. Minha sorte sempre foi essa. Se qualquer coisa desagradável acontece, os homens sempre conseguem se safar, e Charles é exatamente como os outros. Tão insensível! Devo dizer que é muito insensível da parte dele fugir assim do pobre garoto. E ainda falando que ele está indo bem! Como ele sabe que o menino está indo bem, ou que daqui a meia hora não possa ocorrer uma mudança súbita? Não pensava que Charles pudesse ser tão insensível. Então ele vai se divertir, e, porque eu sou a pobre mãe, não tenho permissão para sair daqui. Contudo, tenho certeza de que sou a pessoa menos apta a ficar perto do menino. O fato de eu ser a mãe é justamente a razão pela qual meus nervos não devem ser testados. Não tenho condições para isso. Você viu o quanto fiquei histérica ontem.

— Mas foi apenas o efeito do susto… e do choque. Você não ficará histérica de novo. Arrisco dizer que nada nos afligirá. Entendo perfeitamente as orientações do sr. Robinson, e não tenho receios. E, na verdade, Mary, não consigo me espantar com seu marido. Cuidados não pertencem a um homem, não faz parte da alçada deles. Uma criança doente é sempre assunto da mãe, os próprios sentimentos de mãe indicam isso.

— Espero ser tão afeiçoada ao meu filho quanto qualquer outra mãe, mas não sei se tenho mais serventia do que Charles no quarto do doente, pois não posso ficar sempre ralhando e atiçando o pobre menino quando está enfermo. E você viu esta manhã que, se eu lhe pedisse para ficar quieto, ele certamente começaria a dar chutes. Não tenho nervos para esse tipo de coisa.

— Mas você se sentiria confortável passando a noite toda longe do coitadinho do menino?

— Sim. Se o pai dele consegue, por que eu não conseguiria? Jemima é muito cuidadosa, e ela poderia nos enviar recados de hora em hora relatando o estado dele. Realmente acho que Charles deveria ter dito ao pai que todos nós iríamos. Não estou mais nervosa com o pequeno Charles do que ele está. Fiquei apavorada ontem, mas hoje o caso é diferente.

— Bem, se você não achar que é muito tarde para mandar um recado em seu nome, suponho que deva ir se juntar ao seu marido. Deixe o pequeno Charles aos meus cuidados. O sr. e a sra. Musgrove não acharão ruim que ele fique comigo.

— Está falando sério? — Mary exclamou, com os olhos brilhando. — Minha nossa! Essa é uma ótima ideia, muito boa mesmo. Só para me certificar: pode ser que eu vá, mas pode ser que não, pois não tenho muita serventia aqui em casa, certo? É só isso que me atormenta. Você, que não tem sentimentos de mãe, é seguramente a pessoa mais adequada. Você consegue convencer o pequeno Charles a fazer qualquer coisa, ele sempre obedece às suas ordens. Será muito melhor do que deixá-lo apenas com Jemima. Ah! Eu vou, com certeza. Estou certa de que, se puder, devo ir, assim como Charles, pois eles querem muito que eu conheça o capitão Wentworth, e sei que você não se importa de ficar sozinha. Foi uma ideia excelente a sua, Anne, de fato. Vou avisar Charles e me arrumar rapidamente. Você sabe que pode mandar nos chamar a qualquer momento se algo acontecer. Mas arrisco dizer que não haverá nada preocupante. Eu não iria, pode ter certeza, se não estivesse tão tranquila quanto ao meu filhinho.

No momento seguinte, ela estava batendo à porta do quarto de vestir do marido, e, como Anne a seguira até o andar de cima, chegou a tempo de ouvir toda a conversa, que começou com Mary dizendo, em tom de grande exultação:

— Quero ir junto, Charles, pois não tenho mais serventia em casa do que você. Se me trancafiasse para sempre com o menino, não conseguiria convencê-lo a fazer nada de que não gostasse. Anne ficará. Ela se comprometeu a ficar aqui e cuidar dele. Foi ela mesma quem propôs, então irei com você, o que será muito melhor, pois não janto na outra casa desde terça-feira.

— É muita gentileza de Anne — foi a resposta do marido —, e fico muito contente que você vá comigo. Mas parece muito injusto que ela fique em casa sozinha para cuidar do nosso menino doente.

Anne estava pronta para tomar o controle da própria causa, e a sinceridade de seus modos foi suficiente para convencê-lo, e já que ser convencido era, no mínimo, agradável, ele não teve mais melindres quanto a deixá-la sozinha para ir jantar, embora ainda quisesse que ela se juntasse a eles mais tarde, quando o menino estivesse dormindo. Charles gentilmente insistiu para que ela permitisse que ele viesse buscá-la, porém, ela foi irredutível. Sendo esse o caso, não demorou até ela ter o prazer de vê-los partir juntos e animados. Eles foram, ela esperava, ser felizes, por mais estranhamente construída parecesse ser aquela felicidade. Quanto a ela, restou-lhe a maior sensação de conforto possível. Anne sabia ser de pronta utilidade para a criança, e que lhe importava que Frederick Wentworth estivesse apenas a meia milha de distância, sendo encantador com outras pessoas?

Ela gostaria de saber como se sentiria em relação a um encontro. Talvez indiferente, se fosse possível existir indiferença sob tais circunstâncias. Ele devia estar se sentindo indiferente ou relutante. Se tivesse desejado vê-la novamente, não precisaria ter esperado todo aquele tempo. Ele teria feito o que ela não poderia deixar de acreditar que, em seu lugar, teria feito há muito tempo, quando certos eventos logo lhe deram a independência que era antes desejada.

O cunhado e a irmã voltaram encantados com o novo conhecido e com a visita em geral. Houve música, cantoria, conversas, risadas, e tudo o que havia de mais agradável; assim como os modos cativantes do capitão Wentworth, sem timidez ou reserva. Todos pareciam se conhecer perfeitamente, e ele voltaria na manhã seguinte para atirar com Charles. Tomaria café da manhã, mas não no chalé, embora tivesse sido o convite inicial; depois, foi pressionado a, em vez disso, ir para a Casa Grande, e pareceu temer atrapalhar a sra. Musgrove, por causa do menino. Então, por alguma razão que ninguém entendeu muito bem, acabou combinado que Charles o encontraria na casa do pai para tomar café da manhã.

Anne compreendeu. O capitão Wentworth desejava evitar encontrá-la. Ela descobriu que ele havia perguntado por ela, sutilmente, como é adequado a alguém a quem conhecera superficialmente no passado, aparentemente confirmando o que ela dissera, agindo, talvez, sob o mesmo pressuposto de evitar apresentações quando se encontrassem.

Os horários da manhã no chalé eram sempre mais tardios do que os da outra casa, e no dia seguinte a diferença foi tamanha que Mary e Anne tinham acabado de começar a tomar café da manhã quando Charles apareceu para avisar que estavam saindo, que ele viera apenas buscar os cães, que suas irmãs estavam vindo com o capitão Wentworth, pois queriam visitar Mary e o menino, e que o capitão propunha também passar por ali rapidamente se não fosse inconveniente; e embora Charles tenha dito que o filho não estava em uma condição tão ruim para que uma visita fosse inconveniente, o capitão Wentworth não sossegou até que ele viesse na frente para avisar.

Mary, muito satisfeita com aquela atenção, ficou encantada com a ideia de recebê-lo, enquanto milhares de sentimentos corriam em Anne, dos quais o mais reconfortante foi que aquela visita seria muito rápida. E, realmente, foi muito rápida. Dois minutos depois do preparativo de Charles, os outros apareceram; estavam na sala de estar. Os olhos dela encontraram de soslaio os do capitão Wentworth, e uma reverência e uma cortesia se cruzaram; ela ouviu a voz dele; ele falava com Mary, disse que tudo estava bem, disse algo às srtas. Musgrove, o suficiente para demonstrar que estava tudo em paz. O cômodo parecia cheio, cheio de pessoas e de vozes, mas tudo passou em questão de minutos. Charles apareceu na janela, estava tudo pronto, o visitante fez uma reverência e partiu, as srtas. Musgrove também, repentinamente decidindo caminhar até o final da vila com os caçadores: o cômodo ficou vazio, e Anne poderia enfim terminar seu café da manhã como desejasse.

— Já passou! Já passou! — ela dizia a si mesma repetidamente, em uma gratidão exasperada. — O pior já passou!

Mary falava, mas Anne não conseguia prestar atenção. Ela o havia visto. Os dois se encontraram. Eles tinham estado no mesmo ambiente.

Pouco depois, entretanto, ela começou a raciocinar, e tentou ser menos sentimental. Oito anos, quase oito anos haviam se passado desde que abriram mão de tudo. Que absurdo voltar à agitação que tamanho intervalo de tempo havia relegado à distância e ao esquecimento! Acontecimentos de todos os gêneros, mudanças, renúncias, afastamentos – tudo, tudo deveria ser reduzido a esse período, e o passado, esquecido –, como isso era natural, e como era certo! Isso correspondia a quase um terço de sua vida.

Ai de Anne! Com toda aquela racionalização, ela descobriu que, para sentimentos represados, oito anos poderiam ser um pouco mais que nada.

Mas como os sentimentos dele deveriam ser compreendidos? Isso tinha sido como um desejo de evitá-la? E no momento seguinte, ela se odiou por ser a tonta que se fazia aquela pergunta.

De outra pergunta que talvez sua elevada sabedoria não pudesse evitar, ela logo foi poupada, pois, depois que as srtas. Musgrove voltaram e terminaram sua visita ao chalé, ela recebeu a informação espontaneamente de Mary:

— O capitão Wentworth não foi muito galante com você, Anne, embora tenha sido muito atencioso comigo. Henrietta quis saber o que ele achava de você quando eles saíram daqui, e ele respondeu que "você estava tão mudada que ele não a teria reconhecido".

Mary não tinha nenhuma sensibilidade que a fizesse respeitar os sentimentos da irmã, como era de costume, mas agora ela estava totalmente inconsciente de estar lhe infligindo qualquer sofrimento em particular.

"Mudada a ponto de não conseguir me reconhecer." Anne sucumbiu completamente a uma humilhação silenciosa e profunda. Sem dúvida era isso, e ela não podia retrucar de nenhuma forma, pois ele não havia mudado, ou pelo menos, não para pior. Ela já havia admitido para si mesma, e não poderia pensar diferente, ele que pensasse dela o que quisesse. Não: os anos que destruíram sua juventude e exuberância haviam apenas o deixado mais radiante, másculo e aberto, de nenhuma forma reduzindo suas qualidades pessoais. Ela vira o mesmo Frederick Wentworth.

"Tão mudada que ele não a teria reconhecido!" Essas eram as palavras que ela não conseguia evitar que tomassem conta de si. Contudo, ela logo começou a se alegrar por tê-las ouvido. Eram palavras que tendiam à sobriedade, atenuavam a agitação, acalmavam-na e, consequentemente, deveriam fazê-la mais feliz.

Frederick Wentworth usara aquelas palavras, ou algo parecido, no entanto, sem a menor ideia de que seriam levadas até ela. Ele a achara lamentavelmente mudada, e, ao primeiro apelo, dissera como se sentia. Ele não havia perdoado Anne Elliot. Ela o havia tratado mal, abandonado e desiludido; pior ainda, havia demonstrado uma fraqueza de caráter ao fazê-lo, algo que o temperamento decidido e confiante dele não poderia suportar. Ela abrira mão dele para agradar aos outros. Aquilo tinha sido efeito de uma persuasão excessiva. Tinha sido fraqueza e timidez.

Ele fora calorosamente afeiçoado a ela, e nunca mais vira nenhuma mulher que se assemelhasse a ela. No entanto, exceto por uma curiosidade natural, nunca desejara encontrá-la novamente. O arrebatamento que ela lhe causara desaparecera para sempre.

Agora o objetivo dele era se casar. Ele era rico e, como ficaria em terra, tinha genuína intenção de se arranjar assim que se sentisse adequadamente tentado a fazê-lo. De fato, era o que buscava: estava pronto para se apaixonar com toda a rapidez que uma cabeça fresca e um flerte rápido permitissem. Entregava o coração para qualquer uma das srtas. Musgrove, se elas conseguissem segurá-lo; um coração, em resumo, disponível para qualquer jovem que aparecesse em seu caminho, menos Anne Elliot. Essa era sua única exceção secreta, quando ele disse à irmã, em resposta às suposições dela:

— Sim, aqui estou eu, Sophia, pronto para um casamento imprudente. Qualquer moça entre quinze e trinta anos pode receber meu pedido. Um pouco de beleza, alguns sorrisos e elogios à Marinha e sou um homem perdido. Isso não deveria ser o suficiente para um marinheiro, que não esteve na companhia de mulheres que o fizessem agradável?

Ele dissera aquilo, ela sabia, para ser contrariado. Seu olhar brilhante e orgulhoso demonstrava a convicção de que ele era agradável, e Anne Elliot não estava fora de seus pensamentos, não quando ele descreveu com mais seriedade a mulher que desejava encontrar: "Uma mente afiada, combinada a uma personalidade doce"– era o começo e o fim da descrição.

— Essa é a mulher que eu quero — disse ele. — Posso, é claro, aceitar alguém um pouco inferior a isso. Se sou tolo, então serei um verdadeiro tolo, pois pensei mais nesse assunto do que a maioria dos homens.

Capítulo 8

Desde então, o capitão Wentworth e Anne Elliot se encontraram várias vezes no mesmo círculo. Logo estavam jantando juntos na casa do sr. Musgrove, pois o estado de saúde do menininho já não podia mais servir como desculpa para a ausência da tia, e esse foi apenas o começo de outros jantares e encontros.

Se antigos sentimentos seriam renovados, isso seria posto à prova. Os tempos idos sem dúvida viriam à tona nas lembranças de cada um dos dois; eles não conseguiriam deixar de relembrar. O ano do noivado não poderia deixar de ser mencionado por ele nas pequenas narrativas ou descrições que as conversas suscitavam. Sua profissão o qualificava, sua tendência o levava a falar, e "isso foi no ano seis", "isso aconteceu antes de eu ir para o mar no ano seis" surgiram ao longo da primeira noite que passaram juntos. Embora a voz dele não tivesse vacilado, e embora ela não tivesse razão para presumir que o olhar dele vagasse em direção a ela enquanto falava, Anne sentia a impossibilidade completa, por conhecer a mente dele, de que ele estivesse mais livre da visita das lembranças que ela. Deveria haver a mesma associação imediata de pensamentos, embora ela estivesse muito longe de achar que a dor fosse semelhante.

Eles não haviam se falado, não houve comunicação além do que a civilidade comum exigia. Outrora tão importantes um para o outro! Agora, nada! Houve um tempo em que, mesmo com aquele grupo tão grande ocupando a sala de estar de Uppercross, eles teriam achado muito difícil parar de falar um com o outro. Talvez com a exceção do almirante e da sra. Croft, que pareciam particularmente afeiçoados e felizes (Anne não podia permitir nenhuma outra exceção, mesmo entre os casais), não poderia haver dois corações tão abertos, gostos tão similares, sentimentos tão em uníssono, semblantes tão adorados. Agora eram estranhos. Não, pior do que estranhos, pois nunca poderiam ter algum relacionamento. Era um distanciamento perpétuo.

Quando ele falava, ela ouvia a mesma voz e reconhecia a mesma mente. Havia um desconhecimento geral por todo o grupo acerca das questões navais, e ele recebeu muitas perguntas, especialmente das srtas. Musgrove, que pareciam não ter olhos para mais ninguém além dele, sobre viver a bordo: as ordens diárias, a comida, os horários, e a surpresa delas com os relatos, ao descobrir qual nível de acomodação e arranjo era viável, arrancou dele algumas piadas divertidas, o que lembrou Anne do início, de quando ela também era ignorante, de que ela também fora corrigida ao crer que marinheiros viviam embarcados sem nada para comer, ou nenhum cozinheiro para preparar se houvesse comida, ou criados para servir, ou garfos e facas para usar.

Por estar tão distraída ouvindo-o, ela se assustou com o sussurro da sra. Musgrove, que, invadida por ressentimentos afetuosos, não pôde evitar dizer:

— Oh, srta. Anne! Se os Céus tivessem poupado meu pobre filho, ouso dizer que ele estaria muito diferente hoje.

Anne reprimiu um sorriso e ouviu gentilmente enquanto a sra. Musgrove aliviava um pouco mais o coração e, portanto, por alguns minutos, não conseguiu acompanhar a conversa do restante do grupo.

Quando conseguiu voltar a atenção ao seu curso natural, percebeu que as srtas. Musgrove haviam acabado de pegar a Lista Naval (a própria lista naval, a primeira que já havia existido em Uppercross) e se sentavam para se debruçar sobre ela, com a intenção expressa de encontrar os navios que o capitão Wentworth havia comandado.

— O senhor esteve primeiro na Asp, eu me lembro, vamos procurar a Asp.

— As senhoritas não a encontrarão aí. Estava muito desgastada e foi destruída. Fui o último homem a comandá-la. Mal estava adequada ao serviço na época. Foi declarada adequada ao serviço doméstico por um ou dois anos, e depois fui enviado para as Índias Orientais.

As moças pareciam maravilhadas.

— O almirantado — ele prosseguiu — se diverte de vez em quando enviando algumas centenas de homens ao mar em embarcações inadequadas ao uso. Mas eles têm muitos para sustentar, e entre os que podem ou não acabar no fundo do mar, é impossível distinguir o grupo cuja falta seria menos sentida.

— Ora, ora! — exclamou o almirante. — As coisas que esses jovens camaradas dizem! Nunca houve chalupa melhor do que a Asp em sua época. Para uma chalupa antiga, não havia nenhuma igual. Sorte do sujeito que a conseguisse! Ele sabe que deve haver vinte homens melhores que ele se candidatando a comandá-la ao mesmo tempo. Sorte do sujeito conseguir algo tão rápido, sem poder oferecer nada além dele mesmo.

— Sei que fui sortudo, almirante, eu lhe garanto — respondeu o capitão Wentworth, sério. — Fiquei tão satisfeito com meu apontamento quanto o senhor poderia desejar. Era um enorme objetivo meu naquela época estar no mar, um enorme objetivo. Eu queria fazer alguma coisa.

— E queria mesmo, é verdade. O que um sujeito jovem como você faria em terra firme durante seis meses? Se um homem não tem uma esposa, ele logo deseja ser embarcado novamente.

— Mas, capitão Wentworth — gritou Louisa —, o senhor deve ter ficado muito aborrecido quando embarcou na Asp e viu a velharia que tinham lhe dado.

— Eu sabia muito bem como ela estava antes disso — ele replicou, sorrindo. — Eu não tinha mais descobertas a fazer do que a senhorita a respeito do talhe e da força de qualquer velha capa que tivesse visto ser emprestada à metade de suas conhecidas desde que se lembra e que, por fim, em um dia muito chuvoso, é emprestada para a senhorita. Ah! A velha Asp era muito querida para mim. Ela fez tudo o que eu queria, eu sabia que faria. Sabia que ou ela afundaria comigo ou me tornaria quem eu sou. Nunca vi dois dias consecutivos de clima ruim durante todo o tempo que passei com ela no mar. E depois de me divertir bastante tomando muitos navios corsários, tive a sorte, ao passar perto do meu lar no outono seguinte, de dar justamente com a fragata francesa que queria. Eu a trouxe a Plymouth, e aqui tive outro momento de sorte. Não estávamos nem havia seis horas no estreito quando veio uma tempestade que durou quatro dias e quatro noites, e que teria destruído a pobre e velha Asp em metade do tempo. Nosso contato com a Grande Nação não havia melhorado nossa condição. Vinte e quatro horas depois, e eu teria sido apenas um bravo capitão Wentworth, em um curto parágrafo no cantinho dos jornais, e, tendo afundado junto com uma simples chalupa, ninguém teria se lembrado de mim.

Os calafrios de Anne foram sentidos apenas por ela mesma; as senhoritas Musgrove, porém, conseguiam ser tão descomedidas quanto eram sinceras em suas exclamações de compaixão e horror.

— E foi depois disso, suponho — disse a sra. Musgrove, em voz baixa, como se pensasse alto —, foi depois disso que ele foi para a Laconia e conheceu meu pobre filho. Charles, meu querido — acenando para o filho. — Pergunte ao capitão onde ele conheceu o seu irmão, coitado. Eu sempre me esqueço.

— Foi em Gibraltar, mãe, eu sei. Dick tinha sido deixado doente em Gibraltar, com uma recomendação do ex-capitão ao capitão Wentworth.

— Oh! Mas, Charles, diga ao capitão que não precisa temer mencionar o pobre Dick na minha frente, pois na verdade seria um prazer ouvir falar dele por um amigo tão querido.

Charles, de algum modo mais consciente das probabilidades do caso, apenas acenou com a cabeça em resposta e se afastou.

As moças agora procuravam a Laconia, e o capitão Wentworth não conseguiu se negar o prazer de pegar o precioso volume entre as mãos a fim de poupá-las do trabalho, e mais uma vez leu em voz alta a pequena declaração contendo o nome, a categoria e a presente classificação não comissionada do navio, observando depois que ele também tinha sido um dos melhores amigos que um homem pode ter.

— Oh! Aqueles dias agradáveis que tive com a Laconia! Com que rapidez ganhei dinheiro nela. Um amigo e eu realizamos uma bela viagem pelas Ilhas Orientais. Pobre Harville, minha irmã! Você sabe o quanto ele queria dinheiro, era pior que eu. Ele tinha uma esposa. Um sujeito excelente. Nunca vou me esquecer da felicidade dele. Todo os seus sentimentos eram dela. Desejei que ele estivesse comigo novamente no verão seguinte, quando tive a mesma sorte no Mediterrâneo.

— E tenho certeza, senhor — disse a sra. Musgrove —, que foi um dia de sorte para nós, quando o senhor foi designado capitão daquele navio. Nunca esqueceremos o que fez.

Seus sentimentos a faziam falar baixo, e o capitão Wentworth, tendo ouvido apenas parte do comentário, e com os pensamentos longe de Dick Musgrove, parecia em dúvida, como se esperasse por um complemento.

— Meu irmão — sussurrou uma das moças —, mamãe se refere ao pobre Richard.

— Pobre e querido rapaz! — continuou a sra. Musgrove. — Ele se tornou tão estável e um excelente correspondente quando estava sob sua supervisão! Oh! Teria sido maravilhoso se ele nunca o tivesse deixado. Eu lhe garanto, capitão Wentworth, sentimos muito que ele o tenha deixado.

Uma expressão passou rapidamente pelo rosto do capitão Wentworth ao ouvir essas palavras, um certo reflexo em seus olhos brilhantes e uma contorção na sua bela boca, que convenceu Anne de que, em vez de compartilhar dos amáveis desejos da sra. Musgrove em relação ao filho, ele provavelmente tinha tido algum trabalho para se livrar dele; mas foi uma expressão de zombaria fugidia demais para ser percebida por qualquer um que não o conhecesse como ela. No momento seguinte, ele estava perfeitamente calmo e sério, e quase instantaneamente depois foi até o sofá em que estavam sentadas ela e a sra. Musgrove, ao lado da qual tomou um lugar e com quem iniciou uma conversa, em voz baixa, sobre o filho, fazendo-o com tamanha simpatia e graça natural que demonstrava a mais gentil consideração a tudo o que era verdadeiro e inexequível nos sentimentos de uma mãe.

Os dois estavam de fato no mesmo sofá, pois a sra. Musgrove prontamente abriu espaço para ele; estavam separados apenas pela sra. Musgrove. Não era uma barreira insignificante, entretanto. A sra. Musgrove tinha um tamanho substancial e cômodo, infinitamente mais adequado, por natureza, a expressar alegria e bom humor do que ternura e sensibilidade; e embora as agitações do corpo esguio de Anne e seu rosto pensativo pudessem ser considerados totalmente ocultos, era necessário dar algum crédito ao capitão Wentworth pelo autocontrole com que prestou atenção aos largos suspiros a respeito do destino do filho com quem ninguém se importava quando vivo.

O tamanho do corpo e o sofrimento mental definitivamente não têm proporção direta. Uma figura grande e volumosa tem tanto direito de sentir uma profunda angústia quanto o corpo mais gracioso do mundo. Entretanto, justo ou não, há combinações impróprias que a razão vai favorecer em vão, que o bom gosto não consegue tolerar e de que o ridículo vai se aproveitar.

O almirante, após duas ou três voltas revigorantes ao redor do salão com as mãos atrás de si, e após ser chamado à ordem por sua esposa, foi até o capitão Wentworth e, sem qualquer observação de que talvez estivesse interrompendo, considerando apenas os próprios pensamentos, começou:

— Se tivesse passado uma semana depois por Lisboa na primavera passada, Frederick, teriam lhe pedido para transportar lady Mary Grierson e as filhas.

— E eu deveria levá-las? Então fico feliz por não ter passado por lá uma semana depois.

O almirante o advertiu pela falta de galanteio. Ele se defendeu, embora professando que jamais admitiria de boa vontade qualquer dama a bordo de um navio seu, com exceção de um baile ou uma visita limitada a poucas horas.

— No entanto, se me conheço bem — disse ele —, isso não vem de uma falta de galanteio com elas, mas sim por sentir o quanto é impossível, mesmo com todos os esforços e todos os sacrifícios, arranjar acomodações a bordo apropriadas para mulheres. Não pode existir falta de galanteio, almirante, em classificar como altas as reivindicações femininas em relação ao conforto pessoal, e é isso que faço. Detesto ouvir que há mulheres a bordo, ou vê-las a bordo, e nenhum navio sob meu comando vai carregar uma família de damas a parte alguma se eu puder evitar.

Isso fez a irmã se voltar contra ele.

— Ah, Frederick! Não posso acreditar nisso vindo de você. São todos refinamentos inúteis! Mulheres podem ficar tão confortáveis a bordo quanto na melhor casa na Inglaterra. Creio que já vivi a bordo tanto quanto a maioria das mulheres, e não conheço acomodações superiores às de um navio de guerra. Afirmo que não tenho conforto ou prazer, mesmo em Kellynch Hall — ela fez uma mesura educada a Anne —, maior do que tive em qualquer um dos navios nos quais já vivi, e foram cinco ao todo.

— Não se aplica ao caso — o irmão retorquiu. — Você estava morando com seu marido, e era a única mulher a bordo.

— Mas você mesmo trouxe a sra. Harville, a irmã dela, a prima e as três crianças de Portsmouth a Plymouth. Onde estava esse seu galanteio super-refinado e extraordinário, então?

— Tudo fundido na minha amizade, Sophia. Eu ajudaria a esposa de qualquer irmão oficial que pudesse, e traria qualquer coisa relacionada a Harville do fim do mundo, se assim ele desejasse. Mas não imagine que eu não teria visto nisso um problema.

— Pode confiar, todas elas estavam perfeitamente confortáveis.

— Talvez seja por isso que eu não goste mais delas. Tantas mulheres e crianças não têm o direito de ficar confortáveis a bordo.

— Meu querido Frederick, você fala em vão. Diga, o que seria de nós, as pobres esposas de marinheiros, que com frequência querem ser levadas de um porto ao outro para seguir nossos maridos, se todos partilhassem de seus sentimentos?

— Meus sentimentos, veja você, não me impediram de levar a sra. Harville e toda a sua família para Plymouth.

— Todavia, detesto ouvi-lo falar assim, como se fosse um cavalheiro refinado e todas as mulheres fossem damas refinadas, e não criaturas racionais. Nenhuma de nós espera que todos os nossos dias sejam em águas tranquilas.

— Oh, minha querida — interveio o almirante —, quando ele tiver uma esposa, vai cantar uma canção diferente. Quando for casado, se tivermos a sorte de viver outra guerra, nós o veremos se comportar como você e eu e muitos outros fizeram. Nós o veremos ficar muito grato a qualquer um que lhe traga a esposa.

— Sim, veremos mesmo.

— Não, agora basta — protestou o capitão Wentworth. — Quando pessoas casadas começam a me atacar com "ah, você vai pensar diferente quando estiver casado", só consigo responder com "não, não vou", e dirão novamente "ah, vai sim", e eis o fim da conversa.

Ele se levantou e se afastou.

— Que grande viajante a senhora deve ter sido! — disse a sra. Musgrove à sra. Croft.

— De fato, minha senhora, viajei durante os quinze anos em que estou casada, embora muitas mulheres tenham viajado mais. Cruzei o Atlântico quatro vezes, e fui e voltei uma vez das Índias Ocidentais, mas somente uma vez, além de ter estado em lugares diferentes de casa: Cork, Lisboa e Gibraltar. Mas nunca fui além dos Estreitos e nunca estive nas Índias Orientais. Não consideramos as Bermudas ou as Bahamas como Índias Orientais, como deve saber.

A sra. Musgrove não tinha como discordar; ela nunca havia sequer pensado nesses locais ao longo da vida.

— E lhe asseguro, minha senhora — continuou a sra. Croft —, que nada consegue superar as acomodações de um navio de guerra. Falo, como sabe, dos níveis mais altos. Quando se está em uma fragata, fica-se mais confinado, é claro, embora qualquer mulher razoável possa ficar perfeitamente satisfeita em qualquer uma dessas embarcações. Posso afirmar com segurança que a parte mais feliz de minha vida foi passada a bordo de um navio. Contanto que estivéssemos juntos, como sabe, não havia nada a temer. Graças a Deus! Sempre fui abençoada com uma excelente saúde, e nenhum clima me faz mal. Um pouco indisposta nas primeiras vinte e quatro horas no mar, mas nunca soube o que era enjoo depois disso. A única vez em que realmente sofri de corpo e mente, o único momento em que me senti mal ou temi o perigo foi no inverno que passei sozinha em Deal, quando o almirante, na época capitão Croft, estava nos mares do Norte. Vivi em um temor perpétuo na época, e tive todo tipo de mal imaginário por não saber o que fazer comigo mesma, ou quando receberia notícias dele. Mas, contanto que estivéssemos juntos, nada nunca me afligiu, e eu nunca me deparei com a menor inconveniência.

— Ah, certamente. Sim, de fato, sim! Concordo muito, sra. Croft — foi a resposta amigável da sra. Musgrove. — Não há nada tão ruim quanto a separação. Concordo muito. Sei como é, pois o sr. Musgrove sempre comparece às sessões do tribunal do condado, e eu fico muito contente quando elas terminam e ele volta seguro para casa.

A noite terminou em dança. Quando a dança foi proposta, Anne, como de costume, ofereceu seus serviços. E embora seus olhos tenham por vezes se enchido de lágrimas enquanto ela tocava o instrumento, ela estava extremamente satisfeita por ser útil, e não desejava nada em troca além de passar despercebida.

Foi uma festa alegre e animada, e ninguém parecia de melhor humor do que o capitão Wentworth. Ela sentiu que ele tinha tudo o que poderia animá-lo, como a atenção e a deferência de todos, em especial a atenção de todas as jovens. Aparentemente, tinha concedido às srtas. Hayters, as moças da família de primos já mencionada, a honra de se apaixonarem por ele; e quanto a Henrietta e Louisa, ambas pareciam tão completamente absortas por ele que nada além da aparência consistente da mais perfeita consideração entre elas poderia tornar crível que não fossem rivais evidentes. Quem poderia se espantar se ele ficasse um pouco mimado com tal admiração, tão universal e ardorosa?

Esses foram alguns dos pensamentos que ocuparam Anne enquanto seus dedos trabalhavam mecanicamente, seguindo juntos por meia hora, tão sem erros quanto inconscientemente. Uma única vez ela sentiu que ele a olhava, observando suas feições mudadas, talvez tentando identificar nelas as ruínas do rosto que um dia o encantara; e uma única vez ela soube que ele deveria ter falado dela. Ela mal havia se atentado a isso até ouvir a resposta. Mas então teve certeza de ele ter perguntado à parceira se a srta. Elliot nunca dançava. A resposta foi:

— Ah, não, ela desistiu de dançar. Prefere tocar. Ela nunca se cansa de tocar.

Uma única vez, também, ele se dirigira a ela. Anne havia abandonado o instrumento quando a dança terminou, e ele havia se sentado ali para tocar uma melodia que desejava mostrar às srtas. Musgrove. Sem se dar conta, ela voltou àquela parte do salão. Ele a viu e instantaneamente se levantou, dizendo, com cortesia premeditada:

— Perdoe-me, senhorita, este é seu lugar.

Apesar de ela ter imediatamente recuado com uma decidida negativa, ele não foi convencido a se sentar de novo.

Anne não desejava mais aquele tipo de olhares e conversas. A polidez fria e a graça cerimoniosa eram piores que qualquer outra coisa.

Capítulo 9

O capitão Wentworth instalou-se em Kellynch como se estivesse em casa, para ficar quanto tempo desejasse, como um objeto de total afeto fraternal tanto do almirante quando de sua esposa. Sua intenção inicial, ao chegar, era, muito em breve, prosseguir para Shropshire e visitar o irmão instalado naquela região, mas as atrações de Uppercross o fizeram adiar essa visita. Havia muita cordialidade, lisonja e tudo de mais encantador em sua recepção ali: os mais velhos eram tão hospitaleiros, e os mais jovens, tão agradáveis, que ele não podia deixar de ficar onde estava e acreditar no charme e na perfeição da esposa de Edward por mais um tempo.

Uppercross logo estava recebendo-o quase todos os dias. Os Musgrove não poderiam estar mais propensos a convidá-lo do que ele a visitá-los, especialmente pela manhã, quando ele não tinha companhia em casa, pois o almirante e a sra. Croft geralmente estavam fora, interessados em suas novas posses, em sua grama, em suas ovelhas, levando tempo demais nisso, de modo intolerável para uma terceira pessoa, ou passeando em um cabriolé recém-adquirido.

Até aquele momento, havia apenas uma opinião sobre o capitão Wentworth entre os Musgrove e seus subordinados: uma invariável e calorosa admiração por toda parte. No entanto, essa condição mal havia se estabelecido quando um certo Charles Hayter reapareceu, ficou muito incomodado com aquela situação e achou que o capitão Wentworth atrapalhava demais seu caminho.

Charles Hayter era o primo mais velho e um jovem muito amável e agradável, e entre ele e Henrietta parecia haver uma considerável afeição antes da chegada do capitão Wentworth. Ele havia sido ordenado e fora pároco na vizinhança, dispensando a necessidade de residência; ele morava na casa do pai, a apenas duas milhas de Uppercross. Uma breve ausência sua bastou para deixar sua amada desprotegida de sua atenção naquele período crítico, e, quando ele voltou, teve o descontentamento de encontrá-la muito diferente, e de ver o capitão Wentworth.

A srta. Musgrove e a sra. Hayter eram irmãs. As duas tinham dinheiro, mas os casamentos fizeram uma diferença substancial no nível de importância social. O sr. Hayter tinha alguns bens, mas eram insignificantes em comparação às posses do sr. Musgrove, e enquanto os Musgrove eram da primeira categoria na sociedade rural, os jovens Hayter, devido ao modo de vida inferior, fechado e inculto dos pais, e à sua própria educação medíocre, dificilmente seriam considerados de qualquer categoria. Contudo, por sua conexão com Uppercross, esse filho mais velho era exceção. Ele havia escolhido ser um estudioso e um cavalheiro, e estava muito acima dos outros em termos de cultura e maneiras.

As duas famílias sempre haviam mantido excelentes relações. Não havia orgulho de um lado nem inveja do outro, apenas certa consciência de superioridade nas srtas. Musgrove, que ficavam satisfeitas em melhorar os primos. As atenções de Charles com Henrietta foram percebidas pelos pais da moça sem nenhuma desaprovação da parte deles: "Não seria um ótimo casamento para ela, mas se Henrietta gosta dele...", e Henrietta parecia mesmo gostar dele.

E era exatamente isso que Henrietta pensava antes da chegada do capitão Wentworth, porém, desde então, o primo Charles tinha sido completamente esquecido.

Qual das duas irmãs era a favorita do capitão Wentworth era a grande dúvida, até onde Anne conseguia observar. Henrietta talvez fosse a mais bonita, e Louisa tinha melhor humor, e ela não sabia agora se o que tinha mais chances de atraí-lo era uma personalidade mais meiga ou mais animada.

    O sr. e a sra. Musgrove, fosse por desatenção ou por uma plena confiança na discrição das filhas e de todos os jovens que se aproximassem delas, pareciam deixar tudo ao acaso. Não havia o menor sinal de preocupação ou de comentários sobre elas na mansão, mas no chalé era diferente: o jovem casal estava mais disposto a especular e sondar. O capitão Wentworth havia estado apenas quatro ou cinco vezes na companhia das srtas. Musgrove, e Charles Hayter acabara de reaparecer quando Anne teve que ouvir as opiniões de sua irmã e do cunhado quanto a quem preferiam. Charles apostava em Louisa, e Mary em Henrietta, mas ambos concordavam que vê-lo se casar com qualquer uma das duas seria extremamente magnífico.

    Charles nunca vira um homem mais agradável na vida e, pelo que ouvira o próprio capitão Wentworth comentar uma vez, tinha bastante certeza de que não ganhara menos que vinte mil libras durante a guerra. Era uma fortuna repentina, e, além disso, havia a oportunidade de ganhar ainda mais em uma guerra futura. E ele tinha certeza de que o capitão Wentworth era um homem com tanta chance de se distinguir na Marinha quanto qualquer outro oficial. Ah! Seria um casamento excelente para qualquer uma de suas irmãs.

    — E seria mesmo — respondeu Mary. — Minha nossa! Se ele ascendesse às altas honras! Se ele fosse transformado em baronete! "Lady Wentworth" soa muito bem. Seria algo muito nobre para Henrietta! Nesse caso, ela tomaria o meu lugar, e isso não a desagradaria de forma alguma. Sir Frederick e lady Wentworth! Seria uma nova criação de um título, e eu nunca me importei muito com esses títulos recém-criados.

    Mary gostava de pensar que Henrietta era a favorita, e a razão era Charles Hayter, cujas pretensões ela desejava ver encerradas. Ela decididamente desprezava os Hayter e achava que seria um grande infortúnio que a conexão existente entre as famílias fosse renovada – uma grande infelicidade para ela e seus filhos.

— Sabe — ela continuou —, não consigo considerá-lo uma boa escolha para Henrietta, de jeito nenhum. E, considerando todas as alianças que os Musgrove fizeram, ela não tem o direito de se desperdiçar assim. Não acho que nenhuma moça tem o direito de tomar uma decisão que seja desagradável e inconveniente para a principal parte da família, de ocasionar conexões ruins para aqueles que não estão acostumados a elas. E, diga-me, quem é Charles Hayter? Não passa de um pároco do campo. Uma união bem imprópria para a srta. Musgrove de Uppercross.

Seu marido, no entanto, não concordava com ela nessa questão, pois, além de ser seu primo, Charles Hayter era um primogênito, e ele próprio enxergava as coisas do ponto de vista do primogênito que era.

— Agora você está falando bobagens, Mary — foi sua resposta, portanto. — Não seria um grande casamento para Henrietta, mas Charles tem boas chances, por meio dos Spicer, de conseguir alguma coisa do bispo daqui a um ano ou dois. E lembre-se, por favor, de que ele é o filho primogênito, e vai herdar uma propriedade muito boa quando meu tio morrer. A área de Winthrop não tem menos de duzentos e cinquenta acres, além da fazenda próxima a Taunton, que tem uma das melhores terras da região. Concordo que, com exceção de Charles, qualquer outro Hayter seria uma união muito chocante para Henrietta, e não poderia acontecer. Ele seria a única opção possível. Mas ele é um tipo de sujeito muito bem-humorado e bom, e, quando Winthrop cair em suas mãos, ele a transformará em um lugar diferente, e viverá ali de forma muito diferente. Com aquela propriedade, ele nunca será um homem de se desprezar... é uma boa propriedade fundiária. Não, não, Henrietta poderia arranjar um casamento pior que Charles Hayter. E se ela se casar com ele, e Louisa conseguisse o capitão Wentworth, eu ficaria muitíssimo satisfeito.

— Charles pode dizer o que quiser — Mary reclamou com Anne assim que ele saiu da sala —, mas ainda seria chocante ver Henrietta se casar com Charles Hayter. Seria péssimo para ela, e ainda pior para mim. Por isso, é bastante desejável que o capitão Wentworth tire-o logo da cabeça dela, e não duvido que já o tenha feito. Ela mal deu atenção a Charles Hayter ontem. Queria que você estivesse lá para ver o comportamento dela. E quanto ao capitão Wentworth gostar tanto de Louisa quanto de Henrietta, acho bobagem dizer isso, pois ele com certeza gosta muito mais de Henrietta. Entretanto, Charles é tão positivo! Queria que estivesse conosco ontem, assim poderia ver quem de nós tem razão. E tenho certeza de que você pensaria como eu, a menos que estivesse determinada a ficar contra mim.

Um jantar na residência do sr. Musgrove fora a ocasião em que todas essas coisas teriam sido vistas por Anne. Mas ela tinha ficado em casa, sob a justificativa conjunta de uma dor de cabeça e do retorno de alguma indisposição do pequeno Charles. Ela pensara apenas em evitar o capitão Wentworth, mas escapar de ser convocada como árbitro agora se somava às vantagens de uma noite calma.

Quanto às opiniões do capitão Wentworth, ela julgou que o mais importante era que ele tomasse uma decisão o mais cedo possível, para não pôr em risco a felicidade da outra irmã nem pôr em dúvida a própria honra, preferisse ele Henrietta ou Louisa. Qualquer uma das duas seria uma esposa carinhosa e bem-humorada. E a respeito de Charles Hayter, Anne tinha uma delicadeza que se magoava por qualquer leviandade de conduta de uma jovem bem-intencionada, e um coração que simpatizava com qualquer sofrimento que isso ocasionasse. Mas se Henrietta se descobrisse equivocada sobre a natureza de seus sentimentos, essa mudança deveria ser expressa o quanto antes.

Charles Hayter tinha encontrado o suficiente para inquietá-lo e humilhá-lo no comportamento da prima. Ela tinha uma estima muito antiga por ele para se afastar tão completamente nas duas ocasiões em que estiveram juntos a ponto de extinguir qualquer esperança e deixá-lo sem escolha a não ser se distanciar de Uppercross. Porém, a transformação era tanta que se tornava alarmante quando um homem como o capitão Wentworth podia ser considerado a provável causa. Ele estivera ausente apenas por dois domingos, e, quando se despediram, ela estava bastante interessada, até para os desejos mais intensos dele, na perspectiva de ele deixar em breve sua paróquia atual e assumir a de Uppercross. Na época, parecera que a maior vontade do coração dela era que o dr. Shirley, o reitor, que por mais de quarenta anos havia desempenhado zelosamente todos os deveres de seu ofício, mas que agora estava cada vez mais frágil para vários deles, estivesse decidido a encontrar um pároco para fazer de sua paróquia a melhor que conseguisse e desse a Charles Hayter a promessa da função. A vantagem de que ele tivesse que ir apenas a Uppercross, em vez de percorrer seis milhas em outra direção, de ele ter, em todos os aspectos, uma paróquia melhor, de ela pertencer ao caro dr. Shirley, e de o caro e bondoso dr. Shirley ser liberado dos deveres que não conseguia mais cumprir sem se fatigar de forma prejudicial, tinha sido ótima, mesmo para Louisa, mas havia significado tudo para Henrietta. Quando ele voltou, pobre Charles! A euforia do arranjo havia passado. Louisa não conseguia nem ouvir o relato da conversa que ele acabara de ter com o dr. Shirley: estava à janela procurando o capitão Wentworth; e até Henrietta tinha, no máximo, uma atenção parcial para oferecer, e parecia ter se esquecido de toda dúvida e agonia da negociação.

— Bem, estou muito contente, de verdade. Mas sempre achei que o senhor a obteria, sempre tive certeza disso. Não me parecia que... em resumo, sabe o que digo, o dr. Shirley precisava de um pároco, e o senhor foi capaz de garantir a promessa dele. Ele está chegando, Louisa?

Em uma manhã, bem pouco depois do jantar na casa dos Musgrove no qual Anne não estivera presente, o capitão Wentworth entrou na sala de estar do chalé, onde estavam apenas ela e o pequeno e combalido Charles, deitado no sofá.

A surpresa de se ver praticamente sozinho com Anne Elliot privou seus modos de compostura habitual. Ele começou a falar, mas só conseguiu dizer:

— Achei que as srtas. Musgrove estivessem aqui. A sra. Musgrove me disse que eu as encontraria aqui.

Em seguida, ele caminhou até a janela para se recompor e ponderar sobre como deveria se comportar.

— Elas estão lá em cima com minha irmã. Logo descerão, acredito eu — foi a resposta de Anne, com toda a confusão que seria natural. E se o menino não a tivesse chamado para fazer alguma coisa para ele, ela teria saído do cômodo no momento seguinte, para liberar tanto o capitão Wentworth quanto a si mesma.

Ele continuou à janela e ficou em silêncio depois de dizer, com calma e educação:

— Espero que o menino esteja melhor.

Ela foi obrigada a se ajoelhar ao lado do sofá e ficar ali para atender à vontade do paciente. E assim permaneceram por alguns minutos, quando, para grande satisfação de Anne, ela ouviu alguém cruzar o pequeno vestíbulo. Esperava, ao virar a cabeça, ver o dono da casa, mas na verdade era uma pessoa bem menos propensa a facilitar a situação: Charles Hayter, provavelmente nem um pouco mais feliz por ver o capitão Wentworth do que o capitão Wentworth estivera por ver Anne.

Ela ousou dizer apenas:

— Como está? Quer se sentar? Os outros logo se juntarão a nós.

O capitão Wentworth, contudo, aproximou-se, aparentemente disposto a conversar. Mas Charles Hayter logo pôs fim às suas tentativas ao se sentar próximo à mesa e pegar o jornal, e o capitão Wentworth voltou à janela.

Mais um minuto e houve mais uma adição ao grupo. O menino mais novo, uma criança notavelmente corpulenta e precoce de dois anos, tendo pedido para alguém abrir a porta do quarto para ele, fez sua aparição decidida entre eles e foi direto para o sofá conferir o que estava acontecendo e reivindicar alguma guloseima qualquer.

Não havendo nada para comer, a ele só restava brincar. E, sabendo que a tia não o deixaria provocar o irmão doente, ele começou a se agarrar a ela, conforme ela se ajoelhava, de tal forma que, ocupada como estava com Charles, ela não conseguia se livrar do menino. Ela falou com ele: deu ordens, implorou e insistiu, em vão. Quando conseguiu afastá-lo, o menino teve o prazer ainda maior de escalar suas costas.

— Walter — disse ela —, desça já daí. Você é muito levado. Estou muito brava com você.

— Walter — interferiu Charles Hayter —, por que não faz o que ela pediu? Não escutou sua tia falar? Venha aqui, Walter, venha com o primo Charles.

Porém, Walter não me mexeu.

No momento seguinte, entretanto, ela se viu sendo aliviada do peso do menino. Alguém o estava tirando de suas costas, embora ele estivesse tão agarrado à sua cabeça que suas mãozinhas fortes tiveram que ser desprendidas do pescoço dela. Ele foi resolutamente levado embora antes que ela se desse conta de que tinha sido o capitão Wentworth quem a libertara.

As sensações que vieram com essa descoberta a deixaram totalmente sem fala. Ela não conseguiu nem agradecer-lhe. Só conseguiu ficar debruçada sobre o pequeno Charles, com os sentimentos muito desordenados. A gentileza dele em se adiantar para libertá-la, seus modos, o silêncio com que tudo se passou, as pequenas particularidades da circunstância, com a convicção que logo a arrebatou, o barulho que cuidadosamente fazia com o menino, que significava que ele tentava evitar ouvir seu agradecimento e demonstrava que uma conversa com ela era a última coisa que desejava, produziu nela um turbilhão de emoções diversas e muito dolorosas, do qual ela não conseguiu se recompor até que a entrada de Mary e das srtas. Musgrove permitiu que Anne deixasse seu pequeno paciente aos cuidados delas e saísse da sala. Ela não podia ficar. Poderia ter sido uma oportunidade de assistir aos amores e ciúmes daqueles quatro – todos estavam juntos agora; mas ela não poderia ficar para ver nada daquilo. Era evidente que Charles Hayter não tinha boas inclinações em relação ao capitão Wentworth. Ela tinha uma forte impressão de tê-lo ouvido dizer, em um tom de voz aborrecido, depois da interferência do capitão Wentworth: "Você deveria ter me obedecido, Walter. Eu falei para não provocar sua tia", e podia compreender que ele se arrependesse de não ter feito ele mesmo o que o capitão Wentworth fizera. Contudo, nem os sentimentos de Charles Hayter, nem os de mais ninguém, poderiam interessá-la até que ela tivesse organizado os seus próprios um pouco melhor. Ela estava envergonhada de si mesma, muito envergonhada de estar tão nervosa, tão exasperada por algo tão mínimo. Mas era assim que se sentia, e foi necessário um longo tempo de solidão e reflexão para se recuperar.

Capítulo 10

Outras oportunidades de fazer suas observações não deixariam de ocorrer. Anne logo se viu na companhia de todos os quatro com frequência suficiente para formar uma opinião, embora fosse sábia demais para reconhecer isso em casa, pois sabia que não poderia satisfazer nem a irmã nem o cunhado. Apesar de considerar Louisa a favorita, ela não conseguia deixar de pensar, ousando ao máximo julgar segundo suas memórias e experiências, que o capitão Wentworth não estava apaixonado por nenhuma das duas. Elas estavam mais apaixonadas por ele, mas ainda não era amor. Era uma pequena febre de admiração, contudo, poderia ser, e provavelmente se tornaria, amor. Charles Hayter parecia ciente de ter sido desprezado, entretanto, Henrietta às vezes ainda tinha um ar de estar dividida entre os dois. Anne ansiava pelo poder de mostrar a todos eles o que estavam fazendo e de evidenciar alguns dos males aos quais estavam se expondo. Ela não sentia maldade em nenhum deles. Foi de uma imensa satisfação para ela se dar conta de que o capitão Wentworth não tinha a menor ideia da dor que estava causando. Não havia triunfo, nenhum triunfo mesquinho em seus modos. Ele provavelmente nunca suspeitara nem soubera de qualquer pretensão de Charles Hayter. Só estava errado em aceitar as atenções (pois aceitar era a palavra certa) de duas moças ao mesmo tempo.

Depois de alguma resistência, porém, Charles Hayter parecia ter saído do jogo. Três dias haviam se passado sem que ele fosse uma vez sequer a Uppercross; uma mudança e tanto. Ele até havia recusado um convite habitual para jantar, e tendo o sr. Musgrove, na ocasião, o encontrado com vários livros grossos diante de si, o sr. e a sra. Musgrove tiveram certeza de que algo estava errado, e conversaram, com semblantes sérios, sobre ele estar se matando de estudar. Mary tinha a esperança e a crença de que ele havia recebido uma dispensa clara de Henrietta, e seu marido vivia na expectativa constante de vê-lo no dia seguinte. Anne só podia achar que Charles Hayter tinha juízo.

Certa manhã, quando Charles Musgrove e o capitão Wentworth tinham saído para caçar e as irmãs no chalé trabalhavam silenciosamente, elas receberam a visita à janela das irmãs da mansão.

Era um agradável dia de novembro, e as srtas. Musgrove atravessaram os pequenos gramados e pararam somente para avisar que estavam saindo para uma longa caminhada e que, por isso, concluíram que Mary não gostaria de ir com elas. E quando Mary respondeu de imediato, com certo ressentimento de não ser considerada boa em caminhadas: "Ah, sim, eu gostaria muito de me juntar a vocês, adoro uma longa caminhada", Anne foi persuadida, pelos olhares das duas, de que aquilo era exatamente o que elas não queriam, e mais uma vez se surpreendeu com o tipo de necessidade que os hábitos familiares pareciam produzir, de tudo precisar ser comunicado, e de tudo precisar ser feito junto, não importava o quanto fosse indesejável ou inconveniente. Ela tentou dissuadir Mary de ir, mas foi em vão. Sendo aquele o caso, achou melhor aceitar o convite muito mais cordial das srtas. Musgrove para também se juntar a elas, pois talvez pudesse ser útil em voltar com a irmã e assim diminuir sua interferência em qualquer plano das duas.

— Não consigo imaginar por que elas suporiam que eu não gostaria de fazer uma longa caminhada — Mary disse enquanto subia ao andar superior. — Todos estão sempre supondo que eu não gosto de longas caminhadas, mas elas ficariam aborrecidas se eu não aceitasse ir junto. Quando as pessoas vêm dessa forma com o propósito de nos convidar, como recusar?

Quando estavam partindo, os cavalheiros retornaram. Eles haviam levado um cãozinho jovem que estragara a brincadeira e os fizera voltar antes. Tinham, portanto, o tempo, a disposição e o ânimo exatos para essa caminhada, e se juntaram às damas com prazer. Se Anne pudesse ter antevisto tal reunião, teria ficado em casa. No entanto, devido a alguns sentimentos de interesse e curiosidade, ela julgou que agora era tarde demais para desistir, e todos os seis saíram juntos na direção escolhida pelas srtas. Musgrove, que evidentemente consideravam que a caminhada estava sob sua orientação.

O objetivo de Anne era não ficar no caminho de ninguém, e onde os trechos estreitos pelos campos exigissem várias separações, manter-se com o cunhado e a irmã. Seu prazer na caminhada deveria vir do exercício e do dia, da visão dos últimos sorrisos do ano sobre as folhas amareladas e sebes secas, e de repetir para si mesma alguns dos milhares de descrições poéticas existentes do outono, aquela estação de influência peculiar e inesgotável na mente propensa ao bom gosto e à ternura, aquela estação que tirara de cada poeta digno de ser lido alguma tentativa de descrição ou alguns versos repletos de sentimentos. Ela ocupava a mente o máximo que conseguia com tais reflexões e citações. Mas não era possível, quando estava ao alcance da conversa do capitão Wentworth com qualquer uma das srtas. Musgrove, evitar ouvi-la; contudo, não captou nada de muito notável. Era apenas uma conversa animada, do tipo em que era comum que jovens caíssem em uma situação de intimidade. Ele estava mais envolvido com Louisa do que com Henrietta. Louisa com certeza corria mais atrás da atenção dele do que a irmã. Essa diferença parecia crescer, e houve uma fala de Louisa que a atingiu. Depois de um dos muitos elogios do dia, que continuavam transbordando, o capitão Wentworth completou:

— Que clima glorioso para o almirante e minha irmã! Eles tinham a intenção de fazer um longo passeio de carruagem essa manhã, talvez os vejamos em alguma dessas colinas. Eles falaram de vir para esses lados. Pergunto-me por onde tombarão hoje. Ah! Isso acontece com frequência, eu lhe asseguro, mas minha irmã faz pouco caso. Ela não liga se vai ser arremessada da carruagem ou não.

— Ah! O senhor inventa boa parte disso, eu sei — Louisa retorquiu. — Se fosse verdade, eu faria o mesmo no lugar dela. Se eu amasse um homem, como ela ama o almirante, estaria sempre com ele, nada nos separaria, e eu preferiria ser derrubada por ele a ser conduzida em segurança por qualquer outro.

Isso foi dito com entusiasmo.

— Preferiria mesmo? — ele respondeu, usando o mesmo tom animado. — Tem toda a minha admiração!

E houve silêncio entre os dois por um tempo.

Anne não conseguiu voltar de imediato às citações. As doces cenas de outono foram temporariamente postas de lado, a menos que um gracioso soneto, carregado da analogia apropriada ao ano que chegava ao fim, à felicidade que chegava ao fim, e com imagens da juventude, da esperança e da primavera, todas já dissipadas, abençoasse sua memória. Quando todos se puseram em fila para pegar outro caminho, ela acordou do devaneio e disse:

— Este não é um dos caminhos para Winthrop?

Mas ninguém ouviu ou, pelo menos, ninguém lhe respondeu.

Winthrop, entretanto, ou seus arredores – pois às vezes se encontravam por ali rapazes vagando perto de casa –, era o destino do grupo. E depois de mais meia milha de subida gradual por áreas cercadas, onde arados em funcionamento e caminhos recém-abertos desvelavam o lavrador contrariando a doçura do desânimo poético, e tencionando ter a primavera mais uma vez, eles chegaram ao topo da colina mais alta, que dividia Uppercross e Winthrop, e logo tiveram uma visão ampla desta última, ao pé da coluna do outro lado.

Winthrop, sem beleza nem dignidade, estendia-se diante do grupo, assim como uma casa indiferente, baixa e cercada por celeiros e construções comuns em fazendas.

— Minha nossa! — Mary exclamou. — Aí está Winthrop. Eu não fazia ideia! Bom, agora acho que é melhor darmos meia-volta. Estou excessivamente cansada.

Henrietta, atenta e envergonhada, e não tendo visto o primo Charles percorrendo nenhum caminho nem se apoiando em nenhum portão, estava pronta para acatar o pedido de Mary. Porém:

— Não! — disse Charles Musgrove.

— Não, não! — Louisa exclamou, mais vigorosamente, e puxando a irmã para o lado, parecia discutir o assunto calorosamente.

Charles, nesse meio-tempo, decididamente declarava sua intenção de visitar a tia, já que estavam tão perto, e era muito evidente, apesar de certo temor, que ele tentava persuadir a esposa a acompanhá-lo. Mas esse era um dos pontos em que a dama demonstrava sua força, e quando ele indicou a vantagem de ela descantar por quinze minutos em Winthrop, uma vez que se sentia tão cansada, ela resolutamente respondeu: "Ah! Não mesmo!". Subir aquela colina de novo lhe faria mais mal do que se sentar um pouco lhe faria bem, e, em resumo, seu olhar e seus trejeitos afirmavam que ela não iria.

Após uma pequena sucessão desse tipo de debate e consulta, ficou decidido entre Charles e as duas irmãs que ele e Henrietta fariam uma visita rápida à tia e aos primos enquanto o restante do grupo esperaria por eles no topo da colina. Louisa pareceu ser a principal organizadora do plano, e, quando ela se afastou um pouco com os dois, ainda falando com Henrietta, Mary aproveitou a oportunidade de olhar com desdém à sua volta e dizer ao capitão Wentworth:

— É muito desagradável ter esse tipo de parente! Mas, asseguro-lhe, não estive nessa casa mais que duas vezes na vida.

Ela recebeu como resposta apenas um sorriso artificial e complacente, seguido de um olhar desdenhoso ao se virar, cujos significados Anne conhecia muito bem.

O topo da colina, onde eles ficaram, era um local agradável: Louisa retornou, e Mary, tendo encontrado um lugar confortável para se sentar no degrau de uma escada, estava muito satisfeita, contanto que todos os outros permanecessem de pé ao seu redor. No entanto, quando Louisa puxou o capitão Wentworth para longe, para colher nozes em algumas sebes próximas, e se afastaram até ficarem fora do alcance da vista e da audição, Mary deixou de se sentir feliz. Reclamou de seu assento, estava certa de que Louisa tinha encontrado um bem melhor em algum lugar e nada podia impedi-la de também procurar um melhor para si. Ela passou pelo mesmo portão, mas não os viu. Anne achou um bom lugar para se sentar, em um banco seco e ensolarado debaixo da sebe na qual ela não tinha dúvida de que eles ainda se encontravam, em um ponto ou em outro. Mary se sentou por um instante, mas não estava satisfeita: tinha certeza de que Louisa encontrara um assento melhor em outro lugar, e continuaria procurando até encontrar um assento superior.

Anne, que estava bastante cansada, ficou contente de poder se sentar, e logo ouviu o capitão Wentworth e Louisa na sebe atrás de si, como se estivessem voltando pela clareira rústica e selvagem que havia no meio da vegetação. Eles conversavam conforme se aproximavam. A voz de Louisa foi a primeira a se distinguir. Ela parecia estar no meio de um discurso exaltado. O que Anne ouviu primeiro foi:

— E então eu a fiz ir. Não podia suportar que ela temesse a visita por uma besteira daquela. O quê? Eu, desistir de fazer alguma coisa que estivesse determinada a fazer, e que soubesse ser correta, em razão das maneiras e da interferência dessa pessoa, ou do que qualquer outra poderia dizer? Não, não acho que eu seja tão facilmente persuadida. Quando tomo uma decisão, está tomada. E Henrietta parecia ter tomado a decisão de vir a Winthrop hoje, e mesmo assim quase desistiu por causa de uma complacência sem sentido!

— Ela teria dado meia-volta se não fosse pela senhorita?

— Teria, sim. Sinto até vergonha de admitir.

— É ótimo para ela ter uma mente como a sua à disposição! Depois das pistas que acabou de me dar, que confirmaram minhas próprias observações da última vez em que estive na companhia dele, não preciso fingir não compreender o que está acontecendo. Vejo que estava em questão mais do que uma mera visita matutina por educação à sua tia. E coitado dele, e dela também, quando se trata de assuntos de maior importância, quando são colocados em circunstâncias que exigem firmeza e força mental, se ela não tiver determinação o suficiente para resistir às interferências inúteis em ninharias como essa. Sua irmã é uma criatura amável, mas vejo que a senhorita tem um caráter firme e decidido. Se valoriza a conduta ou a felicidade dela, inspire o quanto puder de seu espírito nela. Isso, sem dúvida, deve sempre ter feito. O pior para um caráter muito submisso e indeciso é não poder depender de nenhuma influência. Nunca se pode afirmar que uma boa impressão vá durar, qualquer pessoa pode influenciá-la. Que aqueles que desejam ser felizes sejam firmes. Eis aqui uma noz — ele disse, pegando uma de um galho no alto — para exemplificar: uma linda noz brilhante que, graças à sua força original, sobreviveu a todas as tormentas do outono. Não há nenhum furo, nenhuma parte amolecida nela. Esta noz — continuou ele, com uma solenidade brincalhona —, embora muitas de suas irmãs tenham caído e sido pisoteadas, ainda está em posse de toda a felicidade que se supõe que uma avelã possa ser capaz.

Depois, voltando ao tom sério de antes:

— Meu primeiro desejo a todas as pessoas por quem me interesso é que sejam firmes. Se Louisa Musgrove deseja ser bela e feliz no novembro de sua vida, vai cultivar hoje todos os poderes de sua mente.

Ele terminara, e não recebeu resposta. Teria sido uma surpresa para Anne se Louisa conseguisse responder prontamente um discurso como aquele: palavras de tanto interesse, proferidas com uma seriedade tão calorosa! Ela podia imaginar como Louisa estava se sentindo. Quanto a si mesma, teve medo de se mover, pelo risco de ser vista. Enquanto permanecesse ali, ficaria protegida por um arbusto de azevinho que pendia para baixo, e os dois seguiram em frente. Antes de se afastarem a ponto de não poderem ser ouvidos, no entanto, Louisa falou mais uma vez:

— Mary é bastante amável em muitos aspectos — ela disse —, mas às vezes me provoca excessivamente com suas bobagens e seu orgulho... o orgulho dos Elliot. Ela tem um pouco demais desse orgulho dos Elliot. Desejamos tanto que Charles tivesse se casado com Anne... Suponho que saiba que ele queria se casar com Anne.

Depois de um momento de pausa, o capitão Wentworth perguntou:

— Quer dizer então que ela o recusou?

— Ah, sim, com certeza.

— Quando aconteceu?

— Não sei exatamente, porque Henrietta e eu estávamos na escola na época. Mas acredito que tenha sido um ano antes de ele se casar com Mary. Eu gostaria que ela tivesse aceitado. Todos nós teríamos gostado muito mais dela, e papai e mamãe sempre acharam que foi por obra da grande amiga dela, lady Russell, que ela não aceitou. Eles acham que Charles não era letrado e estudioso o suficiente para agradar a lady Russell e que, portanto, ela persuadiu Anne a recusar o casamento.

Os sons estavam ficando cada vez mais distantes, e Anne não conseguiu distinguir mais nada. Suas próprias emoções ainda a mantiveram imóvel. Tinha muito do que se recuperar antes de conseguir se mexer. O destino proverbial do ouvinte absolutamente não era o seu: não tinha ouvido falarem mal dela, mas ouvira coisas excessivamente dolorosas. Ela percebeu que era de sua própria personalidade que o capitão Wentworth falava, e transparecera nele certo grau de sentimento e curiosidade sobre sua pessoa que a deixara em estado de extrema agitação.

Assim que conseguiu, foi atrás de Mary e, quando a encontrou, voltou junto com a irmã ao assento anterior, os degraus. Ela sentiu algum conforto quando todo o grupo foi imediatamente reunido e mais uma vez se pôs a caminhar. Seu espírito desejava a solidão e o silêncio que apenas um grande grupo poderia oferecer.

Charles e Henrietta voltaram, trazendo, como era de se esperar, Charles Hayter. As minúcias do negócio, Anne não poderia tentar entender; mesmo ao capitão Wentworth não parecia ter sido concedida a plena confiança nessa questão. Mas de que houvera um afastamento do lado do cavalheiro e um abrandamento do lado da dama, e que eles estavam bastante contentes de estarem juntos mais uma vez, não havia dúvidas. Henrietta parecia um pouco tímida, mas muito satisfeita; Charles, extremamente feliz. E os dois se devotaram um ao outro praticamente desde o primeiro instante em que todos seguiram para Uppercross.

Agora tudo apontava Louisa para o capitão Wentworth, nada poderia ser mais evidente. E quando as muitas divisões do grupo eram necessárias, ou mesmo quando não eram, eles andavam lado a lado, quase tanto quanto os outros dois. Em um longo trecho de campina, em que havia amplo espaço para todos, eles seguiram divididos, formando três grupos distintos. E Anne necessariamente pertencia ao trio que expressava menos animação e menos complacência. Ela se juntou a Charles e Mary, e estava cansada o bastante para ficar feliz em aceitar o outro braço de Charles. No entanto, o cunhado, embora estivesse muito bem-humorado com ela, estava irritado com a esposa. Mary o havia aborrecido, mas teria que enfrentar as consequências, e as consequências eram que ele soltava o braço dela a quase todo instante para cortar as pontas de algumas urtigas ao alcance de seu chicote. E quando ela começou a reclamar disso, e lamentar que estava sendo maltratada, como era de costume, por estar do lado da sebe enquanto Anne nunca era incomodada do outro lado, ele largou os braços das duas para perseguir uma doninha de que tivera um vislumbre momentâneo, e elas não conseguiram mais seguir junto com ele.

Essa longa campina margeava uma alameda que a trilha pela qual seguiam cruzava no fim, e quando todo o grupo alcançou o portão de saída, a carruagem que avançava na mesma direção, e que já era ouvida havia algum tempo, estava se aproximando, e era mesmo o cabriolé do almirante Croft. Ele e a esposa tinham feito o passeio programado e estavam voltando para casa. Ao saber da longa caminhada que os jovens tinham feito, gentilmente ofereceram um assento a qualquer dama que pudesse estar particularmente cansada. Economizaria uma milha inteira, e eles passariam por Uppercross de qualquer jeito. A oferta foi feita a todos, e recusada por todos. As srtas. Musgrove não estavam nada cansadas, e Mary ou estava ofendida, por não terem lhe feito a oferta de assento antes de para as outras, ou o que Louisa chamara orgulho dos Elliot não permitiria que uma terceira pessoa andasse em uma carruagem de um cavalo só.

O grupo a pé cruzou a alameda e estava subindo uma escada oposta, e o almirante fazia seu cavalo andar novamente, quando o capitão Wentworth atravessou a sebe em um instante para falar algo com a irmã. O algo logo seria adivinhado por seus efeitos.

— Srta. Elliot, tenho certeza de que está cansada — declarou a sra. Croft. — Permita-nos o prazer de levá-la para casa, por favor. Aqui há um espaço excelente para três, eu lhe asseguro. E se nós fôssemos como você, acredito que caberiam quatro. Aceite, por favor, aceite.

Anne ainda estava na alameda, e, apesar de instintivamente começar a recusar, não a deixaram continuar. A insistência gentil do almirante veio em apoio à da esposa; eles não aceitariam uma recusa. O casal se apertou no menor espaço possível para lhe deixar um canto, e o capitão

Wentworth, sem dizer uma palavra, virou-se para ela e silenciosamente a compeliu a receber ajuda para subir na carruagem.

 Sim, ele tinha feito aquilo. Ela estava no cabriolé, e sentia que tinha sido ele a colocá-la ali, que a vontade e as mãos dele foram as responsáveis, que ela devia aquilo à percepção dele de seu cansaço e à decisão dele de lhe oferecer descanso. Ela foi tão impactada pela visão da disposição dele quanto a ela que todas essas coisas se tornaram aparentes. Essa circunstância diminuta pareceu a conclusão de tudo o que acontecera antes. Anne o compreendia. Ele não conseguia perdoá-la, mas também não conseguia ser insensível. Embora a condenasse pelo passado, que contemplava com ressentimento grande e injusto, embora perfeitamente indiferente em relação a ela, e embora começasse a se atrair por outra, ele ainda não era capaz de vê-la sofrendo. Foi um fragmento de um sentimento anterior, um impulso de amizade puro, embora irrefletido; foi uma prova de seu coração caloroso e amável, o qual ela não conseguia considerar sem emoções tão combinadas de prazer e dor que não sabia dizer qual prevalecia.

 Suas repostas à gentileza e aos comentários de seus acompanhantes foram, de início, dadas sem pensar. Eles já tinham percorrido metade do caminho pela rústica alameda antes que ela despertasse o bastante para o que diziam. Descobriu, então, que falavam de "Frederick":

 — Ele com certeza tem intenção de conquistar uma daquelas duas moças, Sophy — conjecturou o almirante —, mas não dá para dizer qual. Ele tem corrido atrás delas também, e por tanto tempo, que é de se imaginar que já tenha se decidido. Ah, isso acontece por causa da paz. Se estivéssemos em guerra agora, ele já teria se casado há muito tempo. Nós, marinheiros, srta. Elliot, não podemos bancar cortejos longos demais em tempos de guerra. Quantos dias se passaram, minha querida, entre a primeira vez que a vi e quando nos sentamos juntos pela primeira vez em nossos aposentos em North Yarmouth?

— É melhor não falarmos nisso, querido — respondeu a sra. Croft, afavelmente —, pois, se a srta. Elliot soubesse da rapidez com que chegamos a um arranjo, ela jamais seria convencida de que poderíamos ser felizes juntos. Contudo, eu já conhecia sua reputação havia muito tempo.

— Bom, e eu já tinha ouvido falar que você era uma moça muito bonita, e além disso, pelo que deveríamos esperar? Não gosto de ter coisas assim à mão por tanto tempo. Gostaria que Frederick inflasse mais as velas e trouxesse para casa uma dessas moças de Kellynch. Desse modo, sempre haveria companhia para elas. E as duas são jovens muito encantadoras. Mal consigo distinguir uma da outra.

— Realmente, são moças muito bem-humoradas e sem afetação — disse a sra. Croft, em um tom de elogio comedido que fez Anne suspeitar de que sua percepção mais apurada poderia não considerar nenhuma das duas muito dignas de seu irmão — e vêm de uma família muito respeitável. Não há como se relacionar com pessoas melhores. Meu querido almirante, o poste! Com certeza vamos acertar aquele poste.

Mas ela mesma, com calma, direcionou melhor as rédeas, e eles superaram alegremente o perigo; e depois evitou também que caíssem em uma vala e colidissem com um carro de esterco, manejando as rédeas com cuidado. Anne, divertindo-se com o jeito como dirigiam, que ela imaginou não ser muito diferente da maneira como cuidavam de seus assuntos, se viu deixada em segurança no chalé.

Capítulo 11

Agora, a data de retorno de lady Russell se aproximava: o dia fora inclusive marcado. Anne, tendo se comprometido a se juntar a ela assim que estivesse acomodada em casa, estava ansiosa para voltar logo a Kellynch e começava a achar que seu próprio conforto provavelmente seria afetado por isso.

Essa mudança a colocaria na mesma vila que o capitão Wentworth, a meia milha de distância dele. Eles teriam que frequentar a mesma igreja, e haveria convívio entre as duas famílias. Isso não lhe seria favorável; no entanto, por outro lado, ele passava tanto tempo em Uppercross que ela poderia considerar, ao mudar-se dali, que o estava deixando para trás, e não que iria ao seu encontro. E, além de tudo, ela acreditava que teria muito a ganhar nessa questão interessante, quase certamente na mudança de companhia doméstica, trocando a pobre Mary por lady Russell.

Ela desejava que fosse possível evitar ver o capitão Wentworth em Kellynch Hall: aqueles cômodos haviam testemunhado encontros antigos cujas memórias seriam dolorosas demais para ela. Entretanto, ela estava mais ansiosa ainda pela possibilidade de lady Russell e o capitão Wentworth jamais se encontrarem em lugar algum. Eles não gostavam um do outro, e um encontro agora não traria nada de bom. E se por acaso lady Russell os visse juntos, poderia achar que ele tivesse muito domínio de si mesmo, e ela, pouco.

Esses pontos formavam sua principal preocupação em relação à mudança de Uppercross, onde ela sentia que já estava havia tempo demais. Sua utilidade para o pequeno Charles sempre traria alguma doçura à lembrança daqueles dois meses passados ali, mas ele se recuperava rapidamente, e ela não tinha mais motivos para ficar.

O fim de sua visita, no entanto, foi diferente de uma maneira que ela jamais imaginaria. O capitão Wentworth, depois de passar dois dias inteiros ser dar notícias e sem pisar em Uppercross, reapareceu para se justificar a respeito do que o mantivera longe.

Uma carta de seu amigo, o capitão Harville, que finalmente o encontrara, trouxera a notícia de que ele e sua família haviam se estabelecido em Lyme durante o inverno; logo, estavam a vinte milhas de distância sem que soubessem. O capitão Harville nunca recuperara totalmente a saúde desde que sofrera um ferimento grave dois anos antes, e a ansiedade do capitão Wentworth para vê-lo o impeliu a ir imediatamente a Lyme. Ele passara vinte e quatro horas ali. Sua alforria foi completa, sua amizade foi calorosamente reverenciada, um interesse intenso pelo amigo foi criado, e sua descrição da ótima região próxima a Lyme foi recebida com tanta animação pelo grupo que um desejo sincero de conhecer Lyme pessoalmente e o plano de uma viagem por lá foram as consequências.

Os jovens estavam muito empolgados para conhecer Lyme. O capitão Wentworth falava em ir lá mais uma vez; ficava a apenas dezessete milhas de Uppercross, e, embora fosse novembro, o clima não estava nem um pouco ruim. Em resumo, Louisa era a mais ansiosa de todos, tendo tomado a decisão de ir, e, além do prazer de fazer o que queria, agora estava munida da ideia do mérito de manter suas próprias vontades, frustrando todos os desejos de seu pai e de sua mãe de postergar a viagem até o verão. Portanto, seguiriam para Lyme: Charles, Mary, Anne, Henrietta, Louisa e o capitão Wentworth.

O plano inicial, e disparatado, era irem pela manhã e voltarem à noite, mas isso, pelo bem de seus cavalos, o sr. Musgrove não permitiria. E ao considerar tudo de forma racional, um único dia no meio de novembro não deixaria muito tempo disponível para conhecer um lugar novo, depois de deduzidas as sete horas necessárias para a ida e a volta, como a natureza da região exigia. Consequentemente, eles decidiram passar a noite por lá, e não deveriam ser esperados até a hora do jantar do dia seguinte; essa foi uma alteração considerável. Apesar de todos terem se encontrado na Casa Grande para um café da manhã bem cedo e saído pontualmente, já passava muito do meio-dia quando as duas carruagens – o coche do sr. Musgrove com as quatro damas e o cabriolé de dois cavalos em que viajavam Charles e o capitão Wentworth – desceram a grande colina até Lyme e entraram na rua mais íngreme da cidade, o que deixou bem evidente que eles não teriam tempo algum para conhecer o local antes que a luz e o calor do dia se dissipassem.

Depois de assegurar as acomodações e pedir o jantar na hospedaria, a próxima coisa a ser feita era, sem dúvidas, caminhar direto até o mar. Eles tinham ido muito no fim do ano a Lyme para qualquer diversão ou atração que a cidade, como um espaço público, pudesse oferecer. Os quartos estavam fechados, quase todos os hóspedes já tinham partido, e restavam apenas as famílias que ali residiam. E, já que não havia nada para admirar nas próprias construções, contemplavam a excelente localização da cidade, cuja rua principal quase corria para dentro d'água, e a caminhada até o Cobb, o famoso quebra-mar de pedra que ladeava a agradável pequena baía que, durante a alta temporada, era movimentada por máquinas de banho e pessoas; o próprio Cobb, com suas antigas maravilhas e novas melhorias, com o belo horizonte de despenhadeiros estendendo-se para o lado leste da cidade, era o que os olhos dos estranhos buscavam. E deve ser um estranho muito estranho para não enxergar o charme dos arredores imediatos de Lyme e não desejar conhecê-los melhor. A vista de Charmouth, seu vilarejo, com suas planícies e extensos campos, e mais ainda: sua adorável baía afastada, ladeada por rochedos escuros, que tornavam o local, com fragmentos de rochas baixas em meio à areia, o melhor ponto para observar o fluir da maré, para se sentar em um estado incansável de contemplação; as variedades amadeiradas da alegre vila de Up Lyme e, sobretudo, Pinny, com suas fendas verdes entre rochas românticas, nas quais dispersas árvores da floresta e deslumbrantes pomares anunciavam que muitas gerações deviam ter se passado desde que o primeiro desmoronamento parcial do despenhadeiro preparara o terreno para tal estado, onde uma paisagem tão maravilhosa e tão agradável era exibida, superando as paisagens similares da famosa Ilha de Wight. Esses locais deviam ser visitados, e revisitados, para que se assimilasse o valor de Lyme.

Passando pelos quartos agora desertos e de aparência melancólica, e descendo ainda mais, o grupo de Uppercross logo se viu à beira-mar. Permanecendo ali por um tempo – como todos devem permanecer e contemplar depois de um longo retorno ao mar, quem quer que mereça observá-lo –, seguiram em direção ao Cobb, o destino desejado, e também por causa do capitão Wentworth: em uma casinha ao pé de um antigo píer de data desconhecida, os Harville estavam instalados. O capitão Wentworth entrou para visitar o amigo. Os outros continuaram a caminhada, e ele os encontraria no Cobb.

Eles não estavam de forma alguma cansados de se maravilhar e se admirar, nem mesmo Louisa parecia sentir que haviam se separado do capitão Wentworth por muito tempo quando o viram chegando com três acompanhantes, todos já bem conhecidos pelas descrições: o capitão e a sra. Harville e o capitão Benwick, que estava hospedado com eles.

O capitão Benwick tinha sido, havia algum tempo, o primeiro-tenente do Laconia, e o relato que o capitão Wentworth fizera sobre ele, quando voltou de Lyme da primeira vez – elogios calorosos, dizendo que era um excelente rapaz e oficial, que ele sempre o valorizara muito, o que deve marcar seriamente a estima de qualquer ouvinte –, foi seguido de uma historinha sobre a vida particular dele, o que o tornou absolutamente interessante ao olhar de todas as damas. Ele fora noivo da irmã do capitão Harville, mas agora lamentava sua perda. Ficaram um ou dois anos esperando uma fortuna e uma promoção. A fortuna chegou, e seu prêmio em dinheiro como primeiro-tenente foi ótimo; a promoção também chegou, enfim, mas Fanny Harville não viveu para ver. Ela morrera no ano anterior, enquanto ele estava no mar. O capitão Wentworth acreditava ser impossível que um homem fosse mais afeiçoado a uma mulher do que o pobre Benwick fora a Fanny Harville, ou que se consumisse mais diante de uma mudança tão terrível. Ele considerava o temperamento do amigo como do tipo que sofre enormemente, unindo sentimentos muito intensos a modos quietos, sérios e retraídos, e uma predileção indiscutível pela leitura e por atividades sedentárias. Para finalizar o interesse da história, a amizade entre ele e os Harville parecia, se é que era possível, ter se expandido pelo evento que acabara com todas as perspectivas de aliança, e o capitão Benwick agora morava com eles em tempo integral. O capitão Harville havia alugado sua casa atual por metade de um ano; seu gosto, sua saúde e sua fortuna, tudo isso o direcionara a uma residência barata e próxima ao mar, e a grandeza da região, além do retraimento de Lyme no inverno, pareciam exatamente adaptados ao estado de espírito do capitão Benwick. A simpatia e a boa vontade incitadas em relação ao capitão Benwick eram enormes.

— E ainda assim — disse Anne a si mesma, enquanto todos caminhavam para se juntar ao grupo —, ele talvez não tenha um coração mais pesaroso do que o meu. Não consigo acreditar que suas perspectivas tenham sido tão arruinadas para sempre. Ele é mais jovem que eu, mais jovem no sentir, se não na idade. Mais jovem como um homem. Ele vai se recuperar e ser feliz com outra mulher.

Todos se reuniram e foram apresentados. O capitão Harville era um homem alto e de pele bronzeada, com um semblante sensível e benevolente. Era um pouco coxo e, em razão dos traços fortes e da saúde fraca, parecia muito mais velho do que o capitão Wentworth. O capitão Benwick parecia, e era, o mais jovem dos três, e, comparado aos outros, era um homem pequeno. Tinha feições agradáveis e um ar melancólico, exatamente como deveria ter, e evitou conversas.

O capitão Harville, embora não tivesse modos parecidos com os do capitão Wentworth, era um perfeito cavalheiro, sem afetações, caloroso e amável. A sra. Harville, com um refinamento um pouco inferior em relação ao marido, parecia, no entanto, ter os mesmos bons sentimentos. E nada poderia ser mais agradável do que os desejos deles de considerar todos amigos, por serem amigos do capitão Wentworth, nem mais hospitaleiro e gentil do que as súplicas para que todos prometessem jantar com eles. O jantar, que já havia sido pedido na hospedaria, foi aceito como desculpa para a recusa do convite, embora com relutância. Porém, eles ficaram quase magoados que o capitão Wentworth tivesse levado um grupo como aquele para Lyme sem considerar que certamente deveriam jantar com eles.

Havia tanta afeição ao capitão Wentworth em tudo aquilo, e um charme tão encantador naquele nível de hospitalidade tão incomum, tão diferente dos habituais convites "toma lá dá cá" e jantares cheios de formalidade e exibição, que Anne sentiu que seu ânimo provavelmente não se beneficiaria do desenvolvimento das relações com os irmãos de ofício dele. "Todos eles teriam sido meus amigos" foi seu pensamento, e ela teve que lutar contra uma enorme tendência ao abatimento.

Ao deixarem o Cobb, todos foram para a casa de seus novos amigos e se depararam com cômodos tão pequenos que só aqueles que convidam com o coração poderiam achar suficientes para acomodar tanta gente. Anne teve um momento de espanto com a descoberta, mas logo se perdeu em sentimentos mais agradáveis que surgiram com a visão das inventivas engenhocas e dos belos arranjos do capitão Harville para tornar o espaço real o melhor possível, para suprir as deficiências dos móveis baratos e reforçar as janelas e portas contra as tempestades de inverno que eram esperadas. A variedade da mobília dos cômodos, onde os elementos necessários foram fornecidos pelo dono, com o habitual mau estado indiferente, que contrastava com alguns artigos de espécies raras de madeira, muito bem trabalhados, e com objetos valiosos e curiosos de países distantes que o capitão Harville havia visitado, era o que mais divertia Anne. A maneira como tudo era conectado à profissão dele, aos frutos de sua labuta, ao efeito dessa influência em seus hábitos e à imagem do sossego e da felicidade doméstica que tudo isso representava provocou nela algo próximo à satisfação.

O capitão Harville não era um leitor, entretanto, havia conseguido acomodações excelentes e prateleiras muito bonitas para uma coleção considerável de volumes bem encadernados, propriedade do capitão Benwick. O fato de coxear o impedia de fazer muitos exercícios físicos, mas uma mente útil e inventiva parecia supri-lo com constantes ocupações em casa. Ele desenhava, envernizava, carpintejava, colava; fazia brinquedos para as crianças, criava novas agulhas e pinos para redes, com melhorias, e, se tudo o mais já estivesse feito, sentava-se com sua ampla rede de pesca em um dos cantos da sala.

Anne achou que tinha deixado uma enorme felicidade para trás quando foram embora da casa, e Louisa, ao lado de quem se viu caminhando, explodia em arroubos de admiração e deleite em relação ao caráter da Marinha, à sua afabilidade, sua fraternidade, sua sinceridade, sua retidão, declarando estar convencida de que os marinheiros tinham mais valor e afeto do que qualquer outro grupo de homens na Inglaterra, de que apenas eles sabiam viver e de que apenas eles mereciam ser respeitados e amados.

Eles voltaram à hospedaria para se trocar e jantar, e os planos até então tinham dado tão certo que não lhes parecia faltar nada, embora "estar tão fora da temporada", o "vazio de Lyme" e "a falta de expectativa de companhia" tivessem motivado vários pedidos de desculpa por parte dos donos da hospedaria.

Naquele momento, Anne se descobriu muito mais insensível à presença do capitão Wentworth do que imaginara ser capaz a princípio, e se sentar à mesma mesa com ele agora e trocar civilidades habituais durante as refeições (eles nunca passavam disso) tinha se reduzido a nada.

As noites eram escuras demais para que as damas se encontrassem novamente até o dia seguinte, mas o capitão Harville havia prometido uma visita noturna, e ele veio, trazendo o amigo junto, o que excedeu as expectativas de todos, pois haviam concordado que o capitão Benwick parecia ter sido oprimido pela presença de tantos estranhos. Ele se aventurou em meio ao grupo, ainda assim, apesar de seu ânimo certamente não parecer adequado à alegria geral.

Enquanto os capitães Wentworth e Harville conduziam a conversa em um lado da sala, recorrendo a dias passados, oferecendo abundantes anedotas que ocupavam e entretinham os outros, restou para Anne ficar afastada com o capitão Benwick, e um impulso muito benevolente de sua natureza a impeliu a procurar conhecê-lo. Ele era tímido e pendia à abstração, mas a suavidade envolvente do semblante dela e a gentileza de seus modos logo produziram efeitos, e Anne foi bem recompensada por seu esforço inicial. Era evidente que ele era um rapaz de gosto considerável para a leitura, embora principalmente em poesia. E além de estar convencida de ter lhe proporcionado ao menos uma noite de indulgência na discussão desses assuntos, com os quais as companhias habituais dele provavelmente não se importavam, ela tinha esperança de lhe ser realmente útil com algumas sugestões acerca do dever e do benefício de lutar contra a angústia, algo que naturalmente emergiu na conversa dos dois. Pois, embora tímido, ele não parecia reservado; na verdade, parecia que seus sentimentos se libertavam das restrições usuais com alegria; e, tendo conversado sobre poesia e a riqueza da era atual, e passado por uma breve comparação de opiniões sobre os poetas de primeira categoria, tentando determinar se preferia *Marmion* ou *A Dama do Lago* e como classificaria *Giaour* e *A Noiva de Abydos*, além de como seria a pronúncia de "*Giaour*", ele se mostrou muito intimamente familiarizado com todos os versos de um poeta e com todas as descrições apaixonadas de agonia desesperada do outro, repetiu, trêmulo de emoção, as várias linhas que revelavam um coração partido, ou uma mente destruída pela infelicidade, e parecia desejar tanto ser compreendido que Anne se atreveu a sugerir que ele lesse não apenas poesia, e a dizer que achava que o infortúnio da poesia raramente era apreciado com segurança por aqueles que o apreciavam completamente, e que aqueles com sentimentos mais intensos, que eram os únicos que poderiam verdadeiramente estimá-lo, eram precisamente os que deveriam prová-lo com moderação.

Como os olhos dele não mostravam dor, mas satisfação diante dessa alusão à sua situação, ela se sentiu encorajada a continuar. Sentindo em si mesma o direito da maturidade da mente, atreveu-se a recomendar uma atenção maior à prosa em seus estudos diários; ao ser solicitada que detalhasse, mencionou trabalhos de nossos melhores moralistas, todas as coleções das mais deleitosas cartas, todas as memórias de personalidades de valor e de sofrimento que lhe ocorreram no momento, indicados para despertar e fortalecer a mente pelos mais altos preceitos e os mais poderosos exemplos de persistência moral e religiosa.

O capitão Benwick ouviu com atenção e pareceu grato pelo interesse demonstrado. Embora seus meneios de cabeça e suspiros tivessem indicado sua pouca fé na eficácia de qualquer livro sobre um luto como o seu, anotou os títulos recomendados e prometeu procurá-los e lê-los.

Quando a noite terminou, Anne não pôde deixar de achar graça na ideia de ter ido até Lyme para pregar paciência e resignação a um rapaz que ela nunca vira antes, nem pôde evitar temer que, com uma reflexão mais séria, como muitos outros grandes moralistas e pregadores, ela fora eloquente em um ponto no qual sua própria conduta não suportaria um exame minucioso.

Capítulo 12

Anne e Henrietta, vendo-se acordadas mais cedo do que os outros na manhã seguinte, concordaram em passear até a praia antes do café da manhã. Elas foram até a areia e observaram o balanço da maré. Uma agradável brisa do sudeste era trazida à praia com toda a grandiosidade que só uma costa plana admitia. Elas elogiaram a manhã, apreciaram o mar, concordaram que a brisa fresca era um deleite... e ficaram em silêncio, até que Henrietta retomou a conversa, repentinamente:

— Ah, sim! Estou bastante convencida de que, com pouquíssimas exceções, o ar marítimo sempre faz bem. Não há dúvida de que foi muito bom para o dr. Shirley, depois de sua convalescência, na primavera do ano passado. Ele mesmo diz que ter vindo a Lyme por um mês lhe fez mais bem do que todos os remédios que tomou, e que estar próximo ao mar sempre o faz se sentir jovem novamente. Porém, não consigo deixar de achar que é uma pena que ele não viva sempre perto do mar. Acho que seria melhor, para ele, deixar Uppercross e se estabelecer em Lyme. Você não acha, Anne? Não concorda comigo que seria a melhor coisa que ele faria, tanto por ele quanto pela sra. Shirley? Ela tem primos aqui, sabe, e vários conhecidos, o que certamente a deixaria feliz, e tenho certeza de que ela ficaria feliz em morar em um lugar onde pudesse ter atendimento médico à disposição, para o caso de ele ter outra convulsão. De fato, acho muito triste ver pessoas tão excelentes quanto o dr. e a sra. Shirley, que fizeram o bem durante toda a vida, passando os últimos dias em um lugar como Uppercross, onde, com exceção da nossa família, eles parecem fechados para o mundo. Gostaria que os amigos dele lhe fizessem essa proposta, acho mesmo que deveriam fazer. E, quanto ao pedido de dispensa em si, não haveria dificuldade a essa altura da vida e com sua reputação. Minha única dúvida é se alguma coisa é capaz de convencê-lo a deixar sua paróquia. Ele é tão rigoroso e escrupuloso em seus conceitos, escrupuloso até demais, eu diria. Você não acha, Anne, que é escrupuloso demais? Não acha que é um equívoco da consciência que um clérigo sacrifique sua saúde em nome de deveres que poderiam muito bem ser executados por outra pessoa? E em Lyme, a apenas dezessete milhas de distância, ele estaria suficientemente perto para ouvir no caso de as pessoas acharem que houvesse algo de que reclamar.

Anne sorriu para si mesma mais de uma vez durante esse discurso, e entrou na questão pronta para fazer o bem ao mergulhar tanto nos sentimentos de uma moça quanto nos de um rapaz, embora nesse caso fosse um bem de padrão mais baixo, pois o que mais poderia oferecer além de aquiescência geral? Ela disse tudo o que era razoável e adequado acerca do assunto, recebeu como deveria as argumentações para que o dr. Shirley descansasse, observou o quanto era desejável que ele tivesse um rapaz ativo e respeitável como pároco residente, e foi até cortês o suficiente para sugestionar a vantagem de que o pároco residente fosse casado.

— Eu gostaria... — Henrietta continuou, muito satisfeita com sua companhia — eu gostaria que lady Russell vivesse em Uppercross e fosse íntima do dr. Shirley. Sempre ouvi dizer que lady Russell é uma mulher de enorme influência sobre todos! Sempre a achei capaz de persuadir uma pessoa a fazer qualquer coisa! Tenho medo dela, como já lhe disse antes, bastante medo, porque ela é muito, muito astuta. Mas respeito-a incrivelmente, e gostaria que tivéssemos uma vizinha assim em Uppercross.

Anne achou graça no jeito de Henrietta demonstrar gratidão, e achou graça também que o curso dos eventos e os novos interesses dos pontos de vista da moça tivessem colocado sua amiga em uma posição tão favorável para qualquer um da família Musgrove. Entretanto, ela só teve tempo para uma resposta genérica e para desejar que outra mulher como ela existisse em Uppercross antes que todos os assuntos fossem repentinamente encerrados pela visão de Louisa e do capitão Wentworth se aproximando. Eles também foram passear até que o café da manhã estivesse pronto, mas Louisa, lembrando-se imediatamente depois de que tinha algo para procurar na loja, convidou todos para voltarem com ela para a cidade. Todos se colocaram à sua disposição.

Quando chegaram aos degraus que subiam a partir da areia, um cavalheiro, que se preparava para descer no mesmo momento, educadamente recuou e parou para dar passagem ao grupo. Eles subiram e cruzaram com ele. Conforme passavam, o rosto de Anne atraiu seu olhar, e ele a olhou com tamanho grau de sincera admiração que ela não conseguiu ficar insensível. Sua aparência estava notavelmente boa, seus traços muito regulares e muito bonitos tinham recuperado o frescor da juventude graças à agradável brisa que estivera soprando sua pele e à animação do olhar que também provocara. Era evidente que o cavalheiro (um verdadeiro cavalheiro em seus modos) a admirara extremamente. O capitão Wentworth a observou por um instante de forma que demonstrou que havia percebido. Ele lhe lançou um olhar momentâneo, um olhar vívido, que parecia dizer: "Aquele homem está encantado com você, e mesmo eu, neste momento, vejo algo da Anne Elliot de antes".

Depois de acompanharem Louisa durante toda a sua incursão e se demorarem um pouco mais, eles voltaram à hospedaria, e Anne, ao passar rapidamente de seu próprio quarto à sala de jantar, quase esbarrou no mesmo cavalheiro, enquanto ele saía de um aposento adjacente. Ela conjecturara antes que ele fosse de fora, como eles, e determinara que um lacaio de boa aparência, que perambulava próximo às duas hospedarias quando eles voltaram, deveria ser o criado dele. Tanto o amo quanto o criado estarem de luto reforçou a ideia. Agora estava provado que eles estavam hospedados no mesmo lugar que o grupo de Anne, e esse segundo encontro, por mais breve que tenha sido, provara mais uma vez, pelo olhar do cavalheiro, que ele a achara encantadora, e, pela prontidão e pelo decoro de suas desculpas, que ele tinha modos excepcionais. Ele parecia ter por volta de trinta anos, e, apesar de não ser bonito, tinha uma fisionomia agradável. Anne sentiu que gostaria de saber quem ele era.

Eles estavam quase terminando o café da manhã quando o som de uma carruagem (provavelmente a primeira que ouviram desde que chegaram a Lyme) atraiu metade do grupo à janela. Era a carruagem de um cavalheiro, um *curricle*, cabriolé de dois cavalos, mas vinha do estábulo em direção à porta da frente; alguém deveria estar indo embora. Era conduzida por um criado enlutado.

A palavra *curricle* fez Charles dar um salto, e ele foi ver a carruagem para comparar com a própria; o criado enlutado atiçou a curiosidade de Anne, e todos os seis se apinharam à janela para olhar a tempo de ver o proprietário do *curricle* saindo pela porta em meio a reverências e civilidades da criadagem e se acomodar em seu assento antes de sair.

— Ah! — exclamou o capitão Wentworth no mesmo instante, e, olhando de soslaio para Anne: — É o mesmo homem com quem cruzamos.

As srtas. Musgrove concordaram e, depois de todos o terem observado subindo a colina até o perderem de vista, voltaram à mesa de café da manhã. O garçom entrou na sala logo depois.

— Por favor — disse imediatamente o capitão Wentworth —, pode nos dizer o nome do cavalheiro que acabou de partir?

— Sim, senhor. Era o sr. Elliot, um cavalheiro de grande fortuna que chegou noite passada de Sidmouth. Atrevo-me a dizer que o senhor ouviu a carruagem quando estava jantando. Agora ele vai até Crewkherne, a caminho de Bath e Londres.

— Elliot!

Muitos se entreolharam e muitos repetiram o nome antes mesmo de a frase terminar, até diante da rapidez sagaz de um garçom.

— Minha nossa! — gritou Mary. — Deve ser nosso primo. Deve ser o nosso sr. Elliot, só pode ser! Charles, Anne, vocês não acham? Enlutado, vejam, como o nosso sr. Elliot deve estar. Que extraordinário! Na mesma hospedaria que nós! Anne, não deve ser o nosso sr. Elliot, o próximo herdeiro de papai? Por favor, senhor — ela se voltou para o garçom —, por acaso não ouviu o criado dele dizer se ele pertencia à família de Kellynch?

— Não, senhora, ele não mencionou nenhuma família em particular. Entretanto, disse que seu amo era um cavalheiro muito rico, e que um dia seria baronete.

— Isso! Vejam só! — Mary exclamou, em êxtase. — Exatamente o que falei! Herdeiro do sir Walter Elliot! Eu tinha certeza de que isso viria à tona, se fosse o caso. Podem ter certeza, essa é uma circunstância que os criados fazem questão de anunciar aonde quer que ele vá. Mas, Anne, imagine só que extraordinário! Gostaria de tê-lo olhado mais. Gostaria que tivéssemos nos atentado antes para quem era, que ele tivesse sido apresentado a nós. Que pena que não pudemos ser apresentados! Acha que ele tinha a fisionomia dos Elliot? Quase não olhei para ele, eu estava vendo os cavalos, mas acho que ele tinha um quê da fisionomia dos Elliot. Fico admirada de não ter reconhecido o brasão! Ah! A cobertura devia estar cobrindo o painel e escondeu o brasão, deve ter sido, senão, tenho certeza de que o teria visto. E a libré também: se o criado não estivesse enlutado, daria para identificar a família pela libré.

— Somando todas essas circunstâncias extraordinárias — disse o capitão Wentworth —, devemos considerar como um arranjo da Providência o fato de vocês não terem sido apresentadas ao seu primo.

Quando conseguiu atrair a atenção de Mary, Anne discretamente a convenceu de que o pai delas e o sr. Elliot não tinham estado, por muitos anos, em bons termos, de forma que a tentativa de se apresentarem não era nada desejável.

Ao mesmo tempo, porém, foi uma gratificação secreta para ela ver o primo, saber que o futuro proprietário de Kellynch era, sem dúvidas, um cavalheiro e tinha um ar sensato. Ela não mencionaria, de modo algum, tê-lo visto uma segunda vez. Por sorte, Mary não sabia que ela tinha cruzado com ele em seu passeio matinal, pois teria se sentido maltratada por ter sido Anne a esbarrar nele na passagem e receber seu pedido de desculpas educado, enquanto ela mesma nunca estivera perto dele. Não, aquele encontro com o primo deveria permanecer em segredo absoluto.

— E, obviamente — Mary disse —, você mencionará que vimos o sr. Elliot da próxima vez que escrever a Bath. Acho que papai com certeza vai querer saber disso. Conte tudo sobre ele.

Anne evitou uma resposta direta, pois aquela era justamente uma circunstância que ela não apenas considerava desnecessária de ser comunicada como também acreditava que deveria ser suprimida. Da ofensa que fora feita ao seu pai, tantos anos antes, ela sabia; de qual fora a participação de Elizabeth, ela suspeitava; e de que a simples menção ao sr. Elliot causava irritação nos dois, disso não havia dúvida. Mary nunca escreveu ela mesma a Bath; toda a labuta de manter uma lenta e insatisfatória correspondência com Elizabeth recaía sobre Anne.

Não fazia muito que o café da manhã acabara quando se reuniram ao grupo o capitão e a sra. Harville e o capitão Benwick, com quem haviam combinado de fazer a última caminhada em Lyme. Eles deveriam partir para Uppercross à uma e, nesse meio-tempo, ficariam tão juntos e ao ar livre quanto conseguissem.

 Anne percebeu que o capitão Benwick se aproximava dela assim que todos estavam propriamente na rua. A conversa que tiveram na noite anterior não o desestimulara a procurá-la novamente, e eles caminharam juntos por um tempo, conversando, como antes, sobre o sr. Scott e lorde Byron, tão incapazes quanto antes – e tão incapazes quanto quaisquer outros dois leitores – de pensar exatamente da mesma forma em termos dos méritos de cada um, até que alguma coisa provocou uma mudança quase completa no grupo, e, em vez do capitão Benwick, ela tinha o capitão Harville ao seu lado.

 — Srta. Elliot — ele começou, falando com a voz muito baixa —, praticou um bem enorme ao fazer aquele pobre camarada falar tanto. Eu gostaria que ele tivesse uma companhia assim com mais frequência. É ruim para ele, eu sei, ser tão calado como é. Mas o que podemos fazer? Não conseguimos nos separar.

 — Não — respondeu Anne. — Posso facilmente ver que é impossível. Mas com o tempo, talvez… Sabemos o que o tempo faz em todos os casos de angústia, e o senhor deve se lembrar, capitão Harville, de que seu amigo é o que chamam de viúvo recente. Foi no verão passado, acredito eu.

 — Sim, é verdade — ele soltou um suspiro profundo. — Foi em junho deste ano.

 — E ele talvez não tenha sido avisado tão cedo.

 — Não até a primeira semana de agosto, quando voltava para casa, do Cabo. Ele tinha acabado de embarcar no Grappler. Eu estava em Plymouth, temendo ouvir notícias dele. Ele enviou cartas, mas o Grappler havia recebido ordens para permanecer em Portsmouth. Ali as notícias deveriam chegar até ele, mas quem contaria? Não eu. Eu antes teria me pendurado no mastro. Ninguém conseguia contar, mas aquele bom camarada... — ele apontou para o capitão Wentworth. — O Laconia havia chegado a Plymouth uma semana antes, e não havia risco de ele ser mandado ao mar de novo. Ele abriu mão da oportunidade de descansar; escreveu um pedido de licença, mas nem esperou a resposta. Viajou noite e dia até chegar a Portsmouth, remou até o Grappler no mesmo instante e ficou ao lado de nosso pobre amigo durante uma semana. Foi isso o que ele fez, e ninguém mais poderia ter salvado o coitado do James. Imagine, srta. Elliot, o quanto ele é querido para nós!

Anne de fato conseguia imaginá-lo perfeitamente agindo dessa forma, e respondeu o que seus sentimentos permitiram, ou o que os dele pareciam capazes de aguentar, pois ele ficara sensibilizado demais para retomar o assunto, e, quando voltou a falar, foi sobre algo completamente diferente.

A sra. Harville considerou que, quando alcançassem a casa deles, o marido já teria caminhado o suficiente, então determinou a direção que o grupo deveria tomar em seu último passeio: deveriam acompanhá-los até a porta deles e depois voltar para arrumar suas coisas e ir embora. Pelos cálculos, havia tempo apenas para isso. No entanto, conforme se aproximavam do Cobb, surgiu um desejo geral de caminhar por ele mais uma vez, e todos estavam tão dispostos, e Louisa logo ficou tão determinada, que quinze minutos a mais, eles concluíram, não fariam diferença nenhuma. Então, depois de toda a amistosa despedida, e toda a amistosa troca de convites e promessas que se possa imaginar, eles se separaram do capitão e da sra. Harville à porta deles, e, ainda acompanhados do capitão Benwick, que parecia ter se agarrado a eles até o último segundo, seguiram para dar um adeus apropriado ao Cobb.

Anne percebeu que o capitão Benwick se aproximava dela mais uma vez. Os "mares azul-escuros" de lorde Byron não poderiam deixar de ser citados diante daquela vista, e ela alegremente deu a ele toda a sua atenção, tanto quanto possível. Mas essa atenção logo foi atraída para outra coisa.

Soprava um vento forte demais para que a parte alta do Cobb fosse agradável para as damas, então o grupo concordou em descer os degraus para o nível mais baixo. Todos estavam contentes em descer calma e cuidadosamente a escadaria, menos Louisa: ela queria saltar e ser pega pelo capitão Wentworth. Em todos os passeios dos dois, ele tinha que ajudá-la a pular os degraus; a sensação era incrível para ela. A dureza do pavimento para os pés dela o deixou menos disposto a isso naquele momento, porém, ele cedeu. Ela foi pega com segurança e, imediatamente, para mostrar o quanto havia apreciado, subiu os degraus para pular mais uma vez. Ele tentou dissuadi-la, considerou a altura excessiva, argumentou e falou em vão. Ela sorriu e disse:

— Estou determinada a pular.

Ele levantou as mãos, mas ela se precipitou em meio segundo e caiu no chão do Baixo Cobb, e quando foi erguida, estava sem vida! Não havia ferimentos, sangue nem contusões visíveis, mas seus olhos estavam fechados, ela não respirava e seu rosto estava como a morte. O horror do momento fez todos ficarem paralisados ao redor!

O capitão Wentworth, que a erguera, ajoelhou-se com ela nos braços, olhando-a com o rosto tão pálido quanto o dela, em uma agonia silenciosa.

— Ela está morta! Ela está morta! — Mary gritava, agarrando-se ao marido e colaborando para o próprio horror dele, a ponto de deixá-lo imóvel. No momento seguinte, Henrietta, afundando-se naquela convicção, perdeu os sentidos também, e teria caído nos degraus se não fosse pelo capitão Benwick e Anne, que a pegaram e a seguraram entre si.

— Não há ninguém para me ajudar? — foram as primeiras palavras que explodiram da boca do capitão Wentworth, em um tom desesperado, como se toda a sua força tivesse se esvaído.

— Vá até lá, vá até lá! — gritou Anne. — Pelo amor de Deus, vá até lá. Eu consigo segurá-la sozinha. Deixe-me e vá até lá. Esfregue as mãos dela, esfregue as têmporas dela. Aqui estão alguns sais, leve-os, leve-os.

O capitão Benwick obedeceu, e Charles, no mesmo momento, desvencilhando-se da esposa, foi junto com ele. Louisa foi erguida e sustentada com mais firmeza entre os dois, e tudo o que Anne sugerira foi tentado. Enquanto isso, o capitão Wentworth, cambaleando até o muro para se apoiar, gritou na mais amarga agonia:

— Oh, Deus! O pai e a mãe dela!

— Um médico! — exclamou Anne.

A palavra pareceu despertá-lo no mesmo instante, e ele falou apenas:

— É verdade, é verdade, um médico imediatamente — e já saía em disparada quando Anne sugeriu, ansiosa:

— O capitão Benwick, não seria melhor que o capitão Benwick fosse? Ele sabe onde encontrar um médico.

Todos que eram capazes de pensar consideraram essa ideia melhor, e, em um instante (tudo aconteceu muito rápido), o capitão Benwick deixou a figura cadavérica aos cuidados do irmão e correu para a cidade na maior rapidez.

Quanto ao infeliz grupo deixado para trás, era difícil dizer qual dos três que permaneciam completamente racionais sofria mais: o capitão Wentworth, Anne ou Charles, que, como um irmão muito afetuoso, abraçava-se a Louisa com soluços pesarosos e só conseguia desviar o olhar de uma irmã para ver a outra em um estado tão perturbado quanto o próprio, ou para testemunhar as agitações histéricas da esposa, exigindo dele uma ajuda que ele não podia oferecer.

Anne, acudindo Henrietta com toda a força, o zelo e a consideração com que o instinto lhe provia, ainda tentava, em intervalos, confortar os outros: tentava acalmar Mary, animar Charles, abrandar os sentimentos do capitão Wentworth. Os dois últimos pareciam olhar para ela em busca de orientações.

— Anne, Anne — clamou Charles —, o que fazemos agora? O que, pelo amor de Deus, fazemos agora?

Os olhos do capitão Wentworth também se voltaram na direção dela.

— Não seria melhor levá-la para a hospedaria? Tenho certeza que sim. Carregue-a com cuidado até a hospedaria.

— Sim, sim, para a hospedaria — repetiu o capitão Wentworth, um pouco mais calmo e ansioso por fazer alguma coisa. — Eu mesmo a carregarei. Musgrove, cuide das outras.

A essa altura, a notícia do acidente já havia se espalhado entre os trabalhadores e pescadores próximos ao Cobb, e muitos chegaram perto deles, para o caso de haver necessidade e, de qualquer modo, para apreciar a visão de uma moça morta, aliás, de duas, pois a história se provou duas vezes melhor do que a notícia inicial. Para alguns de melhor aparência entre aquelas boas pessoas, Henrietta foi confiada, pois, apesar de parcialmente recuperada, ela ainda estava bastante desorientada. Dessa maneira, com Anne andando ao lado dela e Charles amparando a esposa, eles seguiram adiante, pisando novamente, com sentimentos indizíveis, no chão pelo qual, tão pouco tempo antes – tão pouco tempo – e com o coração tão leve, haviam caminhado.

Eles ainda não tinham saído do Cobb quando os Harville os encontraram. O capitão Benwick fora visto passando correndo pela casa deles, com uma expressão que denunciava que havia algo de errado, e os dois saíram imediatamente, recebendo informações e direções pelo caminho, até chegar ao local do incidente. Mesmo chocado, o capitão Harville trouxe bom senso e calma, que teriam utilidade imediata, e um olhar entre ele a esposa decidiu o que seria feito: Louisa deveria ser levada para a casa deles; todos deveriam ir para a casa deles e esperar a chegada do médico lá. Não houve nenhuma hesitação, o capitão foi obedecido e todos se viram sob o teto dele. Enquanto Louisa, sob as orientações da sra. Harville, foi levada ao andar superior, onde tomou posse da cama dela, e assistência, licores e tônicos foram oferecidos pelo marido a todos os que precisassem.

Louisa abriu os olhos uma vez, mas logo os fechou de novo, sem aparentar consciência. Entretanto, isso serviu de prova de vida para a irmã, e Henrietta, embora completamente incapaz de ficar no mesmo quarto que Louisa, foi poupada, pela agitação da esperança e do medo, de um novo desfalecimento. Mary também estava ficando mais calma.

O médico juntou-se a eles antes do que parecia possível. Eles estavam desorientados de horror durante o exame, mas o médico não havia perdido a esperança. A cabeça de Louisa sofrera uma contusão severa, mas ele tinha visto pessoas se recuperarem de ferimentos mais graves e de forma alguma estava sem esperanças, falava em um tom confiante.

Ele não ter considerado o caso desesperador nem dito que se resolveria em poucas horas, de início, excedeu as esperanças da maioria; pode-se conceber o êxtase de tal alívio e o júbilo profundo e silencioso depois de oferecidas aos Céus algumas fervorosas exclamações de gratidão.

O tom e a forma como o capitão Wentworth murmurou "Graças a Deus!" certamente nunca seriam esquecidos por Anne, nem a visão que teve depois, dele sentado próximo a uma mesa, debruçado sobre ela, com os braços cruzados e o rosto oculto, como se tivesse sido dominado pelos vários sentimentos de sua alma e tentasse, pela oração e pela reflexão, acalmá-los.

Os membros de Louisa tinham escapado. Não havia lesões exceto na cabeça.

Agora tornava-se necessário ao grupo considerar qual seria o melhor a fazer em relação à situação geral. Eles já eram capazes de conversar e consultar uns aos outros. De que Louisa deveria ficar onde estava, não importasse o quão complicado fosse envolver os Harville em tal problema, não havia dúvida. Sua remoção era impossível. Os Harville dissiparam qualquer receio e, tanto quanto conseguiram, dispensaram todos os agradecimentos. O casal tinha se antecipado e arranjado tudo antes que os outros sequer começassem a raciocinar. O capitão Benwick cederia seu quarto e arranjaria uma cama em outro lugar, e tudo estava acertado. A única preocupação deles era que a casa não poderia acomodar mais ninguém; ainda assim, talvez "colocando as crianças no quarto da criada ou armando uma cama em algum lugar". Eles mal suportavam pensar em não achar espaço para mais duas ou três pessoas, supondo que pudessem desejar ficar, embora, no que dissesse respeito à srta. Musgrove, não houvesse necessidade da menor preocupação quanto a deixá-la inteiramente aos cuidados da sra. Harville. Ela era uma enfermeira experiente, e sua criada-enfermeira, que vivia com ela havia muito, tendo-a acompanhado para todo lado, era outra. Com essas duas, a moça não poderia desejar mais assistência, dia e noite. E tudo isso foi dito com uma verdade e uma sinceridade de sentimento irresistíveis.

Charles, Henrietta e o capitão Wentworth discutiam, e por um breve instante o diálogo parecia uma troca de perplexidade e horror. "Uppercross, a necessidade de alguém ir a Uppercross, de que a notícia fosse dada, como deveria ser dada ao sr. e à sra. Musgrove, o adiantado da hora naquela manhã, uma hora já passada do horário em que deveriam ter partido, a impossibilidade de chegarem em um horário admissível." A princípio eles não conseguiam fazer mais nada além de tais exclamações, mas, pouco depois, o capitão Wentworth, com grande esforço pessoal, disse:

— Temos que tomar uma decisão sem perder mais nem um minuto. Qualquer minuto é valioso. Alguém precisa ir a Uppercross agora mesmo. Musgrove, você ou eu devemos ir.

Charles concordou, mas declarou sua decisão de não se afastar dali. Ele seria o menor estorvo possível para o capitão e a sra. Harville, mas deixar a irmã naquele estado, ele não poderia, nem o faria; isso estava decidido. Henrietta, inicialmente, acompanhou a decisão do irmão. Entretanto, logo foi persuadida a mudar de opinião. Qual utilidade teria ali? Ela não fora capaz nem de ficar no mesmo quarto que Louisa ou de olhar para ela sem ser acometida por sofrimentos que a deixavam ainda mais incapaz! Ela foi forçada a concordar que não faria bem nenhum; contudo, ainda não estava disposta a ir embora, até que, tocada pela lembrança do pai e da mãe, desistiu; aceitou partir e ficou ansiosa para chegar em casa.

O plano tinha chegado a esse ponto quando Anne, descendo silenciosamente do quarto de Louisa, não pôde evitar ouvir o que se seguiu, pois a porta da sala estava aberta.

— Então está decidido, Musgrove — afirmou o capitão Wentworth. — Você fica e eu cuido de levar sua irmã para casa. Quanto ao restante, quanto aos outros, se alguém for ficar para auxiliar a sra. Musgrove, só pode ser uma pessoa. O sr. Charles Musgrove certamente vai querer voltar para os filhos, mas se Anne desejar ficar, não há ninguém mais adequado nem mais capaz que Anne.

Ela parou por um instante para se recuperar da emoção de ouvi-lo falar dela daquela forma. Os outros dois concordaram calorosamente com o que ele dissera, e então ela apareceu.

— Tenho certeza de que você deseja ficar; ficar e cuidar dela — ele continuou, virando-se para ela e falando com ardor, ainda que com suavidade, que pareceu restaurar o passado. Ela ficou profundamente ruborizada, e ele se recompôs e se afastou. Ela se mostrou muito disposta, pronta e feliz de ficar. Era no que ela estava pensando, e o que desejava que pudesse fazer. Um colchão no chão no quarto de Louisa seria suficiente, se a sra. Harville concordasse.

Mais uma coisa e tudo pareceu arranjado. Embora fosse até desejável que o sr. e a sra. Musgrove se alarmassem previamente com determinado atraso, o tempo que os cavalos de Uppercross demorariam para levá-los de volta seria uma prorrogação angustiante do suspense. O capitão Wentworth propôs, e Charles Musgrove concordou, que seria muito melhor se ele pegasse um cabriolé emprestado da hospedaria e deixasse a carruagem e os cavalos do sr. Musgrove para serem enviados para casa na manhã seguinte, quando poderiam ter a vantagem extra de mandar notícias da noite de Louisa.

O capitão Wentworth agora se apressava para deixar tudo pronto de sua parte e para logo ser seguido pelas duas damas. Quando o plano chegou ao conhecimento de Mary, entretanto, foi o fim de toda paz. Ela ficou extremamente infeliz e, com veemência, reclamou um tanto da injustiça de esperarem que ela fosse embora em vez de Anne; Anne não era nada de Louisa, enquanto ela era cunhada, e tinha mais direito de ficar no lugar de Henrietta! Por que ela não seria tão útil quanto Anne? Além de tudo, ainda iria embora sem Charles, sem o marido! Não, era insensível demais. Em resumo, ela falou mais do que o marido pôde suportar e, como nenhum dos outros poderia se opor quando ele cedeu, não havia mais o que fazer. A troca de Anne por Mary era inevitável.

Anne nunca cedera de forma tão relutante à inveja e às reivindicações despropositadas de Mary. Porém, não havia outro jeito, e eles foram para a cidade, com Charles tomando conta da irmã, e o capitão Benwick, dela. Ela reservou um momento para se lembrar, enquanto se apressavam, das pequenas circunstâncias que aqueles mesmos lugares haviam testemunhado mais cedo naquela manhã. Ali ela tinha ouvido os planos de Henrietta para que o dr. Shirley deixasse Uppercross, depois vira o sr. Elliot pela primeira vez; um instante parecia tudo o que agora era oferecido a qualquer um, menos a Louisa ou àqueles envolvidos em seus cuidados.

O capitão Benwick foi bastante atencioso com ela, e, unidos como todos pareciam pelo infortúnio do dia, ela sentiu crescer seu apreço por ele, e lhe foi um prazer até pensar que talvez fosse a ocasião para se conhecerem melhor.

O capitão Wentworth estava à espera deles, assim como uma carruagem de quatro cavalos estacionada para a conveniência deles na parte mais baixa da rua. Contudo, a evidente surpresa e o embaraço que ele demonstrou pela substituição de uma irmã pela outra, a mudança em seu semblante, o assombro, as expressões que surgiram e foram suprimidas enquanto Charles contava o que acontecera, toda essa conjunção tornou o momento humilhante para Anne, ou ao menos a convenceu de que ela só era valorizada quando tinha utilidade para Louisa.

Ela se esforçou para se manter composta e para ser justa. Sem emular os sentimentos de uma Emma em relação ao seu Henry[2], ela teria cuidado de Louisa, por ele, com um zelo superior ao que habitualmente se exige da estima; e esperava que não fosse tão injusto a ponto de supor que ela se recusaria desnecessariamente a ajudar uma amiga.

Nesse ínterim, ela se viu na carruagem. Ele havia ajudado as duas a subir e se colocou no meio delas. E foi assim, nessas circunstâncias cheias de espanto e emoção para Anne, que ela deixou Lyme. Como aquela longa viagem ia passar, como afetaria os modos deles, que tipo de conversa teriam, ela não podia prever. Entretanto, tudo se passou naturalmente. Ele devotou-se a Henrietta, sempre virando-se para ela; e, quando falava, era sempre com a intenção de apoiar as esperanças e elevar os ânimos dela. Em geral, a voz e os modos do capitão Wentworth estavam calculadamente calmos. Poupar Henrietta da agitação parecia ser o objetivo principal. Somente uma vez, quando ela se lamentava daquele último passeio irresponsável e infausto pelo Cobb, lamuriando-se

---

[2] Referência ao poema *Henry and Emma*, de Matthew Prior.

até de que tenha sido considerado, ele desatou a falar, como se tivesse sido completamente dominado:

— Não fale disso, não fale — suplicou ele. — Oh, Deus! Se eu não tivesse errado no momento fatal! Se eu tivesse feito o que deveria! Mas ela é tão ansiosa e determinada! Querida e doce Louisa!

Anne se perguntou se ocorria a ele agora questionar a veracidade de sua opinião anterior acerca da felicidade universal e da vantagem da firmeza de caráter; e se ele não achava que, como todas as outras qualidades morais, essas não deveriam ter proporções e limites. Ela pensou que dificilmente lhe escapava a ideia de que um temperamento persuadível poderia ser, às vezes, tão favorável à felicidade quanto um caráter muito resoluto.

Eles viajavam rápido. Anne ficou espantada ao ver colinas e objetos que conhecia tão bem tão cedo. A velocidade, aumentada por algum temor do que poderia ocorrer quando chegassem, fazia a estrada parecer ter metade da distância do que no dia anterior. O crepúsculo se aproximava, entretanto, antes que chegassem aos arredores de Uppercross, e pairava um silêncio total sobre eles já havia algum tempo; Henrietta estava apoiada em um canto, com um xale sobre o rosto, dando a esperança de que tinha dormido depois de tanto chorar, quando, na subida da última colina, Anne viu-se subitamente abordada pelo capitão Wentworth. Com uma voz baixa e cautelosa, ele falou:

— Estive considerando o que seria o melhor a fazer. Ela não deve aparecer a princípio. Ela não aguentaria. Pensei se não seria melhor que a senhorita ficasse com ela na carruagem enquanto eu vou dar a notícia ao sr. e à sra. Musgrove. Acha que é um bom plano?

Ela respondeu que sim. Ele ficou satisfeito e não disse mais nada. No entanto, a lembrança do apelo manteve-se um deleite para ela, como prova de amizade e de deferência ao julgamento dela, um grande deleite. E quando se tornou uma espécie de despedida, seu valor não diminuiu.

Quando o comunicado desolador em Uppercross terminou e o capitão Wentworth viu que o pai e a mãe estavam tão recompostos quanto se poderia esperar, e a filha, muito melhor, por estar junto deles, anunciou sua intenção de voltar na mesma carruagem a Lyme. Assim que os cavalos foram alimentados, ele partiu.

Capítulo 13

O restante do tempo de Anne em Uppercross, apenas dois dias mais, foi passado por completo na mansão, e ela teve a satisfação de se ver extremamente útil ali, tanto como companhia direta quanto como auxiliar em todos os arranjos para o futuro, com o que, no estado de espírito angustiado do sr. e da sra. Musgrove, tinha sido difícil de lidar.

Eles receberam notícias de Lyme na manhã seguinte, logo cedo. Louisa permanecia praticamente no mesmo estado. Nenhum sintoma pior havia surgido. Charles chegou algumas horas depois, trazendo um relato mais recente e detalhado. Ele estava razoavelmente alegre. Não era possível esperar uma cura rápida, mas tudo estava indo tão bem quanto a natureza do caso permitia. E quanto aos Harville, ele pareceu incapaz de transmitir em palavras a gentileza do casal, em especial os esforços da sra. Harville como enfermeira.

— Ela realmente não deixou nada para Mary fazer.

Ele e a esposa foram convencidos a voltar mais cedo à hospedaria. Mary ficara histérica mais uma vez naquela manhã. Quando ele partiu, ela saiu para uma caminhada com o capitão Benwick, o que ele esperou fazer-lhe algum bem. Ele quase desejou que ela tivesse sido convencida a voltar para casa no dia anterior, mas a verdade era que a sra. Harville não deixara nada para ninguém fazer.

Charles voltaria para Lyme naquela mesma tarde, e o pai dele, em princípio, tinha a vaga intenção de acompanhá-lo, mas as damas não permitiram. Isso apenas multiplicaria o trabalho para os outros e aumentaria a própria angústia dele. Então, um esquema muito melhor foi arquitetado e posto em prática. Uma carruagem foi enviada a Crewkherne, e Charles trouxe de volta uma pessoa muito mais útil, a antiga ama da família, que havia educado todas as crianças e visto a última delas, o moroso e mimado mestre Harry, ser mandada para a escola depois de seus irmãos. Ela vivia agora em seu berçário ermo remendando meias e fazendo curativos em todas as feridas e todos os hematomas que apareciam por perto e, consequentemente, ficou muito feliz em poder ir e ajudar a cuidar da querida srta. Louisa. Desejos vagos de trazer Sarah daqueles lados já haviam ocorrido à sra. Musgrove e a Henrietta; entretanto, sem Anne, isso dificilmente teria sido resolvido ou mesmo considerado tão cedo.

Eles ficaram em dívida, no dia seguinte, com Charles Hayter, por todas as informações minuciosas acerca de Louisa, que eram essenciais de serem recebidas a cada vinte e quatro horas. Ele havia decidido ir a Lyme, e seu relato também era encorajador. Os intervalos com sentidos e consciência pareciam ser mais longos. Cada relato confirmava que o capitão Wentworth parecia ter se fixado em Lyme.

Anne os deixaria no dia seguinte, um evento que todos temiam. "O que fariam sem ela? Eram péssimos consoladores uns para os outros." E tantas coisas foram ditas nesse sentido que Anne acreditou que o melhor a fazer era comunicar-lhes sua opinião pessoal e persuadi-los todos a irem para Lyme de uma vez. Ela teve pouca dificuldade: logo foi decidido que eles iriam; iriam no dia seguinte, ficariam na hospedaria ou arranjariam acomodações, como era apropriado, e ali ficariam até que a querida Louisa pudesse ser removida. Eles precisavam aliviar um pouco as boas pessoas com quem ela estava; talvez pudessem, no mínimo, aliviar a sra. Harville do cuidado com os próprios filhos. Em resumo, estavam tão felizes com essa decisão que Anne ficou muito satisfeita com o que tinha feito, e sentiu que não havia forma melhor de passar sua última manhã em Uppercross do que auxiliando-os nos preparativos e adiantando em uma hora a viagem, embora a consequência fosse ser deixada sozinha em uma casa vazia.

Ela era a última, exceto pelos meninos no chalé; a última que restara de todos aqueles que encheram e animaram as duas residências, de todos os que tinham dado a Uppercross seu ar alegre. Poucos dias causaram uma mudança enorme!

Se Louisa se recuperasse, tudo ficaria bem novamente. Mais do que a alegria anterior seria restaurada. Não poderia haver dúvida – em sua mente, não havia nenhuma – do que se seguiria à recuperação da moça. Alguns meses mais e a sala, agora tão deserta, ocupada apenas por sua pessoa silenciosa e pensativa, estaria mais uma vez repleta de toda aquela felicidade e alegria, tudo o que era brilhante e esplendoroso no amor próspero, tudo o que havia de mais diferente de Anne Elliot!

Uma hora de completa ociosidade para tais reflexões, em um dia escuro de novembro, com uma chuvinha grossa que quase borrava os poucos objetos distinguíveis das janelas, foi suficiente para tornar o som da carruagem de lady Russell se aproximando extremamente bem-vindo. Ainda assim, apesar do desejo de partir, ela não conseguia deixar a mansão ou lançar um olhar de despedida para o chalé, com sua varanda escura, gotejante e desenxabida, ou mesmo reparar, através dos vidros embaçados, nas últimas humildes habitações da vila, sem pesar no coração. As situações passadas em Uppercross haviam tornado tudo ali precioso. O lugar presenciara muitas sensações de dor: antes severas, mas agora suavizadas; e alguns casos de sentimentos abrandados, alguns suspiros de amizade e reconciliação que nunca mais poderiam ser alcançados e que jamais deixariam de ser estimados. Ela deixou tudo isso para trás; tudo, a não ser a lembrança de que tais coisas ocorreram.

Anne não voltara a Kellynch desde que deixara a casa de lady Russell, em setembro. Não houve necessidade, e as poucas ocasiões em que teria sido possível ir a Kellynch Hall, ela conseguira evitar. Seu primeiro retorno seria para retomar seu lugar em um dos modernos e elegantes aposentos de Kellynch Lodge, e para alegrar os olhos da senhora dali.

Havia alguma ansiedade misturada à alegria de lady Russell em encontrá-la. Ela sabia quem andara frequentando Uppercross. Mas, felizmente, Anne tinha melhorado no corpo e na aparência, ou assim lady Russell imaginava; e Anne, ao receber os elogios na ocasião, deleitou-se ao relacioná-los à admiração silenciosa do primo e ao esperar que tivesse sido abençoada com uma segunda primavera de juventude e beleza.

Quando conseguiram conversar, ela logo percebeu uma mudança em seus pensamentos. Os assuntos com os quais seu coração se ocupara em Kellynch, e os quais sentira que eram menosprezados e fora obrigada a sufocar entre os Musgrove, tinham se tornado agora um interesse secundário. Ela havia se esquecido até da irmã, do pai e de Bath. As preocupações deles haviam sido minimizadas diante das de Uppercross. E quando lady Russell reverteu seus medos e esperanças anteriores e falou com satisfação sobre a casa em Camden Place, que tinham alugado, e lamentou que a sra. Clay ainda estivesse com eles, Anne se sentiria embaraçada se demonstrasse que pensava mais em Lyme, Louisa Musgrove e seus conhecidos lá; o quanto eram mais interessantes para ela o lar e a amizade dos Harville e do capitão Benwick do que a casa do próprio pai em Camden Place, ou a intimidade da própria irmã com a sra. Clay. Anne, na verdade, teve que se esforçar para responder a lady Russel com algum interesse por assuntos que deveriam, naturalmente, ser prioridade.

Houve um pouco de constrangimento, a princípio, na conversa sobre outro assunto. Elas precisavam falar sobre o acidente em Lyme. Não haviam se passado nem cinco minutos da chegada de lady Russell, no dia anterior, quando um relato completo do ocorrido chegou até ela. Mas o assunto ainda precisava ser discutido, ela precisava fazer perguntas, precisava deplorar a imprudência, lamentar o resultado, e o nome do capitão Wentworth precisava ser mencionado pelas duas. Anne tinha consciência de não fazer isso tão bem quanto lady Russell.

Ela não conseguia dizer o nome, ou encarar o olhar de lady Russell, até que adotou o artifício de lhe contar rapidamente o que achava da afeição entre ele e Louisa. Quando isso foi exteriorizado, o nome dele deixou de incomodá-la.

Lady Russell apenas teve que ouvir com compostura e desejar que os dois fossem felizes, mas internamente seu coração se deleitava em uma alegria raivosa, em um desdém exultante de que o homem que aos vinte e três anos parecera ter compreendido algo do valor de uma Anne Elliot oito anos depois se encantasse por uma Louisa Musgrove.

Os primeiros três ou quatro dias passaram com muita tranquilidade, sem nenhuma circunstância marcante, com exceção do recebimento de um ou dois recados vindos de Lyme, que deram um jeito de chegar até Anne, ela não fazia ideia de como, e comunicavam uma melhora de Louisa. Ao fim desse período, a educação de lady Russell não podia mais esperar, e as iminentes ameaças do passado ressurgiram em tom decidido:

— Preciso visitar a sra. Croft. Preciso mesmo ir lá logo. Anne, você tem coragem de ir comigo e fazer uma visita àquela casa? Seria um tipo de teste para nós duas.

Anne não recuou. Pelo contrário, ela realmente sentia a verdade das palavras que disse, observando:

— Acho que, entre nós duas, quem tem mais chances de sofrer é você. Seus sentimentos estão menos reconciliados com a mudança do que os meus. Ao permanecer nas proximidades, acostumei-me à ideia.

Ela poderia falar mais sobre o assunto, mas tinha uma opinião tão elevada dos Croft e considerava o pai tão afortunado com os inquilinos, sentia que não apenas eles eram um exemplo muito bom para a paróquia como também que dariam maior atenção e auxílio aos pobres que, embora se sentisse pesarosa e envergonhada quanto à necessidade da mudança, não podia evitar achar que havia partido quem não merecia ficar e que Kellynch Hall havia passado para mãos melhores que as dos proprietários. Essas convicções certamente lhe causavam dor, uma dor particularmente severa; entretanto, evitaram o sofrimento que lady Russell experimentaria ao entrar na casa e passar mais uma vez por cômodos tão conhecidos.

Em tais momentos, Anne não tinha força para dizer a si mesma: "Esses cômodos deveriam pertencer somente a nós. Ah, que destino infame! Que ocupação indigna! Uma família antiga tendo que ser deslocada! Estranhos apossando-se de seu lugar!". Não, a não ser quando pensava na mãe e se lembrava de onde ela costumava sentar-se e governar, ela não tinha um suspiro sequer para dar.

A sra. Croft sempre a tratava com uma gentileza que lhe dava o prazer de se imaginar uma favorita, e, naquele momento, ao recebê-la naquela casa, ela ofereceu uma atenção particular.

O triste acidente em Lyme rapidamente se tornou o assunto predominante, e, ao comparar as notícias mais recentes que receberam da enferma, pareceu que cada uma recebera relatos escritos no mesmo horário da manhã anterior; que o capitão Wentworth tinha estado em Kellynch na véspera (a primeira vez desde o acidente) e havia trazido o último bilhete a Anne, cuja origem ela não fora capaz de precisar; que ele havia ficado ali por algumas horas e voltara a Lyme, sem nenhuma intenção de sair de lá novamente. Ele havia perguntado por ela, Anne descobriu, particularmente por ela, e expressado a confiança de que a srta. Musgrove só não estava pior em razão de seu empenho, que classificou como enorme. Isso era generoso, e deu a ela mais prazer do que qualquer outra coisa.

Quanto à triste catástrofe, só poderia ser avaliada de uma maneira por duas mulheres equilibradas e sensatas cujos julgamentos tinham fatos como base. Foi perfeitamente decidido que fora consequência de muito descuido e muita imprudência, que os efeitos eram deveras alarmantes e que era assustador pensar em por quanto tempo a recuperação da srta. Musgrove ainda seria incerta e no quanto ela ainda permaneceria suscetível a sofrer por causa da concussão no futuro! O almirante fez um resumo de tudo ao exclamar:

— Sim, foi realmente uma situação horrorosa. Que jeito novo esse jovem sujeito tem de cortejar, quebrando a cabeça da pretendente, não é, srta. Elliot? Quebrando a cabeça e engessando-a, de verdade!

Os modos do almirante Croft não tinham exatamente um tom que agradava a lady Russell, mas Anne ficava encantada. A bondade do coração e a simplicidade de caráter dele eram irresistíveis.

— Deve ser muito triste para a senhorita — ele disse, repentinamente saindo de um devaneio — vir até aqui e nos encontrar. Não havia considerado isso antes, assumo, mas deve ser muito triste. Mas agora não faça cerimônias. Levante-se e caminhe por todos os cômodos, se desejar.

— Em outro momento, senhor. Agradeço, mas agora não.

— Bom, quando for de seu agrado. Pode se esgueirar pela sebe a qualquer momento, então vai descobrir que mantivemos nossos guarda-chuvas pendurados ao lado da porta. É um bom lugar para isso, não acha? Mas — falou, pensando alto — não vai achar que é um bom lugar, pois sempre manteve os seus na sala do mordomo. É, é sempre assim, acredito eu. O jeito de um homem pode ser tão bom quanto o de qualquer outro, mas sempre achamos o nosso melhor. Portanto, deve julgar por si mesma se acha melhor passear pela casa ou não.

Anne, acreditando que deveria declinar, assim o fez, com gratidão.

— Fizemos pouquíssimas mudanças — continuou o almirante, depois de pensar por um instante. — Pouquíssimas. Nós lhe contamos sobre a porta da lavanderia, em Uppercross. Foi uma melhoria notável. O que nos deixou admirados foi imaginar como qualquer família neste mundo conseguiu suportar a inconveniência de essa porta abrir como abria, e por tanto tempo! Diga ao sir Walter o que fizemos, e que o sr.

Shepherd acha que é uma das maiores melhorias pelas quais essa casa já passou. De fato, devo ser justo conosco e dizer que as poucas alterações que fizemos foram apenas visando a melhoria. Minha esposa deve receber os créditos por isso, porém. Eu fiz muito pouco além de dispensar os enormes espelhos do meu quarto de vestir, que era de seu pai. Um homem excelente, e um grande cavalheiro, tenho certeza, mas acho, srta. Elliot... — ele disse, encarando-a com uma reflexão séria — Acho que ele deve ser um homem extravagante demais para sua idade. Tantos espelhos! Meu Deus! Não havia como escapar de si mesmo. Então pedi a Sophy uma mão e logo os mudamos de ambiente. Agora estou bastante satisfeito com meu espelhinho de barbear em um canto e, no outro, um grande do qual nunca me aproximo.

Anne, divertindo-se contra sua vontade, ficou nervosa demais para responder, e o almirante, temendo não ter sido suficientemente educado, retomou o assunto, dizendo:

— Da próxima vez que escrever ao seu bom pai, srta. Elliot, por favor, dê-lhe elogios meus e da sra. Croft, e diga que estamos muito bem instalados aqui e que não encontramos no lugar um problema sequer. A chaminé da sala de café da manhã esfumaça um pouco, admito, mas isso ocorre apenas quando o vento vem do sentido norte e sopra com força, o que não acontece mais de três vezes durante o inverno. E, de modo geral, agora que já visitamos a maioria das casas da vizinhança e podemos avaliar, não há nenhuma melhor que esta. Por favor, diga isso a ele, junto com meus elogios. Ele ficará contente em saber.

Lady Russell e a sra. Croft ficaram muitíssimo satisfeitas uma com a outra; mas a relação que a visita iniciara estava fadada a não ter continuidade no presente, pois, quando foi retribuída, os Croft anunciaram que viajariam por algumas semanas, para visitar familiares no norte do país, e provavelmente não voltariam para casa antes que lady Russell tivesse se retirado para Bath.

Assim extinguiu-se qualquer perigo de Anne encontrar o capitão Wentworth em Kellynch Hall, ou de vê-lo na companhia da amiga dela. Tudo estava suficientemente seguro, e ela sorriu ante os muitos sentimentos ansiosos que desperdiçara com o assunto.

Capítulo 14

Embora Charles e Mary tivessem permanecido em Lyme por muito mais tempo ainda após a chegada do sr. e da sra. Musgrove do que Anne concebia como necessário, eles foram os primeiros da família a voltar para casa; e assim que foi possível depois da volta a Uppercross, o casal viajou até Kellynch Lodge. Quando deixaram Louisa, ela estava começando a conseguir ficar sentada, mas sua cabeça, apesar de lúcida, ainda estava excessivamente fraca, e seus nervos, suscetíveis aos níveis mais extremos de sensibilidade. Mesmo que se afirmasse que ela, no geral, estivesse bem, ainda era impossível dizer quando seria capaz de suportar a remoção para casa; e o pai e a mãe, que deveriam voltar a tempo de receber os filhos mais novos no feriado de Natal, tinham pouca esperança de que fossem autorizados a levá-la junto.

Todos ficaram na mesma hospedaria. A sra. Musgrove ficava com os filhos da sra. Harville o máximo que conseguia, e todo o suprimento possível de Uppercross foi oferecido, de modo a diminuir a inconveniência para os Harville, enquanto os Harville queriam que eles fossem jantar em sua casa todos os dias. Em resumo, parecia haver apenas uma questão dos dois lados: qual deles seria o mais altruísta e hospitaleiro.

Mary teve seus arroubos, porém, no todo, como era evidente pela sua estadia tão longa, ela encontrara mais para desfrutar do que para sofrer. Charles Hayter estivera em Lyme mais vezes do que a agradava, e quando jantavam com os Harville havia apenas uma criada para servir. De início, a sra. Harville dera precedência à sra. Musgrove; entretanto, Mary recebeu um pedido de desculpas muito digno quando a sra. Harville descobriu de quem ela era filha, e houvera tantos acontecimentos todos os dias, tantas caminhadas entre a hospedaria e a residência dos Harville, e ela pegou tantos livros na biblioteca, e os trocou tantas vezes, que a balança certamente pendera para Lyme. Ela fora levada a Charmouth também, banhara-se no mar, fora à igreja, e havia muito mais pessoas para olhar em Lyme do que em Uppercross; e tudo isso, combinado à sensação de ser tão útil, tornou aquela quinzena realmente agradável.

Anne perguntou sobre o capitão Benwick, e o rosto de Mary anuviou-se de imediato. Charles riu e disse:

— Ah! O capitão Benwick está muito bem, creio eu, mas ele é um rapaz muito peculiar. Não sei o que quer. Ele me pediu para vir para casa conosco por um dia ou dois. Charles combinou de levá-lo para caçar, e ele pareceu muito satisfeito. Da minha parte, achei que estava tudo certo, quando, veja só! Na noite de terça-feira, ele deu uma desculpa muito esquisita: "ele nunca caçou" e não o tinham "compreendido bem", e tinha prometido isso e prometido aquilo. No fim, descobri que ele nem tinha a intenção de vir. Suspeito que temesse achar enfadonho, mas, dou minha palavra, eu achava que éramos animados o bastante no chalé para um homem com o coração partido, como o capitão Benwick.

Charles riu mais uma vez e disse:

— Ah, Mary, você sabe muito bem o que foi. Foi tudo culpa sua — virou-se para Anne. — Ele imaginou que, se viesse conosco, encontraria você aqui por perto. Achou que todos moravam em Uppercross. E quando descobriu que lady Russell morava a três milhas de distância, ele murchou e não teve coragem de vir. Foi isso o que aconteceu, juro por minha honra, e Mary bem sabe.

Mas Mary não achou muita graça, fosse por não considerar o capitão Benwick digno, de berço ou de situação, de se apaixonar por uma Elliot, fosse por não querer acreditar que Anne fosse uma atração maior para Uppercross do que ela – nunca se saberá. A boa vontade de Anne, contudo, não seria diminuída pelo que ouvira. Ela audaciosamente reconheceu que se sentia lisonjeada e continuou com suas perguntas:

— Ah! Ele fala de você — Charles exclamou — de uma maneira que...

Mary o interrompeu:

— Eu asseguro, Charles, não o ouvi mencionar Anne nem duas vezes durante o tempo em que estive lá. Asseguro-lhe, Anne, ele nunca fala de você.

— Não — admitiu Charles. — Não sei se ele fala de um modo geral... Mas, de qualquer forma, é evidente que ele a admira muitíssimo. A cabeça dele está repleta de alguns livros que ele está lendo sob sua recomendação, e ele quer conversar com você sobre eles. Ele descobriu uma coisa ou outra em um deles que acredita... Ah, não posso fingir que me lembro, mas era algo muito bom. Eu o ouvi, por acaso, contando tudo a Henrietta, e então um "srta. Elliot" foi mencionado nos termos mais elevados! Ora, Mary, afirmo que foi isso, eu mesmo ouvi, e você estava em outro cômodo. "Elegância, doçura, beleza"... Ah, não tinham fim os encantos da srta. Elliot!

— E eu tenho certeza — retrucou Mary, calorosamente — de que não faz nada bem à honra dele se disse isso mesmo. A srta. Harville morreu em junho passado. Um coração desses não vale muita coisa, não acha, lady Russell? Tenho certeza de que concordará comigo.

— Preciso conhecer o capitão Benwick antes de decidir — lady Russell respondeu, sorrindo.

— E é muito provável que isso aconteça muito em breve, posso garantir, senhora — Charles assegurou. — Apesar de não ter tido nervos de vir conosco nem para sair depois para nos fazer uma visita formal, ele virá para Kellynch sozinho um dia, não tenha dúvidas. Eu lhe informei acerca da distância e da estrada, e lhe contei que valia muito a pena ver a igreja. Como ele gosta desse tipo de coisa, achei que seria uma boa desculpa, e ele ouviu com toda a sua compreensão e toda a sua alma.

Tenho certeza, pelos modos dele, de que em breve aparecerá por aqui. Então, já aviso com antecedência, lady Russell.

— Qualquer conhecido de Anne sempre me será bem-vindo — foi a resposta gentil de lady Russell.

— Ah, quanto a ser um conhecido de Anne — Mary opinou —, acredito que ele seja muito mais um conhecido meu, pois o vi todos os dias durante as duas últimas semanas.

— Bem, um conhecido das duas, então. Ficarei muito feliz em conhecer o capitão Benwick.

— Você não achará nada de muito agradável nele, eu lhe asseguro, senhora. É um dos rapazes mais tediosos que já existiu. Ele caminhou comigo, por vezes de uma ponta a outra da praia, sem dizer uma palavra. Não é nem um pouco bem-educado. Tenho certeza de que não gostará dele.

— Nisso discordamos, Mary — Anne respondeu. — Acho que lady Russell gostaria dele, sim. Acho que ficaria tão satisfeita com as ideias dele que logo não veria defeito nenhum em seus modos.

— Também acho, Anne — concordou Charles. — Tenho certeza de que lady Russell iria gostar dele. Ele é exatamente o tipo de lady Russell: dê-lhe um livro e ele lerá o dia inteiro.

— Sim, isso ele fará! — Mary exclamou, insultuosamente. — Ele vai sentar e se debruçar sobre o livro a ponto de nem perceber quando alguém falar com ele, ou quando uma pessoa derrubar uma tesoura, ou qualquer coisa do tipo. Você acha que lady Russell iria gostar disso?

Lady Russell não conseguiu conter o riso.

— Minha nossa! — disse ela. — Eu não sabia que minha opinião a respeito de alguém pudesse suscitar tanta especulação, sendo tão firme e prática quanto acredito que sou. Tenho muita curiosidade de ver a pessoa capaz de levantar conceitos tão diretamente opostos. Gostaria que ele fosse induzido a fazer uma visita aqui. E quando ele vier, Mary, pode ter certeza de que você conhecerá minha opinião. Mas estou determinada a não julgá-lo de antemão.

— Você não vai gostar dele, posso assegurar.

Lady Russell começou a falar de outra coisa. Mary falou com animação de seu encontro, ou melhor, de seu extraordinário desencontro, com o sr. Elliot.

— Ele é um homem — lady Elliot declarou — que eu não desejo ver. Sua recusa em se manter em termos cordiais com o chefe de sua família deixou uma impressão fortemente desfavorável em mim.

Essa declaração refreou a euforia de Mary e a fez interromper no meio a descrição da fisionomia de Elliot.

A respeito do capitão Wentworth, embora Anne não tenha se arriscado a fazer nenhuma pergunta, voluntariamente foram dadas informações suficientes. Como era de se esperar, os ânimos dele haviam se recuperado bastante. À medida que Louisa melhorava, ele também melhorava, e era agora uma criatura completamente diferente do que parecia ser na primeira semana. Ele não tinha visto Louisa; teve tanto medo de que um encontro dos dois acarretasse alguma consequência prejudicial a ela que nem insistiu em fazê-lo. Pelo contrário, ele parecia ter um plano de ficar fora por uma semana ou dez dias, até que a cabeça dela estivesse mais forte. Ele falou de ir a Plymouth por uma semana, e queria convencer o capitão Benwick a ir junto. Porém, como Charles manteve sua opinião até o fim, o capitão Benwick parecia muito mais inclinado a viajar até Kellynch.

Não pode haver dúvida alguma de que tanto lady Russell quanto Anne, desde então, ocasionalmente pensavam no capitão Benwick. Lady Russell não conseguia ouvir a sineta da porta sem achar que pudesse ser o mensageiro dele, nem Anne conseguia voltar de qualquer passeio solitário nos terrenos no pai, ou de qualquer visita de caridade na vila, sem se perguntar se o veria ou ouviria falar dele. O capitão Benwick não veio, porém. Ele estava menos disposto do que Charles imaginara, ou era tímido demais. E depois de lhe dar uma semana de tolerância, lady Russell decidiu que ele era indigno do interesse que havia começado a provocar.

Os Musgrove voltaram a tempo de receber seus alegres meninos e meninas vindos da escola, trazendo consigo os pequerruchos da sra. Harville, a fim de aumentar o barulho em Uppercross e diminuir em Lyme. Henrietta ficou com Louisa, mas todo o restante da família estava novamente em seus aposentos habituais.

Lady Russell e Anne foram logo cumprimentá-los. Anne não pôde deixar de sentir que Uppercross estava de volta à vida. Apesar de nem Henrietta, nem Louisa, nem Charles Hayter nem o capitão Wentworth estarem lá, a sala apresentava um contraste tão impressionante quanto se podia desejar desde a última vez em que estivera ali.

Ao redor da sra. Musgrove estavam os pequenos Harville, os quais ela diligentemente protegia da tirania das duas crianças do chalé, que vieram correndo para brincar com eles. De um lado, havia uma mesa ocupada por algumas meninas tagarelas, que cortavam seda e papel dourado; do outro, cavaletes e bandejas que se curvavam sob o peso de bolo de carne de porco e de tortas frias, ao lado das quais meninos travessos faziam uma enorme bagunça. O espetáculo era completado por um crepitante fogo de Natal, que parecia determinado a se fazer ouvir apesar de todo o barulho. Charles e Mary também apareceram, é claro, durante a visita, e o sr. Musgrove fez questão de fazer as honras a lady Russell, e se sentou próximo a ela por dez minutos, conversando em voz alta; entretanto, por causa do clamor das crianças, geralmente em vão. Era uma belíssima cena familiar.

Anne, julgando por seu próprio temperamento, teria considerado que um furacão doméstico como aquele era um mau reconstituinte dos nervos, os quais a enfermidade de Louisa deveria ter abalado enormemente. Mas a sra. Musgrove, que se aproximara de Anne com o propósito de agradecê-la mais cordialmente, inúmeras vezes, por toda a atenção que tivera com eles, concluiu uma breve recapitulação do que ela mesma havia sofrido, observando, com olhar feliz ao redor da sala, que, depois de tudo pelo que passara, nada lhe faria melhor que um pouco de alegria tranquila em casa.

Louisa agora se recuperava rapidamente. A mãe podia até acreditar que ela conseguiria se juntar a eles antes que os irmãos e irmãs voltassem para a escola. Os Harville haviam prometido vir com ela e ficar em Uppercross quando fosse possível que ela voltasse. O capitão Wentworth estava fora no momento, visitando o irmão em Shropshire.

— Espero que possa me lembrar no futuro — lady Russell disse, assim que se reacomodaram na carruagem — de nunca visitar Uppercross no feriado de Natal.

Todos têm suas preferências no que se refere a barulho, assim como a qualquer outra coisa; e sons podem ser muito inócuos ou muito angustiantes, mais pelo tipo do que pela quantidade. Quando lady Russell, não muito depois, estava chegando a Bath em uma tarde chuvosa, e passando pelo longo curso de ruas de Old Bridge até Camden Place, em meio ao ruído de outras carruagens, do estrondo de carroças e carrinhos, dos brados dos jornaleiros, padeiros e leiteiros e do tinido incessante dos tamancos, ela não reclamou. Não, aqueles eram barulhos que faziam parte dos prazeres invernais, o ânimo dela se elevava sob sua influência; e, como a sra. Musgrove, ela sentia, embora não dissesse, que, depois de um longo período no campo, nada poderia lhe fazer melhor do que um pouco de alegria tranquila.

Anne não compartilhava daqueles sentimentos. Persistia nela uma aversão muito determinada, embora muito silenciosa, por Bath. Quando captou a primeira visão turva das extensivas construções, soltando fumaça na chuva, sem nenhum desejo de vê-las melhor, sentiu que o avanço delas pelas ruas era não apenas desagradável, mas também rápido demais, pois quem ficaria feliz em recebê-la quando ela chegasse? E rememorou, com carinhoso pesar, o alvoroço de Uppercross e a clausura de Kellynch.

A última carta de Elizabeth trouxera uma notícia de algum interesse. O sr. Elliot estava em Bath. Ele havia visitado Camden Place; havia feito uma segunda visita, uma terceira, e fora intencionalmente atencioso. Se Elizabeth e o pai delas não estivessem enganados, ele estava se esforçando muito para iniciar uma relação e para proclamar o valor da ligação familiar tanto quanto antes tinha se esforçado para demonstrar desprezo. Seria muito maravilhoso se fosse verdade; e lady Russell estava em um agradável estado de curiosidade e perplexidade acerca do sr. Elliot, já contestando o sentimento que expressara havia pouco tempo a Mary, de ele ser "um homem que ela não desejava ver". Ela desejava, e muito, vê-lo. Se ele realmente estivesse buscando se reconciliar como um transigente ramo da família, deveria ser perdoado por ter se desmembrado da árvore paternal.

Anne não estava animada da mesma forma com a circunstância, mas sentia que preferia ver mais uma vez o sr. Elliot a não vê-lo, o que era mais do que ela poderia dizer em relação a muitas outras pessoas em Bath.

Ela foi deixada em Camden Place, e lady Russell se dirigiu para a própria acomodação, em Rivers Street.

Capítulo 15

Sir Walter havia alugado uma casa muito boa em Camden Place, em uma localização muito distinta e digna, como convém a um homem de sua importância, e tanto ele quanto Elizabeth estavam instalados ali, e muito satisfeitos.

Anne entrou com o coração pesado, já antecipando um aprisionamento de muitos meses e ansiosamente dizendo a si mesma: "Ah! Quando poderei ir embora?". Um grau de inesperada cordialidade, entretanto, em sua recepção lhe fez bem. O pai e a irmã estavam contentes em vê-la, com o propósito de mostrar a casa e a mobília, e a trataram com gentileza. O fato de haver uma quarta pessoa quando se sentaram para jantar foi visto como uma vantagem.

A sra. Clay foi muito simpática e muito sorridente, mas suas cortesias e seus sorrisos já eram um hábito. Anne sempre sentira que ela emularia o que fosse considerado adequado em sua chegada, mas a afabilidade dos outros foi inesperada. Eles evidentemente estavam de ótimo humor, e ela logo descobriria as causas. Não tinham a menor intenção de ouvi-la. Depois de esperar elogios a respeito da falta que faziam na antiga vizinhança, os quais Anne não pôde repassar, eles fizeram apenas algumas perguntas superficiais antes de dominar toda a conversa. Uppercross não instigava nenhum interesse, Kellynch, muito pouco: era tudo sobre Bath.

Eles tiveram o prazer de garantir-lhe que Bath mais que excedera suas expectativas, em todos os sentidos. A casa era, sem dúvida, a melhor em Camden Place, as salas de estar tinham muitas vantagens em relação a todas as outras que viram ou de que ouviram falar, e a superioridade também estava no estilo de arrumação e no bom gosto da mobília. A amizade deles era excessivamente buscada. Todos queriam visitá-los. Eles não foram apresentados a muita gente, e ainda assim recebiam incessantemente cartões de visitas de pessoas sobre quem nada sabiam.

Ali havia divertimentos numerosos. Anne deveria se surpreender com seu pai e sua irmã estarem tão felizes? Ela talvez não se surpreendesse, mas certamente se sentia aliviada pelo pai não perceber uma degradação na mudança, não ver nada de que se arrepender a respeito dos deveres e da dignidade do proprietário residente, e encontrar tanto com que se envaidecer nas pequenezas de uma cidade; ela deveria suspirar, sorrir e se admirar também, enquanto Elizabeth escancarava as portas dobráveis e caminhava exultante de uma sala de estar para outra, gabando-se do espaço, diante da possibilidade de que aquela mulher, que fora senhora de Kellynch Hall, encontrasse tanto de que se orgulhar entre duas paredes que talvez não estivessem trinta pés distantes uma da outra.

Porém, isso não era tudo o que os deixava felizes. Eles tinham o sr. Elliot também. Anne ouviu muito a respeito do sr. Elliot. Não apenas ele fora perdoado, como também a família havia se encantado por ele. Ele estava em Bath havia aproximadamente duas semanas (passara por Bath em novembro, a caminho de Londres, quando a notícia de que sir Walter havia se estabelecido ali o alcançara, é claro, apesar de ele só estar na cidade fazia vinte e quatro horas, mas não conseguiu aproveitar a chance na ocasião); agora, contudo, depois de duas semanas em Bath, seu primeiro objetivo ao chegar foi deixar seu cartão de visitas em Camden Place, seguido de várias tentativas assíduas de se encontrarem, e, quando de fato se encontraram, houve tanta franqueza de conduta, tanta prontidão em se desculpar pelo passado, tanta solicitude de ser recebido mais uma vez como um familiar que o bom entendimento pregresso foi completamente restabelecido.

Não encontraram nele uma falha sequer. Ele havia explicado extensamente toda a aparente negligência de sua parte. Tudo se originara a partir de um completo equívoco. Nunca tivera a intenção de se retirar; temera ter sido excluído, mas não sabia o motivo, e o escrúpulo o mantivera em silêncio. Diante da insinuação de que tivesse falado de modo desrespeitoso ou indiferente sobre a família e a honra dela, ficou enormemente indignado. Ele, que sempre se gabara de ser um Elliot, e cujos sentimentos quanto às conexões familiares eram demasiadamente rigorosos para se adequar ao tom desprendido dos dias atuais. Ficou de fato abismado, mas seu caráter e conduta geral deveriam refutar tudo. Ele daria referências de sir Elliot a todos que o conheciam, e com certeza o esforço que empenhara – aproveitando a primeira oportunidade de reconciliação, de restaurar-se à posição de familiar e herdeiro presumível – era uma prova importante de suas opiniões acerca do assunto.

Às circunstâncias de seu casamento também foram admitidas muitas causas atenuantes. Esse era um tópico no qual ele não entrara; mas um amigo muito íntimo, um tal coronel Wallis, um homem altamente respeitado e um perfeito cavalheiro (e não tinha uma aparência ruim, sir Walter acrescentou), que vivia em grande estilo em Marlborough Buildings, e que tinha, a pedido próprio, sido aceito no círculo deles por meio do sr. Elliot, mencionara uma ou duas coisas em relação ao casamento que causaram uma mudança fundamental no demérito que viam nele.

O coronel Wallis conhecia o sr. Elliot de longa data, havia conhecido também a esposa dele, e compreendera a história totalmente. Ela certamente não vinha de uma família importante, mas era bem-educada, prendada, rica e excessivamente apaixonada pelo seu amigo. Essa fora a magia. Ela o havia escolhido. Sem tal atração, nem todo o dinheiro dela teria tentado Elliot, e sir Walter, dessa forma, foi assegurado de que ela fora uma mulher excelente. Essa foi a grande razão que suavizou o caso. Uma mulher excelente com uma grande fortuna, apaixonada por ele! Sir Walter pareceu aceitar esse como um pedido de desculpas completo; e, embora Elizabeth não visse a circunstância sob uma luz tão favorável, permitiu que fosse um grande atenuante.

O sr. Elliot havia visitado Camden Place repetidas vezes e jantado ali uma vez, evidentemente deleitado com a distinção de ser convidado, pois eles, em geral, não davam jantares; deleitado, em resumo, com cada prova de atenção recebida e colocando toda a sua felicidade no fato de estar intimamente relacionado a Camden Place.

Anne ouviu, mas sem entender realmente. Concessões, grandes concessões, ela sabia, deveriam ser feitas às ideias daqueles que falavam. Ela ouvia tudo sob uma impressão de exagero. Tudo aquilo que soava extravagante e irracional no progresso da reconciliação só poderia ter origem na linguagem dos narradores. Ainda assim, entretanto, ela tinha a sensação de haver ali alguma coisa além do que estava imediatamente aparente no desejo do sr. Elliot, depois de um intervalo de tantos anos, de ser bem recebido pela família. Sob o ponto de vista material, ele não tinha nada a ganhar ao ficar em bons termos com sir Walter, nem nada a arriscar em uma situação de desarmonia. Era muito provável que ele fosse o mais rico dos dois, e a propriedade de Kellynch já seria sua no futuro, assim como o título. Era um homem sensato, e tinha parecido ser um homem muito sensato, por que aquele seria um objetivo para ele? Ela só poderia oferecer uma solução: talvez fosse por causa de Elizabeth. Pode ter havido um sentimento real no passado, apesar de a conveniência e o acaso o terem levado para um caminho diferente; e, agora que podia se permitir satisfazer a si mesmo, talvez quisesse lançar seu charme sobre ela. Elizabeth sem dúvidas era muito bonita, com modos muito educados e elegantes, e o sr. Elliot talvez nunca tivesse chegado a compreender sua figura, pois a conhecera apenas em público, e era muito jovem à época. Como o temperamento e a compreensão dela tolerariam a investigação mais afiada era outra preocupação, e uma bastante temível. Com muita sinceridade Anne desejou que ele não fosse gentil demais, nem observador demais, se Elizabeth fosse o seu objetivo. Que Elizabeth estava disposta a achar que era, e que sua amiga, a sra. Clay, encorajava a ideia, parecia óbvio por um ou dois olhares trocados por elas enquanto falavam das visitas frequentes do sr. Elliot.

Anne mencionou os vislumbres que tivera dele em Lyme, mas não recebeu muita atenção. "Ah, sim! Talvez tenha sido o sr. Elliot. Eles não sabiam. Talvez fosse ele." Não foram capazes de ouvir sua descrição dele; eles mesmos o descreveram, em especial, sir Walter. Ele fez jus à aparência muito distinta dele, seu ar elegante e refinado, o belo formato do rosto, o olhar sensível; porém, ao mesmo tempo, "lamentava que fosse tão queixudo, um defeito que o tempo parece ter aumentado; nem ele poderia dizer que, dez anos mais, quase todos os traços dele não tivessem mudado para pior. O sr. Elliot parecia achar que ele (sir Walter) tinha exatamente a mesma aparência de quando se viram pela última vez". Entretanto, sir Walter "não foi capaz de devolver inteiramente o elogio, o que o deixou constrangido. Ele não tinha a intenção de reclamar, porém. O sr. Elliot tinha uma aparência melhor do que a maioria dos homens, e ele não fazia objeções a ser visto com o herdeiro presumível em nenhum lugar".

O sr. Elliot e seus amigos em Marlborough Buildings foram o tema da conversa a noite inteira. "O coronel Wallis fora tão impaciente para ser apresentado a eles! E o sr. Elliot, tão ansioso para que a apresentação acontecesse!" E havia uma sra. Wallis, até então conhecida somente pela descrição, pois estava confinada em casa, na expectativa da chegada de seu bebê; no entanto, o sr. Elliot a descreveu como "uma mulher extremamente encantadora, muito digna de ser recebida em Camden Place", e assim que ela se recuperasse eles seriam apresentados. Sir Walter pensava bastante na sra. Wallis; diziam que era uma mulher muito bonita, lindíssima. Ele desejava vê-la. Esperava que ela pudesse compensar os vários rostos sem atrativos com que continuamente cruzava nas ruas.

O pior de Bath era o número de mulheres sem atrativos. Ele não tinha a intenção de dizer que não havia mulheres bonitas, mas o número de mulheres sem atrativos era fora de proporção. Observara com frequência, em suas caminhadas, que um rosto bonito seria seguido por trinta, ou trinta e cinco, rostos assustadores; uma vez, quando estava em uma loja em Bond Street, ele contara oitenta e sete mulheres passarem, uma atrás da outra, sem que houvesse um único rosto tolerável entre eles. Tinha sido uma manhã gelada, é verdade, com uma geada cortante, por cujo teste dificilmente uma entre mil mulheres passaria. Mas, ainda assim, certamente havia uma terrível multidão de mulheres feias em Bath. E os homens! Eles eram infinitamente piores. Eram espantalhos que lotavam as ruas! Era evidente o quanto aquelas mulheres eram pouco habituadas à visão de qualquer coisa tolerável, a julgar pelo efeito que um homem de aparência decente produzia. Ele nunca havia andado em lugar nenhum de braços dados com o coronel Wallis (que era uma bela figura militar, apesar dos cabelos cor de areia) sem perceber o olhar de todas as mulheres sobre ele; o olhar de todas as mulheres com certeza estava sobre o coronel Wallis. Como sir Walter era modesto! Ele não escapou, no entanto. A filha e a sra. Clay se uniram para sugerir que talvez a companhia do coronel Wallis tivesse uma aparência tão boa quanto a do coronel Wallis, e com certeza sem os cabelos cor de areia.

— Como está a aparência de Mary? — indagou sir Walter, do alto de seu bom humor. — Da última vez que a vi, ela estava com o nariz vermelho, mas espero que isso não aconteça todos os dias.

— Ah, não, isso deve ter sido bem ocasional. Em geral, ela tem estado com muita saúde e uma ótima aparência desde a Festa de São Miguel Arcanjo.

— Se não achasse que isso a faria querer sair por aí em ventos cortantes e ficar com a pele áspera, eu lhe mandaria um chapéu e uma capa novos.

Anne estava considerando se deveria ousar sugerir que uma camisola ou uma coberta não estariam sujeitos a esse tipo de mau uso quando uma batida na porta interrompeu tudo. "Uma batida na porta! E tão tarde! Eram dez horas. Poderia ser o sr. Elliot? Eles sabiam que ele jantaria em Lansdown Crescent. Era possível que ele parasse ali no caminho para casa para saber como estavam. Não conseguiam pensar em mais ninguém. A sra. Clay decididamente achava que era a batida do sr. Elliot." A sra. Clay estava certa. Com toda a opulência que um mordomo e um criado poderiam oferecer, o sr. Elliot foi conduzido para dentro da sala.

Era o mesmo, exatamente o mesmo homem, a única diferença eram os trajes. Anne se retraiu um pouco, enquanto os outros recebiam seus cumprimentos, e sua irmã, seu pedido de desculpas pela visita tão fora de hora, mas "ele não poderia estar tão perto sem desejar saber se ela ou a amiga tinham pegado um resfriado no dia anterior!" etc., e tudo foi dito com muita polidez, e recebido com muita polidez, mas a parte de Anne viria em seguida. Sir Walter falou da filha mais nova: "Sr. Elliot, permita-me apresentar minha filha mais nova" (não havia ocasião para se lembrar de Mary), e Anne, sorrindo e corando, com muita lisura, mostrou ao sr. Elliot as belas feições que ele de forma alguma esquecera, e instantaneamente ela viu, divertida com o ligeiro sobressalto de surpresa dele, que ele não fazia ideia de quem ela era. Ele parecia completamente atônito, mas não mais atônito que satisfeito: seus olhos cintilaram! E com o mais perfeito entusiasmo, ele reconheceu o parentesco, fez alusão ao passado e suplicou para já ser considerado um conhecido. Ele tinha aparência tão boa quanto Anne havia reparado em Lyme, sua fisionomia melhorava ao falar e seus modos eram exatamente como deveriam ser, tão polidos, tão aprazíveis e tão particularmente agradáveis que ela só poderia compará-los, em excelência, aos modos de uma única pessoa. Não eram iguais, mas eram, talvez, igualmente bons.

Ele sentou-se com a família, e a conversa melhorou muito. Não poderia haver dúvidas de que ele era um homem sensato. Bastaram dez minutos para atestar isso. Seu tom, suas expressões, a escolha de assunto, a percepção de quando deveria parar; tudo isso era operação de uma mente sensata e perspicaz. Assim que conseguiu, começou a conversar com Anne sobre Lyme, desejando comparar opiniões a respeito do lugar, mas especialmente desejando falar da circunstância de serem hóspedes do mesmo lugar ao mesmo tempo; contou sobre a rota que havia seguido, entendeu um pouco da dela e lamentou que tivesse perdido aquela oportunidade de cumprimentá-la. Ela fez um pequeno resumo de seu grupo e dos acontecimentos em Lyme. Seu arrependimento crescia conforme ele ouvia. Ele passara uma noite solitária inteira no quarto ao lado do deles, ouvira vozes e alegria contínua; achara que devia ser um grupo de pessoas muito agradáveis, desejou estar com elas, mas, certamente, sem a menor suspeita de que tinha algum direito de se apresentar. Se apenas tivesse perguntado quem eram as pessoas daquele grupo! O sobrenome Musgrove teria revelado o suficiente. "Bem, isso serviria para curá-lo de uma prática absurda de nunca perguntar algo em uma hospedaria, que ele adotara ainda rapazote, pelo princípio de que não é educado ser curioso."

— As ideias de um rapazote de vinte e um ou vinte e dois anos — disse ele — acerca dos modos necessários para que tenha distinção são mais absurdas, acredito eu, do que as de qualquer outro grupo de seres do mundo. A tolice dos meios que com frequência utilizam é comparável apenas à tolice do que têm em vista.

Porém, ele não deveria estar direcionando suas reflexões apenas a Anne, e sabia disso. Logo estava mais uma vez difundido entre os outros, e era somente durante intervalos que podia retornar a Lyme.

Suas indagações, contudo, produziram um relato extenso da cena em que estivera envolvida ali logo após ele deixar o lugar. Havendo a menção a "um acidente", ele precisava ouvir a história inteira. Quando fez perguntas, sir Walter e Elizabeth começaram a perguntar também, mas a diferença no modo de fazê-lo não poderia passar despercebida. Ela só conseguia comparar o sr. Elliot a lady Russell no desejo de realmente entender o que havia se passado e no grau de preocupação pelo que ela devia ter sofrido ao testemunhar o evento.

Ele ficou uma hora com eles. O pequeno e elegante relógio na cornija havia anunciado "onze horas com seus sons metálicos", e o guarda noturno começava a ser ouvido a distância avisando o mesmo, antes que o sr. Elliot ou qualquer um ali parecesse sentir que a visita estivesse durando tempo demais.

Anne não teria sido capaz de imaginar ser possível que sua primeira noite em Camden Place pudesse ter se passado tão bem!

Capítulo 16

Havia um ponto em relação ao qual Anne, ao retornar para sua família, ficaria mais satisfeita do que averiguar se o sr. Elliot estava apaixonado por Elizabeth, que era se assegurar de que seu pai *não* estivesse apaixonado pela sra. Clay; e ela estava longe de se sentir tranquila quanto a isso depois de apenas algumas horas em casa. Ao descer para o café na manhã seguinte, ela descobriu que havia um fingimento meticuloso da dama, que dizia ter a intenção de partir. Imaginava ter ouvido a sra. Clay dizer "agora que a srta. Anne chegou, suponho que minha presença não é nada desejada", pois Elizabeth respondia, em um tipo de sussurro:

— Não há nenhuma razão para isso, não há mesmo. Garanto-lhe que não acho isso. Ela não significa nada para mim em comparação a você.

E chegou a tempo de ouvir o pai dizer:

— Minha querida senhora, não é necessário. Até o momento, a senhora não viu nada de Bath. Esteve aqui apenas sendo útil para nós. Não precisa fugir agora. Deve ficar para conhecer a sra. Wallis, a bela sra. Wallis. Para sua mente refinada, sei bem que a apreciação da beleza é um verdadeiro prazer.

Ao falar, ele parecia ter tanta franqueza que Anne não ficou surpresa em perceber a sra. Clay olhando disfarçadamente para Elizabeth e para ela mesma. Talvez seu semblante expressasse cautela, mas o elogio à sua "mente refinada" não pareceu incitar nenhum pensamento na irmã. A dama não tinha escolha a não ser se render a tais súplicas conjuntas e prometer ficar.

Ao longo da mesma manhã, Anne e o pai por acaso se viram sozinhos, e ele começou a elogiá-la por sua aparência melhorada; achava que ela estava "menos magra no corpo e nas bochechas; a pele e a cútis melhoraram muito, estavam mais claras, mais frescas. Ela estava usando algo em particular?"

— Não, nada.

— Apenas Gowland[3]? — supôs ele.

— Não, nada mesmo.

—Ah! — ele ficou surpreso com isso, e acrescentou: — Sem dúvida, o melhor a fazer é continuar como está. Não há como ficar melhor do que isso. Ou talvez eu possa recomendar Gowland, o uso constante de Gowland durante os meses de primavera. A sra. Clay tem usado sob minha recomendação, e o resultado é visível. Veja como levou embora as sardas dela.

Se Elizabeth ouvisse aquilo! Um elogio tão pessoal talvez a atingisse, especialmente porque não parecia para Anne que as sardas tivessem sido reduzidas. Mas é preciso dar chance a tudo. O mal daquele casamento seria muito minimizado se Elizabeth também se casasse. E quanto a ela mesma, sempre poderia comandar um lar com lady Russell.

A mente tranquila e os modos educados de lady Russell foram postos à prova àquela altura em suas relações com Camden Place. A visão da sra. Clay sob tanto favoritismo, enquanto Anne era tão menosprezada, era uma eterna provocação para ela ali, e a incomodava muito quando estava longe, ou tanto quanto uma pessoa, em Bath, que bebe suas águas, recebe todas as novas publicações e conhece muitas pessoas tem tempo para se incomodar.

À medida que conhecia o sr. Elliot, lady Russell se tornou mais tolerante, ou mais indiferente, em relação aos outros. Os modos dele representavam uma recomendação imediata, e, ao conversarem, ela descobriu tamanha solidez sustentando a superficialidade que, a princípio, como disse a Anne, estava pronta para exclamar: "Seria *este* o sr. Elliot?",

---

[3] A loção facial Gowland era usada para uniformizar e suavizar a pele, eliminando manchas e sardas.

e não conseguiu imaginar um homem mais agradável ou estimável. Ele reunia tudo: boa compreensão, opiniões corretas, conhecimento do mundo e um coração caloroso. Tinha fortes sentimentos a respeito da ligação familiar e da honra familiar, sem orgulho nem fraqueza, vivia com a liberdade de um homem de posses, sem se exibir; fazia seu próprio julgamento acerca de tudo o que era essencial, sem desafiar a opinião pública em nenhum ponto de decoro secular. Era resoluto, observador, moderado, sincero, nunca se deixava levar pelos ânimos ou pelo egoísmo, o que sugeria uma forte convicção; e, ainda assim, tinha uma sensibilidade ao que era amável e gracioso, e valorizava todas as alegrias de uma vida doméstica, coisas que personalidades de falso entusiasmo e agitação violenta raramente têm. Ela tinha certeza de que ele não havia sido feliz no casamento. O coronel Wallis o disse, e lady Russell viu; mas não fora uma infelicidade a ponto de amargurar-lhe a mente nem (ela logo começou a suspeitar) de evitar que pensasse em uma segunda escolha. A satisfação dela com o sr. Elliot sobrepujou toda a praga da sra. Clay.

Já fazia alguns anos agora desde que Anne começara a compreender que ela e sua grande amiga podiam, às vezes, pensar diferente; portanto, não a surpreendeu que lady Russell não enxergasse nada de suspeito ou inconsistente, nada que exigisse mais motivos do que estava aparente, no enorme desejo de reconciliação do sr. Elliot. Na visão de lady Russell, era perfeitamente natural que o sr. Elliot, em um período mais maduro da vida, sentisse que era um objetivo muito desejável, e que estar em bons termos com o chefe da família poderia render-lhe recomendações entre todas as pessoas sensatas. Era o processo mais simples do mundo, o tempo atuando em uma mente naturalmente lúcida e que tinha errado apenas no auge de sua juventude. Anne, porém, atreveu-se a rir diante disso, e por fim mencionou "Elizabeth". Lady Russell ouviu, observou-a e deu apenas esta resposta cautelosa:

— Elizabeth! Muito bem. O tempo dirá.

Era uma referência ao futuro, ao que Anne, depois de um pouco de ponderação, sentiu que deveria se render. Ela não conseguia precisar nada no presente. Naquela casa, Elizabeth deveria vir primeiro, e tamanho era o seu hábito de atrair as atenções gerais como "srta. Elliot" que qualquer atenção a outra pessoa parecia quase impossível. Deveria ser lembrado também que o sr. Elliot era viúvo havia menos de sete meses. Uma pequena demora de sua parte era bastante perdoável. Na verdade, Anne não conseguia ver a fita de luto no chapéu dele sem temer que ela fosse imperdoável por atribuir a ele tais especulações. Embora o casamento dele não tivesse sido muito feliz, ainda assim sobrevivera por tantos anos que ela não seria capaz de compreender uma recuperação muito rápida do terrível sentimento de vê-lo desvanecer.

Como quer que tudo terminasse, sem sombra de dúvida, ele era o conhecido mais agradável que tinham em Bath: ela não via ninguém como ele, e era um grande prazer conversar de vez em quando com ele sobre Lyme, lugar que o sr. Elliot parecia muito vividamente desejar ver mais uma vez, conhecer mais, tanto quanto ela. Os dois relembraram os detalhes de seu primeiro encontro várias vezes. Ele deu a entender que a olhara com algum fervor. Ela o sabia bem, e se lembrava também do olhar de outra pessoa.

Eles nem sempre concordavam. Ela percebeu que ele valorizava mais que ela a posição social e conexões familiares. Não era mera complacência, parecia ser um gosto pelo tema que o fazia entrar calorosamente nas diligências do pai e da irmã acerca de um assunto que ela considerava não merecer a atenção deles. Certa manhã, o jornal de Bath anunciou a chegada da viscondessa viúva Dalrymple e da filha dela, a ilustre srta. Carteret, e toda a calma de Camden Place foi varrida por muitos dias. As Dalrymple (muito infelizmente, na opinião de Anne) eram primas dos Elliot, e a inquietação agora era como eles se apresentariam adequadamente.

Anne nunca havia visto o pai e a irmã em contato com a nobreza antes, e teve que admitir que ficou desapontada. Ela havia esperado mais das ideias elevadas que eles tinham da própria situação de vida, e ficou desalentada a ponto de conceber um desejo que nunca previra: um desejo de que fossem mais orgulhosos; pois "nossas primas, lady Dalrymple e a srta. Carteret" e "nossas primas, as Dalrymple" ressoaram nos seus ouvidos o dia inteiro.

Sir Walter estivera, certa vez, na companhia do falecido visconde, mas nunca tinha visto o restante da família. E as dificuldades do caso se originavam a partir da completa suspensão da troca de cartas formais desde a morte do tal visconde falecido, quando, em razão de uma perigosa doença de sir Walter na mesma época, houve uma desafortunada omissão da parte de Kellynch. Nenhuma carta de condolências havia sido enviada à Irlanda. A negligência foi devolvida e recaiu sobre a cabeça do pecador, pois, na ocasião da morte da pobre lady Elliot, nenhuma carta de condolências foi recebida em Kellynch, e, sendo assim, houve razão mais do que suficiente para apreender que os Dalrymple consideravam a relação encerrada. Como ter esse cenário desolador endireitado, e ser admitidos como primos novamente, era a questão; e era uma questão que, de uma maneira mais racional, nem lady Russell nem o sr. Elliot consideravam desimportante. Valia a pena sempre preservar relações familiares, valia a pena sempre buscar boas companhias; lady Dalrymple havia alugado uma casa por três meses em Laura Place, onde residiria com requinte. Ela estivera em Bath no ano anterior, e lady Russell ouvira falar que ela era uma mulher encantadora. Era muito desejável que a relação fosse restaurada, se isso fosse possível, sem nenhum prejuízo à dignidade da parte dos Elliot.

Sir Walter, no entanto, escolheria seus próprios meios, e por fim escreveu uma carta muito distinta repleta de explicações, arrependimentos e súplicas à sua ilustre prima. Nem lady Russell nem o sr. Elliot apreciaram a carta, mas ela cumpriu o objetivo de trazer três linhas rabiscadas da viscondessa viúva. "Ela estava muito honrada e ficaria feliz em conhecê-los." Os agrores da questão estavam resolvidos, que viessem as doçuras. Eles visitaram Laura Place, pegaram os cartões de visita da viscondessa viúva de Dalrymple e da ilustre srta. Carteret para que ficassem onde fossem mais visíveis, e as frases "nossas primas em Laura Place" e "nossas primas, lady Dalrymple e srta. Carteret" eram ditas a todo mundo.

Anne se sentia constrangida. Se lady Dalrymple e a filha ao menos tivessem sido muito agradáveis, ela ainda assim se sentiria constrangida pela agitação que criaram, mas elas não eram nada afáveis. Não havia superioridade nos modos, nos talentos nem no entendimento. Lady Dalrymple havia adquirido a designação de "uma mulher encantadora" porque sempre tinha um sorriso e uma resposta cortês para todos. A srta. Carteret tinha ainda menos a dizer, e era tão sem graça e tão esquisita que nunca teria sido tolerada em Camden Place se não fosse por sua nascença.

Lady Russell confessou que havia esperado algo melhor, mas, mesmo assim, "era uma relação que valia a pena", e quando Anne ousou dar sua opinião sobre elas ao sr. Elliot, ele concordou que as duas, em si, não eram nada, mas ainda manteve que, como ligação familiar, como boas companhias e como pessoas que reuniriam boas companhias ao seu redor, elas tinham seu valor. Anne sorriu e disse:

— Minha ideia de boa companhia, sr. Elliot, é a companhia de pessoas inteligentes e bem-informadas, com quem é possível conversar longamente. É isso que eu chamo de boa companhia.

— A senhorita está equivocada — ele respondeu, com gentileza. — Companhia assim não é boa, é excelente. Boa companhia exige apenas berço, educação e maneiras, e o aspecto da educação não é muito rigoroso. Berço e boas maneiras são essenciais, mas um pouco de erudição não é, de forma alguma, algo perigoso para uma boa companhia; pelo contrário, faria muito bem. Minha prima Anne balança a cabeça. Ela não está satisfeita. É difícil de agradar. Minha prima querida — disse ele, sentando-se ao lado dela —, a senhorita é quem tem mais direito de ser difícil de agradar entre quase todas as mulheres que conheço, mas isso bastará? Isso a fará feliz? Não seria mais sensato aceitar a sociedade dessas duas boas damas em Laura Place e aproveitar todos os benefícios da relação o máximo possível? Pode confiar em uma coisa, elas circularão nas melhores rodas de Bath neste inverno, e, como posição social é posição social, todos saberem que vocês são parentes delas será vantajoso para estabelecer sua família (nossa família, permita-me dizer) no grau de consideração que todos devemos almejar.

— Sim — Anne suspirou. — Todos devem saber, de fato, que somos parentes delas! — Então, recompondo-se, e sem desejar nenhuma resposta, ela acrescentou: — Eu certamente acho que houve empenho demais na busca dessa relação. Suponho — sorriu ela — que tenho mais orgulho do que qualquer um de vocês, mas confesso que me incomoda o fato de termos que estar tão ansiosos pelo reconhecimento do parentesco, o que, não duvide, é uma questão perfeitamente indiferente para elas.

— Perdoe-me, prima querida, está sendo injusta com seus próprios direitos. Talvez em Londres, em seu atual estilo de vida tranquilo, possa ser como diz. Mas em Bath, sir Elliot e sua família sempre serão figuras que vale a pena conhecer, sempre serão aceitos como amigos.

— Bem — Anne disse —, eu com certeza sou orgulhosa, orgulhosa demais para apreciar uma recepção que depende totalmente de posição social.

— Adoro sua indignação — ele respondeu —, é muito natural. No entanto, aqui está em Bath, e o propósito é se estabelecer aqui, com toda a honra e toda a dignidade que devem pertencer a sir Walter Elliot. A senhorita fala de orgulho... Dizem que sou orgulhoso, eu sei, e não tenho intenção de me enxergar de outra forma, pois o nosso orgulho, se fosse examinado, teria o mesmo propósito, não tenho dúvidas, embora os tipos possam parecer um pouco diferentes. Em um ponto, tenho certeza, minha prima querida — ele continuou, falando mais baixo, apesar de não haver mais ninguém no cômodo —, em um ponto, tenho certeza, devemos sentir a mesma coisa. Devemos sentir que toda adição ao círculo social do seu pai, da mesma classe ou de classes superiores, servirá para desviar seus pensamentos em relação a quem está abaixo dele.

Ele olhou, enquanto falava, para o assento que a sra. Clay vinha ocupando ultimamente, uma indicação suficiente do que queria dizer. Apesar de Anne não acreditar que eles tivessem o mesmo tipo de orgulho, ficou satisfeita por ele não gostar da sra. Clay, e sua própria consciência admitiu que o desejo dele de promover a busca do pai dela por relacionamentos melhores era mais do que perdoável no intuito de derrotá-la.

Capítulo 17

Enquanto sir Walter e Elizabeth assiduamente aproveitavam a boa sorte em Laura Place, Anne resgatava uma relação de uma categoria bem diferente.

Ela tinha visitado uma antiga governanta, de quem ouvira que uma velha colega de escola estava em Bath. A srta. Hamilton, agora sra. Smith, havia lhe demonstrado bondade em um dos períodos da vida em que mais lhe fora inestimável. Anne fora para a escola infeliz, enlutada pela perda da mãe, a quem amava profundamente, sentindo a separação de casa e sofrendo como uma menina de catorze anos, com extrema sensibilidade e ânimos não muito elevados, sofreria em um momento como aquele. A srta. Hamilton, três anos mais velha que Anne, mas que, pela necessidade de relações mais próximas e um lar estruturado, ficara mais um ano na escola, havia sido útil e bondosa com ela de uma maneira que abrandara consideravelmente sua desolação, portanto, nunca poderia sem lembrada com indiferença.

A srta. Hamilton havia deixado a escola e se casado não pouco tempo depois, diziam que com um homem de posses, e isso era tudo o que Anne sabia sobre ela até então, quando o relato da governanta trouxe à tona a antiga amiga com informações mais precisas, mas muito diferentes.

Ela estava viúva e pobre. O marido tinha sido extravagante, e sua morte, aproximadamente dois anos antes, deixara os negócios terrivelmente complicados. Ela tivera que lidar com dificuldades de toda sorte e, além de todos esses infortúnios, fora acometida por uma grave febre reumática que, por fim, afetou suas pernas e a deixou aleijada. Essa havia sido a razão pela qual ela se mudara para Bath, e agora estava em instalações próximas às termas romanas, vivendo de uma maneira muito humilde, incapaz até de pagar pelo conforto de uma criada e, é claro, quase totalmente excluída da sociedade.

A amiga em comum demonstrou a satisfação que uma visita da srta. Elliot causaria na sra. Smith, e, portanto, Anne não perdeu tempo e foi. Ela não comentou em casa nada do que tinha ouvido nem do que pretendia fazer. Isso não suscitaria nenhum interesse ali. Consultou apenas lady Russell, que compreendia inteiramente seus sentimentos e ficou muito feliz por levá-la o mais perto possível das instalações da sra. Smith, em Westgate Buildings, como Anne desejou.

A visita foi feita, a relação, resgatada, e o interesse de uma pela outra, mais do que reaceso. Os primeiros dez minutos tiveram seus embaraços e suas emoções. Doze anos haviam se passado desde que as duas se separaram, e cada uma apresentava uma pessoa de certo modo diferente daquela que a outra imaginara. Doze anos haviam transformado Anne, de uma menina de quinze anos florescente, quieta e imatura em uma mulher pequena e elegante de vinte e sete anos, com toda a beleza, exceto o frescor da juventude, e com modos tão conscientemente corretos quanto invariavelmente gentis. E doze anos haviam transformado a vistosa e crescida srta. Hamilton, em todo o fulgor da saúde e confiança da superioridade, em uma viúva pobre, enferma e desvalida, recebendo a visita de sua antiga protegida como um favor. Mas todo o desconforto do reencontro logo passou, e restou apenas o charme interessante de rememorar antigas predileções e conversar sobre os velhos tempos.

Anne encontrou na sra. Smith o bom senso e as maneiras agradáveis nos quais quase se arriscou a confiar, e uma disposição para conversar e para a animação além do que esperava. Nem os esbanjamentos do passado – ela tivera uma vida bem mundana – nem as restrições do presente, nem a doença ou o pesar pareciam ter fechado seu coração ou arruinado seu ânimo.

No decorrer de uma segunda visita, ela falou com muita franqueza, e a admiração de Anne cresceu. Ela mal conseguia imaginar uma situação mais triste do que a da sra. Smith. A amiga tinha sido muito apaixonada pelo marido; enterrara-o. Era acostumada à abundância; tudo havia acabado. Não tinha filhos para se reconectar à vida e à felicidade, nenhum familiar para ajudá-la na administração dos negócios complicados, nem saúde para tornar todo o resto suportável. Suas acomodações se limitavam a uma sala de estar barulhenta e um quarto escuro nos fundos, sem a menor possibilidade de se mover entre um e outro sem ajuda – só lhe era possível custear uma criada na casa –, e ela nunca saía senão para ser levada às termas. Ainda assim, apesar de tudo isso, Anne tinha razão para acreditar que ela tivesse apenas alguns momentos de languidez e depressão, e horas de ocupação e divertimento. Como era possível? Ela olhou, observou e, por fim, determinou que esse não era um caso somente de fortaleza ou resignação. Um espírito submisso talvez fosse paciente, um entendimento forte possibilitaria resolução, mas havia algo mais: havia aquela elasticidade da mente, aquela disposição para ser confortada, aquele poder de, sem hesitação, transformar o mau em bom e de encontrar ocupações que a distraíssem, o que era próprio da natureza. Era o mais extraordinário presente dos Céus, e Anne enxergava a amiga como um daqueles exemplos que, por uma designação misericordiosa, parecem ser criados para equilibrar qualquer outra necessidade.

Houvera um tempo, a sra. Smith lhe contara, que seu ânimo quase havia falhado. Ela não podia se classificar como inválida agora em comparação ao seu estado quando chegara a Bath. Naquela ocasião ela era, de fato, uma figura lastimável, pois fora acometida por um resfriado durante a viagem, e mal havia tomado posse de suas acomodações antes que ficasse mais uma vez confinada à cama, sofrendo com uma dor severa e constante, e tudo isso em meio a estranhos, com a necessidade absoluta de uma enfermeira regular e com as finanças particularmente inadequadas naquele momento para cobrir quaisquer despesas extraordinárias. Ela venceu essas intempéries, porém, e podia dizer com sinceridade que elas a tinham feito bem. Servia-lhe de consolo o fato de sentir que estava em boas mãos. Havia visto demais do mundo para esperar uma ligação repentina e desinteressada em qualquer lugar, mas a enfermidade lhe provara que sua senhoria tinha uma reputação a ser preservada e não se aproveitaria dela; e ela fora especialmente afortunada com a enfermeira, irmã da senhoria, uma enfermeira por profissão que sempre tinha um lar naquela casa quando não estava empregada e que calhou de estar livre no momento exato para atendê-la.

— E ela — disse a sra. Smith —, além de cuidar de mim de forma muito admirável, provou ser uma relação valiosa. Assim que pude usar minhas mãos, ela me ensinou a tricotar, o que tem sido um enorme divertimento. E me mostrou como fazer essas caixinhas de costura, almofadas para alfinetes e porta-cartões, com os quais você sempre me encontra ocupada e que me oferecem os meios de fazer algum bem para uma ou duas famílias pobres desta vizinhança. Ela conhece muitas pessoas, profissionalmente, é claro, entre aqueles que podem comprar, e distribui minha mercadoria. Ela sempre encontra o momento certo de oferecer. O coração de todo mundo se abre, sabe, quando se escapou recentemente de uma dor severa, ou quando se está se recuperando de uma bênção da saúde, e a enfermeira Rooke compreende exatamente quando falar. Ela é uma mulher astuta, inteligente e sensível. A linha dela é uma que enxerga a natureza humana, e ela tem muito bom senso e é observadora, o que, como acompanhante, a torna infinitamente superior a milhares daquelas que, tendo recebido apenas "a melhor educação do mundo", não sabem de nada que valha a pena prestar atenção. Chame de fofoca se quiser, mas, quando a enfermeira Rooke tem meia hora livre para me conceder, sempre tem algo a contar que é divertido e útil, algo que nos faz conhecer melhor nossa espécie. Todo mundo gosta de saber o que está acontecendo, de estar informado sobre as últimas modas frívolas e bobas. Para mim, que vivo tão sozinha, conversar com ela, asseguro, é como um tratamento.

Anne, longe de pretender condenar tal deleite, respondeu:

— Consigo facilmente acreditar nisso. Mulheres dessa classe têm ótimas oportunidades, e, se forem inteligentes, talvez valha mesmo a pena ouvi-las. Tantas variedades da natureza humana são as que elas têm o hábito de testemunhar! E não é apenas nas bobagens que são ensinadas, pois ocasionalmente se veem sob circunstâncias que podem ser interessantes ou tocantes. Quantos exemplos devem se passar diante delas de afeição ardente, desinteressada e altruísta, de heroísmo, fortaleza, paciência, resignação, de todos os conflitos e de todos os sacrifícios que enobrecem a maioria de nós. O quarto de um doente pode muitas vezes propiciar o valor encontrado nos livros.

— Sim — a sra. Smith concordou, um pouco em dúvida. — Às vezes, podem mesmo, embora eu tema que essas lições nem sempre tenham um estilo tão elevado quanto você descreve. Aqui e ali, a natureza humana pode ser grandiosa em momentos de adversidade, mas, no geral, é a fraqueza, e não a força, que aparece no quarto de um doente: é do egoísmo e da impaciência, em vez da generosidade e da fortaleza, que se ouve falar. Existe tão pouca amizade verdadeira no mundo! E, infelizmente — ela continuou, com a voz baixa e trêmula —, existem muitos que se esquecem de pensar com seriedade até que seja quase tarde demais.

Anne viu o desconsolo de tais sentimentos. O marido não tinha sido quem deveria, e a esposa fora levada àquela parte da humanidade que a fazia julgar o mundo pior do que esperava que fosse. Foi apenas uma emoção passageira da sra. Smith, no entanto. Ela a rejeitou e logo acrescentou, em um tom diferente:

— Não acho que a situação atual de minha amiga sra. Rooke vá me propiciar algo de interessante ou edificante. Ela está cuidando apenas da sra. Wallis, de Marlborough Buildings, que não passa de uma mulher bonita, boba, dispendiosa e de algum estilo, acredito eu. E, é claro, ela não terá nada para contar a não ser sobre rendas e ornamentos. No entanto, pretendo lucrar com a sra. Wallis. Ela tem muito dinheiro, e minha intenção é que ela compre todos os itens caros que tenho em mãos agora.

Anne já havia feito várias visitas à amiga antes que a existência daquela pessoa fosse conhecida em Camden Place. Por fim, tornou-se necessário falar dela. Sir Walter, Elizabeth e a sra. Clay, certa manhã, voltaram de Laura Place com um convite repentino de lady Dalrymple para aquela mesma noite, mas Anne já estava comprometida a passar a noite em Westgate Buildings. Ela não lamentou ter uma desculpa. Eles só foram convidados, ela tinha certeza, porque lady Dalrymple, mantida em casa em razão de um forte resfriado, estava feliz em se aproveitar do relacionamento que fora imposto a ela. Anne recusou o convite em seu nome com grande entusiasmo: "Estava comprometida a passar a noite com uma velha colega de escola". Eles não tinham lá muito interesse em nada relacionado a Anne, mas ainda assim houve perguntas o suficiente para que ficasse claro quem era essa antiga colega de escola. Elizabeth foi desdenhosa, e sir Walter, severo:

— Westgate Buildings! — exclamou ele. — E quem é que a srta. Anne Elliot vai visitar em Westgate Buildings? Uma sra. Smith. Uma sra. Smith viúva, e quem era seu marido? Um dos cinco mil senhores Smith cujos nomes se encontram por todo lado. E qual é o atrativo? Que está velha e doente. Dou minha palavra, srta. Anne Elliot, você tem a predileção mais estapafúrdia! Tudo o que causa repugnância em outras pessoas, más companhias, lugares desprezíveis, ar viciado, relações repulsivas, tudo isso lhe é convidativo. Mas com certeza você pode adiar essa velha senhora até amanhã: ela não está tão perto do fim, presumo eu, a ponto de não esperar viver mais um dia. Quantos anos ela tem? Quarenta?

— Não, senhor, ela não tem nem trinta e um. Mas não acredito que eu possa adiar nosso compromisso, pois é a única noite nos próximos dias que convém tanto para ela quanto para mim. Ela irá às termas amanhã, e, pelo resto da semana, o senhor sabe, nós temos compromissos.

— Mas o que lady Russell acha dessa relação? — Elizabeth inquiriu.

— Ela não vê nada que deva ser censurado — Anne respondeu. — Pelo contrário, ela aprova, e geralmente tem me levado quando vou visitar a sra. Smith.

Devem ter ficado muito surpresos em Westgate Buildings com a aparição de uma carruagem subindo pelo seu calçamento — observou sir Walter. — A viúva de sir Henry Russell não tem títulos que distingam seu brasão, é verdade, mas ainda assim é uma bela carruagem, e sem dúvida é distinta o bastante para transportar uma srta. Elliot. Uma sra. Smith viúva, acomodada em Westgate Buildings! Uma pobre viúva mal capaz de viver, entre trinta e quarenta anos. Uma reles sra. Smith, uma sra. Smith qualquer, de todas as pessoas e de todos os sobrenomes do mundo, foi escolhida para ser amiga da srta. Anne Elliot e para ser preferida por ela em vez de suas próprias relações familiares entre a nobreza da Inglaterra e da Irlanda! Sra. Smith! Que nome!

A sra. Clay, que esteve presente enquanto tudo isso se passava, agora considerou mais conveniente deixar o cômodo. Anne poderia ter dito muitas coisas, e sentiu vontade de dizer algumas em defesa da amiga, cujas reivindicações não diferiam muito das dos amigos deles, mas seu senso de respeito pessoal pelo pai a impediu. Ela não disse mais nada. Deixou que ele mesmo se lembrasse que a sra. Smith não era a única viúva em Bath entre trinta e quarenta anos com parcos meios para sobreviver e nenhum sobrenome de respeito.

Anne manteve o seu compromisso, os outros mantiveram o deles, e, é claro, ela ouviu na manhã seguinte que eles tiveram uma noite incrível. Ela havia sido a única ausência do grupo, pois sir Walter e Elizabeth não apenas estiveram eles mesmos a serviço de sua senhoria como também ficaram verdadeiramente felizes de serem incumbidos de buscar outros, e tiveram o trabalho de convidar lady Russell e o sr. Elliot; o sr. Elliot fez questão de deixar o coronel Wallis mais cedo, e lady Russell rearranjara todos os seus compromissos da noite a fim de atendê-la. Anne ouviu de lady Russell todas as histórias que uma noite como aquela podia proporcionar. Para ela, o mais interessante era que a amiga e o sr. Elliot conversaram bastante; que sua presença fora desejada, sua ausência, lamentada, e, ao mesmo tempo, ela fora exaltada por faltar em razão de tal causa. Suas visitas gentis e compassivas à antiga colega de escola, doente e combalida, pareceram ter encantado o sr. Elliot. Ele a considerou uma moça das mais extraordinárias: em seu temperamento, seus modos, sua mente, um modelo de excelência feminina. Até acompanhou lady Russell em uma discussão a respeito dos méritos dela; e Anne não poderia ser levada a saber tanto através da amiga, não poderia descobrir que era tida em tão alta conta por um homem sensato, sem experimentar várias daquelas sensações agradáveis que a amiga procurava provocar.

Lady Russell agora estava perfeitamente decidida a respeito de sua opinião sobre o sr. Elliot. Ela estava muito convencida da pretensão dele de ganhar Anne com o tempo, e também de que ele era digno dela, e começava a calcular o número de semanas que o libertaria de todas as restrições restantes da viuvez, deixando-o livre para manifestar abertamente seus poderes de sedução. Não demonstrou a Anne metade da certeza que sentia acerca do assunto, apenas arriscou um pouco mais do que dicas do que poderia acontecer no futuro, de uma possível afeição da parte dele, de como essa aliança era desejável, supondo que essa afeição fosse real e recíproca. Anne a ouviu sem fazer exclamações calorosas; apenas sorriu, corou e gentilmente balançou a cabeça.

— Não sou nenhuma casamenteira, como você bem sabe — disse lady Russell —, dado que tenho consciência demais da incerteza de todos os eventos e elucubrações humanas. Só pretendo dizer que, se o sr. Elliot, em algum momento, cortejá-la, e se estiver disposta a aceitá-lo, acredito que existiria toda a possibilidade de que vocês fossem felizes juntos. Todos considerariam uma união muito apropriada, mas também acho que seria muito feliz.

— O sr. Elliot é um homem extremamente agradável, e em muitos aspectos eu o tenho em alta conta — Anne respondeu. — Mas não seríamos compatíveis.

Lady Russell deixou passar o comentário e apenas replicou:

— Confesso que poder vê-la como a futura senhora de Kellynch, a futura lady Elliot, ansiando vê-la ocupar o lugar de sua querida mãe, sucedendo-a em todos os direitos e em toda a popularidade dela, assim como em todas as virtudes, seria para mim a maior gratificação possível. Você é a imagem de sua mãe em aparência e disposição e, se me permite imaginar você tal como ela era, em situação, nome e residência, presidindo e abençoando no mesmo lugar, e superior a ela apenas sendo mais valorizada! Minha querida Anne, isso seria para mim um deleite maior do que o habitual a essa altura da minha vida!

Anne foi obrigada a virar-se, levantar-se e caminhar até uma mesa distante e, debruçando-se ali em uma ocupação fingida, tentar controlar os sentimentos suscitados por essa imagem. Por alguns momentos, sua imaginação e seu coração foram enfeitiçados. A ideia de se tornar o que a mãe havia sido, de ter o precioso epíteto de "lady Elliot" revivido nela mesma, de voltar a Kellynch, a possibilidade de poder chamar-lhe novamente de lar, seu lar para sempre, era um feitiço ao qual ela não conseguiu resistir de imediato. Lady Russell não disse mais nenhuma palavra, disposta a deixar o assunto operar sozinho e acreditando que, se o sr. Elliot pudesse, naquele momento, falaria com propriedade por si mesmo!... Ela acreditava, em resumo, no que Anne não acreditava. A mesma imagem do sr. Elliot falando por si mesmo fez Anne se recompor. O feitiço de Kellynch e de "lady Elliot" desvaneceu por completo. Ela nunca poderia aceitá-lo. E não somente porque seus sentimentos ainda eram avessos a todos os homens, com exceção de um; seu julgamento, em uma consideração séria das possibilidades de tal caso, ia contra o sr. Elliot.

Embora já convivessem havia um mês, ela não achava que conhecia de verdade o caráter dele. Que ele era um homem sensato e agradável, que falava bem, professava opiniões honradas e parecia julgar adequadamente como um homem de princípio, tudo isso era claro o bastante. Ele sem dúvidas sabia o que era correto, e ela não conseguia identificar nenhum dever moral que ele manifestamente transgredisse, mas, ainda assim, teria temido responder pela conduta dele. Ela não confiava no passado, e talvez nem no presente. Os nomes ocasionalmente citados de antigos amigos, as alusões a antigas práticas e propósitos, sugeriam suspeitas não favoráveis a quem ele tinha sido. Ela percebia que houvera maus hábitos, que viagens aos domingos eram comuns[4], que houve um período na vida dele (e que, provavelmente, não havia sido curto) em que ele fora, no mínimo, negligente com todos os assuntos sérios e que, embora agora ele pudesse pensar de forma muito diferente, quem poderia responder pelos verdadeiros sentimentos de um homem astuto e cauteloso, com idade o suficiente para apreciar um caráter justo? Como algum dia poderia se afirmar que a mente dele havia sido limpa de verdade?

O sr. Elliot era racional, discreto e refinado, mas não era aberto. Nunca havia nenhum rompante de sentimento, nenhum fervor de

---

[4] Indicativo de que ele não frequentava a igreja com regularidade.

indignação ou deleite diante do bem ou do mal dos outros. Isso, para Anne, era decididamente uma imperfeição. As primeiras impressões dela eram irremediáveis. Ela estimava as personalidades francas, generosas e vivazes acima de todas as outras. Fervor e entusiasmo ainda a cativavam. Ela sentia que podia confiar muito mais na sinceridade daqueles que às vezes pareciam ou diziam algo descuidado ou precipitado do que na daqueles cuja presença de espírito nunca variava, cuja língua nunca magoava.

O sr. Elliot era, de modo geral, agradável demais. Variados como eram os temperamentos na casa do pai dela, ele agradava a todos. Ele tolerava bem demais, ficava bem demais com todo mundo. Falava com ela com algum grau de abertura a respeito da sra. Clay; parecia ter visto completamente qual era a intenção da sra. Clay, e parecia desdenhá-la; a sra. Clay, porém, o julgava tão agradável quanto qualquer outra pessoa.

Lady Russell enxergava menos ou mais do que sua jovem amiga, pois não via nada que provocasse desconfiança. Ela não era capaz de imaginar um homem que correspondesse mais ao que deveria ser do que o sr. Elliot; nem jamais experimentara sentimento mais doce do que a esperança de vê-lo receber a mão de sua querida Anne na igreja de Kellynch, no curso do outono seguinte.

Capítulo 18

Era começo de fevereiro, e Anne, tendo passado um mês em Bath, estava ávida por novidades de Uppercross e Lyme. Ela queria saber bem mais do que Mary havia comunicado. Fazia três semanas desde que recebera as últimas notícias. Sabia apenas que Henrietta havia voltado para casa e que Louisa, apesar de sua recuperação ser considerada rápida, ainda permanecia em Lyme. Certa noite, estava pensando em todos eles muito atentamente quando uma carta de Mary, mais volumosa que o habitual, foi-lhe entregue, e, para avivar o deleite e a surpresa, com os cumprimentos do almirante e da sra. Croft.

Os Croft deviam estar em Bath! Era uma circunstância que a interessava. Eles eram pessoas para quem seu coração se voltava muito naturalmente.

— O que é isso? — bradou sir Walter. — Os Croft chegaram a Bath? Os Croft que alugaram Kellynch? O que eles lhe trouxeram?

— Uma carta do chalé de Uppercross, senhor.

— Ah! Essas cartas são passaportes muito convenientes. Elas garantem uma apresentação. Eu deveria ter visitado o almirante Croft de qualquer forma, porém. Conheço meu dever perante meu inquilino.

Anne não conseguia mais ouvir, não pôde nem mesmo contar como a tez do pobre almirante lhe escapara, sua carta a absorvia. Ela tinha sido iniciada vários dias antes.

1º de fevereiro.

Minha querida Anne,

Não peço desculpas pelo meu silêncio pois sei o quanto as pessoas têm pouco tempo para pensar em cartas em lugares como Bath. Você deve estar muito feliz para se importar com Uppercross, que, como você sabe, não oferece muito sobre o que escrever. Tivemos um Natal muito enfadonho; o sr. e a sra. Musgrove não organizaram um jantar sequer durante todo o feriado. Não considero os Hayter gente importante. O feriado, entretanto, enfim acabou: acho que nenhuma criança nunca teve um tão longo assim. Tenho certeza de que eu não tive. A casa ficou vazia ontem, exceto pelos pequenos Harville; mas você ficará surpresa ao saber que eles nunca foram para casa. A sra. Harville deve ser uma mãe bastante esquisita para ficar tanto tempo longe dos filhos. Eu não entendo. Eles não são crianças boazinhas, na minha opinião, mas a sra. Musgrove parece gostar deles quase tanto, se não mais, quanto dos próprios netos. Que clima horroroso tem feito! Talvez não tenha sido sentido em Bath, com suas ruas pavimentadas, mas no campo os efeitos são grandes. Não recebi visita de nenhuma criatura desde a segunda semana de janeiro, a não ser a de Charles Hayter, que tem aparecido com muito mais frequência do que é convidado. Cá entre nós, acho uma pena que Henrietta não tenha ficado em Lyme junto com Louisa; isso a teria mantido fora do caminho dele. A carruagem partiu hoje, para trazer Louisa e os Harville amanhã. Não fomos convidados para jantar com eles, no entanto, até o dia seguinte. A sra. Musgrove está muito temerosa de que ela se canse com a viagem, o que não é muito provável, considerando todo o cuidado que receberá, e seria muito mais conveniente, para mim, jantar lá amanhã. Fico feliz que tenha achado o sr. Elliot tão agradável, e desejo conhecê-lo também. Todavia, estou com minha sorte habitual: sempre estou longe quando qualquer coisa de desejável acontece, sempre sou a última da família a ser notada. Que período imenso a sra. Clay tem estado com Elizabeth! Será que ela não tem intenção de ir embora nunca? Porém, talvez, se ela fosse deixar o quarto vago, nós não fôssemos convidados. Diga-me o que pensa disso. Não espero que meus filhos sejam convidados, sabe. Posso muito bem deixá-los na Casa Grande por um mês ou seis semanas. Acabei de ouvir que os Croft estão indo para Bath quase imediatamente, eles acham que o almirante tem gota. Charles ouviu isso meio por acaso; eles não tiveram a educação de me avisar ou de se oferecer para levar alguma coisa. Não acho que sejam bons vizinhos. Nunca os vemos, e isso é realmente um exemplo de uma falta de educação grosseira. Charles manda também seu amor e todo o resto.

Com afeto,
Mary M.

P.S.: Lamento dizer que não estou nem um pouco bem, e Jemima acabou de me contar que o açougueiro disse que há uma terrível dor de garganta por todo lado. Arrisco dizer que eu vou pegar, e minhas dores de garganta, você sabe, são piores que as de todo mundo.

Assim terminava a primeira parte, que depois tinha sido guardada em um envelope que continha muito mais.

Eu tinha mantido minha carta aberta para poder mandar notícias de como Louisa tolerou a viagem, e agora estou extremamente feliz de tê-lo feito, pois tenho muito a acrescentar. Em primeiro lugar, recebi um bilhete da sra. Croft ontem, oferecendo-se para levar qualquer coisa a você; na verdade, era um bilhete muito gentil e amigável, dirigido a mim, como deveria. Então, poderei escrever uma carta tão longa quanto gostaria. O almirante não parece muito doente, e eu sinceramente espero que Bath lhe faça todo o bem que ele busca. Ficarei muito contente de recebê-los de volta. Nossa vizinhança não pode ser privada de uma família tão agradável. Mas agora, Louisa. Tenho algo para contar que vai deixá-la pasma, e não vai ser pouco. Ela e os Harville chegaram na *terça-feira, com segurança, e na mesma noite fomos visitá-la para saber como ela estava, e ficamos muito surpresos em não encontrar o capitão Benwick junto ao grupo, pois ele havia sido convidado junto com os Harville, e sabe qual foi o motivo? Nada mais nada menos do que ele estar apaixonado por Louisa a ponto de preferir não arriscar vir a Uppercross até que tivesse uma resposta do sr. Musgrove, pois estava tudo resolvido entre os dois antes que ela voltasse para casa, e ele havia escrito para o pai dela por intermédio do capitão Harville. Verdade, palavra de honra! Não está perplexa? Eu ficaria no mínimo surpresa se você tivesse notado alguma pista disso, porque eu nunca notei. A sra. Musgrove declara solenemente que não fazia ideia de nada. Todos nós ficamos muito satisfeitos, entretanto, pois, embora não seja equivalente a ela se casar com o capitão Wentworth, é infinitamente melhor que Charles Hayter. O sr. Musgrove comunicou o consentimento dele, e o capitão Benwick é esperado hoje. A sra. Harville diz que o marido sente muito em virtude da pobre irmã, mas Louisa é muito estimada pelos dois. De fato, a sra. Harville e eu concordamos que a amamos mais por termos cuidado dela. Charles se pergunta o que o capitão Wentworth dirá, mas, se você se lembra, eu nunca achei que ele estivesse muito apegado a Louisa, nunca vi nada nesse sentido. E esse é o fim, veja você, de acharem que o capitão Benwick é um admirador seu. Como Charles pode ter colocado algo assim na cabeça sempre foi incompreensível para mim. Espero que ele seja mais agradável agora. Com certeza não é uma ótima união para Louisa Musgrove, mas é um milhão de vezes melhor do que se casar com algum Hayter.*

Mary não precisava temer que a irmã estivesse preparada em qualquer nível para essa notícia. Ela nunca, em toda a vida, estivera mais espantada. O capitão Benwick e Louisa Musgrove! Era quase maravilhoso demais para acreditar, e foi com um enorme esforço que ela conseguiu permanecer no cômodo, manter um ar de calma e responder às perguntas corriqueiras do momento. Felizmente, para ela, foram poucas. Sir Walter queria saber se os Croft viajaram com quatro cavalos e se era provável que eles se hospedassem em uma parte de Bath adequada para uma visita da srta. Elliot e dele mesmo, mas sua curiosidade não foi muito além disso.

— Como está Mary? — indagou Elizabeth, e, sem esperar pela resposta, emendou: — E, diga-me, o que traz os Croft a Bath?

— Eles vieram por causa do almirante. Acham que ele esteja com gota.

— Gota e decrepitude! — exclamou sir Walter. — Pobre cavalheiro velho.

— Eles têm algum conhecido aqui? — perguntou Elizabeth.

— Não sei, mas suponho que, a essa altura da vida, e com sua profissão, o almirante Croft não deve ter muitos conhecidos em um lugar como este.

— Suspeito — continuou sir Walter, com frieza — que o almirante Croft será mais bem conhecido em Bath como o locatário de Kellynch Hall. Elizabeth, devemos nos arriscar a apresentar tanto ele quanto a esposa em Laura Place?

— Ah, não! Acho que não. Considerando nossa ligação com lady Dalrymple, como primos, devemos ser muito cuidadosos para não a envergonhar com relações que ela pode não aprovar. Se não fôssemos parentes, não faria diferença, mas, como primos, devemos ser escrupulosos quanto a qualquer proposta nossa. É melhor deixarmos os Croft encontrarem sua própria esfera. Há vários homens de aparência estranha por aqui que, disseram-me, são marinheiros. Os Croft vão se relacionar com eles.

Essa foi a cota de interesse de sir Walter e Elizabeth na carta. Depois que a sra. Clay pagou seu tributo de um pouco mais de atenção, perguntando sobre a sra. Charles Musgrove e seus adoráveis meninos, Anne estava livre.

    Em seu quarto, ela tentou compreender as notícias. Bom, Charles realmente se perguntaria como o capitão Wentworth se sentiria! Talvez ele tivesse saído de campo, tivesse desistido de Louisa, tivesse deixado de amá-la, tivesse descoberto que não a amava. Ela não toleraria a ideia de traição ou leviandade, ou nada semelhante a desonestidade entre ele e o amigo. Ela não toleraria que uma amizade como a deles fosse rompida de forma tão injusta.

    Capitão Benwick e Louisa Musgrove! A vibrante e de conversa alegre Louisa e o tristonho, reflexivo, sensível e amante dos livros capitão Benwick: cada um parecia ser tudo o que não seria compatível com o outro. Suas mentes eram tão diferentes! Onde estaria a atração? A resposta logo se apresentou. Tinha sido a situação. Eles tinham convivido durante várias semanas; tinham estado no mesmo pequeno grupo familiar e, desde o retorno de Henrietta, devem ter dependido quase completamente um do outro. Louisa, recuperando-se da enfermidade, estava mais interessante, e o capitão Benwick não era inconsolável. Esse era um ponto do qual Anne não fora capaz de evitar suspeitar antes. E, em vez de chegar à mesma conclusão que Mary acerca do atual curso do eventos, eles serviram apenas para confirmar a ideia de que ele tinha sentido um início de ternura por ela. Ela não pretendia, no entanto, tirar muito mais disso para satisfazer a própria vaidade além do que Mary havia permitido. Estava convencida de que qualquer moça toleravelmente agradável que o tivesse ouvido e parecesse se enternecer por ele teria recebido a mesma cortesia. Ele tinha um coração afetuoso. Precisava amar alguém.

    Ela não viu razão para os dois não serem felizes. Louisa tinha um grande fervor por tudo que dizia respeito à Marinha desde o início, e eles logo ficariam ainda mais parecidos. Ele ganharia alegria, e ela aprenderia a ser uma entusiasta de Scott e lorde Byron – não, isso provavelmente já tinha sido aprendido, é claro, eles haviam se apaixonado por meio da poesia. A ideia de Louisa transformada em uma pessoa de gosto literário e reflexão sentimental era divertida, mas ela não tinha dúvidas de que esse era o caso. O dia em Lyme e a queda do Cobb poderiam ter influenciado sua saúde, seus nervos, sua coragem e sua personalidade até o fim da vida tão completamente quanto pareciam ter influenciado seu destino.

A conclusão de tudo foi que, se a mulher que fora vulnerável aos méritos do capitão Wentworth poderia se permitir preferir outro homem, não havia nada no noivado que suscitasse um espanto duradouro; e, se o capitão Wentworth não perdera nenhum amigo nisso, com certeza não havia nada pelo que lamentar. Não, não era lamento o que fez o coração de Anne bater mais forte contra sua vontade e trouxe cor às suas bochechas quando ela pensou no capitão Wentworth livre e leve. Ela sentiu emoções que teve vergonha de investigar. Eram parecidas demais com felicidade, uma felicidade sem sentido!

Ela ansiava por ver os Croft, mas, quando o encontro aconteceu, ficou evidente que nenhum rumor os havia alcançado ainda. A visita cerimoniosa foi feita e devolvida; Louisa Musgrove, assim como o capitão Benwick, foram citados, sem nem mesmo um meio sorriso.

Os Croft se hospedaram em instalações na Gay Street, para a perfeita satisfação de sir Walter. Ele não ficou nem um pouco envergonhado por conhecê-los e, na verdade, pensava e falava bem mais sobre o almirante do que o almirante jamais pensara ou falara dele.

Os Croft conheciam quase tanta gente em Bath quanto poderiam desejar, e consideravam a relação com os Elliot uma mera questão de formalidade, sem a menor promessa de lhes oferecer qualquer prazer. Eles trouxeram consigo o hábito campestre de estarem quase sempre juntos. Ao almirante foi recomendado que caminhasse para prevenir a gota, e a sra. Croft parecia sempre compartilhar tudo com o marido, e caminhava demasiadamente para o bem dele. Anne os via em qualquer lugar que fosse. Lady Russell a levava em sua carruagem quase todas as manhãs, e ela nunca deixava de pensar neles, nem nunca deixava de vê-los. Conhecendo os sentimentos deles como conhecia, para ela, aquele era um retrato muito atraente de felicidade. Ela sempre os observava tanto quanto podia, maravilhada por imaginar que sabia sobre o que falavam enquanto os dois andavam juntos em uma alegre independência, ou igualmente maravilhada por ver o aperto de mão caloroso do almirante quando ele encontrava um velho amigo, e por perceber a vivacidade da conversa quando ocasionalmente se formava uma pequena turma de oficiais da Marinha, com a sra. Croft parecendo tão inteligente e entusiástica quanto qualquer oficial ao redor dela.

Anne estava ocupada demais com lady Russell para sair sozinha com frequência. Mas aconteceu exatamente isso certa manhã, cerca de uma semana ou dez dias depois da chegada dos Croft, quando foi melhor para ela deixar a amiga, ou a carruagem da amiga, na parte mais baixa da cidade e voltar sozinha para Camden Place. Ao alcançar a Milsom Street, ela teve a sorte de encontrar o almirante. Ele estava sozinho, parado na frente da vitrine de uma loja de gravuras, com as mãos nas costas, contemplando seriamente uma das obras, e ela não apenas poderia ter passado despercebida como também foi obrigada a tocá-lo e cumprimentá-lo antes de conseguir sua atenção. Quando ele percebeu e a reconheceu, entretanto, foi com sua habitual franqueza e bom humor:

— Ah! É a senhorita? Obrigado, obrigado. É assim que se trata um amigo. Aqui estou eu, veja só, encarando uma imagem. Não consigo passar por essa loja sem parar. Mas que coisa é esta aqui, fazendo as vezes de barco! Olhe só. Viu alguma semelhança? Que sujeitos esquisitos devem ser os grandes pintores daqui para achar que alguém arriscaria a vida em um batel velho e disforme desses! Ainda assim, lá estão dois cavalheiros de pé ali em cima, muitíssimo à vontade, olhando ao redor para as pedras e montanhas, como se não fossem virar no momento seguinte, o que sem dúvida vai acontecer. Pergunto-me onde este barco foi construído! — ele riu entusiasticamente. — Eu não me aventuraria a passar nem por uma lagoa nisso. Bem — disse, virando-se —, para onde está indo? Posso ir a algum lugar para a senhorita, ou com a senhorita? Posso lhe ser útil de alguma maneira?

— Não é necessário, obrigada. A não ser que me dê o prazer de sua companhia ao longo do pequeno trajeto que nossos caminhos compartilham. Estou indo para casa.

— Isso eu farei, com todo o meu coração, e iria mais longe também. Sim, sim, faremos uma agradável caminhada juntos, e tenho algo para lhe contar enquanto andamos. Aqui, pegue o meu braço... Isso. Não me sinto confortável sem uma mulher aí. Deus! Que barco é esse! — ele exclamou, dando uma última olhada na imagem enquanto começavam a andar.

— Disse que tem algo para me contar, senhor?

— Sim, tenho, contarei em um instante. Aí vem um amigo, o capitão Brigden. Devo apenas perguntar "Como vai?" ao passarmos, no entanto. Não vou parar. Brigden está espantado por me ver com outra pessoa que não minha esposa. Ela, coitada, está presa em casa por causa da perna. Está com uma bolha em um dos calcanhares, grande como uma moeda de três xelins. Se olhar do outro lado da rua, verá o almirante Brand chegando com o irmão. Sujeitos desprezíveis, os dois. Fico feliz de não estarem deste lado da rua. Sophy não os suporta. Eles me pregaram uma peça lastimável uma vez: fugiram com alguns dos meus melhores homens. Vou lhe contar a história inteira em outra ocasião. Ali vêm o velho sir Archibald Drew e o neto. Olhe, ele nos viu, faz o gesto de beijar a mão, acha que é minha esposa. Ah! A paz chegou cedo demais para esse jovem aristocrata. Pobre e velho sir Archibald! Gosta de Bath, srta. Elliot? A cidade nos agrada muito. Sempre encontramos um ou outro velho amigo; as ruas estão cheias deles todas as manhãs, é certo que teremos muitas conversas. Depois, nos afastamos de todos, nos fechamos em nossas acomodações, nos arrastamos para nossas cadeiras e ficamos confortáveis como se estivéssemos em Kellynch, sim, ou como ficávamos até mesmo em North Yarmouth e Deal. Não gostamos menos de nossas acomodações aqui, posso garantir, pois nos fazem recordar das primeiras que tivemos em North Yarmouth. O vento sopra por um dos guarda-louças da mesma forma.

Quando estavam um pouco mais adiante, Anne se arriscou a insistir mais uma vez pelo que ele tinha para comunicar. Ela esperava que, ao saírem da Milsom Street, tivesse a curiosidade saciada, mas ainda foi obrigada a esperar, pois o almirante havia decidido não começar até que eles tivessem alcançado o espaço mais amplo e mais tranquilo de Belmont. Como ela não era a sra. Croft, precisava deixá-lo fazer como preferisse. Assim que começaram a subir Belmont, ele começou:

— Bem, agora vai ouvir algo que vai surpreendê-la. Mas, antes de mais nada, deve me dizer o nome da jovem dama sobre quem falarei. Aquela jovem dama, sabe, com a qual todos estávamos muito preocupados. A srta. Musgrove, a quem tudo aquilo aconteceu. O nome de batismo dela… Sempre me esqueço do nome de batismo dela.

Anne ficou encabulada por parecer ter entendido tão rápido quanto entendeu, mas agora poderia seguramente sugerir o nome "Louisa".

— Isso, isso, srta. Louisa Musgrove, é esse o nome. Gostaria que as jovens damas não tivessem tantos nomes belos de batismo. Eu nunca me esqueceria se todas fossem Sophy ou algo do tipo. Bem, essa srta. Louisa, todos achávamos que ela, sabe, se casaria com Frederick. Ele a estava cortejando havia semanas. A única pergunta era: o que eles estavam esperando, até que a situação em Lyme aconteceu. Aí então ficou claro que eles deveriam esperar até que o cérebro dela estivesse recuperado. Entretanto, mesmo nesse momento, houve algo estranho na forma como tudo prosseguiu. Em vez de ficar em Lyme, ele foi para Plymouth, depois foi visitar Edward. Quando voltamos de Minehead ele já estava na casa de Edward, e não saiu de lá desde então. Não o vemos desde novembro. Mesmo Sophy não conseguiu entender. No entanto, agora a situação tomou o rumo mais estranho de todos, pois essa jovem dama, a mesma srta. Musgrove, em vez de se casar com Frederick, vai se casar com James Benwick. A senhorita conhece James Benwick.

— Um pouco. Conheço um pouco o capitão Benwick.

— Bom, ela vai se casar com ele. Não, a essa altura, é provável que já estejam casados, pois não sei pelo que deveriam esperar.

— Achei o capitão Benwick um rapaz muito agradável — Anne disse —, e ouvi que ele tem um caráter excelente.

— Ah! Sim, sim, não há uma palavra a ser dita contra James Benwick. Ele é apenas um comandante, é verdade, ganhou a patente no verão passado, e estes são maus tempos para progredir, mas ele não tem nenhuma outra falha, que eu saiba. É um sujeito excelente e de bom coração, garanto-lhe, e um oficial muito ativo e zeloso também, o que talvez seja mais do que consegue imaginar, já que aquele tipo de conduta mansa não lhe faz justiça.

— Na verdade, o senhor está equivocado nesse ponto. Eu nunca suporia falta de ânimo em virtude da conduta do capitão Benwick. Considerei-a particularmente agradável, e afirmo que é uma conduta que agradaria todos de maneira geral.

— Bem, bem, as damas são as melhores juízas. Porém, James Benwick é delicado demais para o meu gosto, e, embora provavelmente seja em razão de nossa parcialidade, Sophy e eu não conseguimos evitar pensar que a conduta de Frederick é melhor que a dele. Há algo a respeito de Frederick que nos agrada mais.

Anne foi pega de surpresa. Ela queria apenas se opor à ideia comum demais de que animação e delicadeza seriam incompatíveis, e não representar a conduta do capitão Benwick como a melhor que poderia haver. Depois de uma breve hesitação, ela começou a dizer:

— Eu não estava iniciando uma comparação entre os dois amigos... — mas o almirante a interrompeu.

— E a coisa toda é verdade. Não são meros boatos. Soubemos pelo próprio Frederick. Sua irmã recebeu uma carta dele ontem, na qual ele nos conta tudo, e ele tinha acabado de receber uma carta de Harville, escrita no local, em Uppercross. Imagino que estejam todos em Uppercross.

Essa foi uma oportunidade que Anne não poderia deixar passar. Portanto, ela disse:

— Espero, almirante, espero que não haja nada no estilo da carta do capitão Wentworth que tenha inquietado o senhor e a sra. Croft. Parecia mesmo, no outono passado, que havia uma ligação entre ele e Louisa Musgrove, mas espero que entenda como algo que se desgastou igualmente para ambos, e sem mágoas. Espero que a carta dele não exale o ar de um homem ultrajado.

— De jeito nenhum, de jeito nenhum. Não há nenhuma injúria ou queixa do início ao fim.

Anne olhou para baixo para esconder o sorriso.

— Não, não, Frederick não é um homem de choramingar e reclamar, tem personalidade demais para isso. Se a menina prefere outro homem, deve mesmo ficar com ele.

— Com certeza. O que eu quis dizer foi que espero que não haja nada no modo de escrita do capitão Wentworth que o faça supor que ele se sentiu ultrajado pelo amigo, o que pode ser deduzido, sabe, mesmo sem ter sido dito. Eu ficaria muito triste se uma amizade como a que existia entre ele e o capitão Benwick fosse destruída, ou mesmo prejudicada, por uma circunstância desse tipo.

— Sim, sim, eu a compreendo. Mas não há nada dessa natureza na carta. Ele não faz o menor ataque a Benwick, não diz nada além de "Fico espantado com isso, tenho uma razão particular para me espantar". Não, não diria, pelo modo como escreve, que ele algum dia considerara essa senhorita (qual é mesmo o nome dela?) para si mesmo. De um jeito muito cortês, ele deseja que os dois sejam felizes juntos; e não há nenhum rancor nisso, acho eu.

Anne não ficou totalmente convencida do que o almirante pretendia transmitir, mas teria sido inútil insistir em saber mais. Logo, ela se contentou com comentários costumeiros ou atenção silenciosa, e o almirante prosseguiu como desejava.

— Pobre Frederick! — ele exclamou, por fim. — Agora ele precisa começar tudo de novo com outra pessoa. Acho que devemos trazê-lo para Bath. Sophy precisa lhe escrever e implorar para que venha para Bath. Aqui há muitas moças bonitas, tenho certeza. Não faria sentido voltar para Uppercross, pois aquela outra srta. Musgrove, pelo que me consta, está prometida ao primo, o jovem pároco. Não acha, srta. Elliot, que seria melhor tentar fazê-lo vir para Bath?

Capítulo 19

Enquanto o almirante Croft fazia essa caminhada com Anne e expressava seu desejo de trazer o capitão Wentworth a Bath, o capitão Wentworth já estava a caminho. Antes que a sra. Croft escrevesse, ele chegou, e na vez seguinte em que Anne saiu de casa, ela o viu.

O sr. Elliot estava esperando as duas primas e a sra. Clay. Todos estavam em Milsom Street. Havia começado a chover, não muito, mas o suficiente para tornar desejável um abrigo para as mulheres, e o suficiente para que a srta. Elliot desejasse ter a vantagem de ser levada para casa na carruagem de lady Dalrymple, que esperava a uma curta distância; portanto, ela, Anne e a sra. Clay entraram na Molland's, enquanto o sr. Elliot ia até lady Dalrymple para lhe solicitar ajuda. Ele logo se juntou a elas, bem-sucedido, é claro: lady Dalrymple ficaria muito feliz em levá-las para casa, e as chamaria em alguns minutos.

A carruagem de sua senhoria era uma caleche, e não comportava mais do que quatro pessoas com algum conforto. A srta. Carteret estava com a mãe, e, consequentemente, não era razoável esperar acomodações para todas as três damas de Camden Place. Não havia nenhuma dúvida quanto à srta. Elliot. Quem quer que fosse sofrer com o inconveniente, não seria ela, mas levou um momento para resolver a questão de cortesia entre as outras duas. A chuva era insignificante, e Anne era muito sincera ao dizer preferir ir andando com o sr. Elliot. Entretanto, a chuva também era insignificante para a sra. Clay, que mal admitia estar caindo uma gota sequer, e as botas dela eram tão grossas... muito mais grossas do que as da srta. Anne. Em resumo, a cortesia dela a tornou quase tão ansiosa para ir a pé com o sr. Elliot quanto Anne poderia estar, e o assunto foi discutido entre elas com uma generosidade tão educada e tão determinada que os outros foram obrigados a decidir pelas duas: a srta. Elliot sustentando que a sra. Clay já estava um pouco resfriada, e o sr. Elliot determinando que as botas da prima Anne eram, na verdade, as mais grossas.

Ficou decidido, portanto, que a sra. Clay se juntaria ao grupo na carruagem. Tinham acabado de chegar a essa conclusão quando Anne, que estava sentada próxima à janela, avistou, inquestionável e distintamente, o capitão Wentworth descendo a rua.

Seu espanto era perceptível apenas para si mesma, mas ela instantaneamente sentiu que era a pessoa mais tola do mundo, a mais incompreensível e disparatada! Por poucos minutos, ela não viu mais nada diante de si, tudo era confusão. Estava perdida e, quando conseguiu recobrar os sentidos, descobriu que os outros ainda esperavam a carruagem, e que o sr. Elliot (sempre prestativo) tinha acabado de sair em direção à Union Street em uma incumbência para a sra. Clay.

Ela agora sentia uma forte inclinação para ir até a porta de saída; queria ver se chovia. Por que suspeitaria ter outro motivo? O capitão Wentworth já devia estar fora de vista. Ela se levantou do assento, ela iria; metade dela não deveria sempre ser tão mais sábia que a outra, ou sempre suspeitar que a outra fosse pior do que era. Ela foi ver se chovia. Titubeou um momento, porém, com a entrada do próprio capitão Wentworth, em meio a um grupo de cavalheiros e damas, evidentemente seus conhecidos, e a quem ele devia ter se juntado um pouco abaixo da Milsom Street. Ele ficou obviamente mais perplexo e confuso com a visão de Anne do que ela jamais observara antes. Parecia ter ficado corado. Pela primeira vez desde que se reencontraram, ela sentiu que, dos dois, era ela quem demonstrava menos sentimentos. Ela tivera vantagem sobre ele ao se preparar alguns momentos antes. Todos os esmagadores, cegantes e desconcertantes efeitos iniciais da intensa surpresa já haviam passado para ela. Ainda assim, ela tinha muito a sentir! Era agitação, dor, prazer – alguma coisa entre deleite e agonia.

Ele falou com ela, então virou-se. Sua atitude tinha um traço de constrangimento. Ela não podia dizer que ele estava frio ou amigável ou qualquer outra coisa além de constrangido.

Depois de um curto intervalo, no entanto, ele foi em direção a ela e lhe falou de novo. Indagações mútuas sobre assuntos em comum se passaram; nenhum deles, provavelmente, se tornou mais sábio pelo que ouviu, e Anne permaneceu com a impressão de que ele estava menos à vontade do que antes. Eles tinham, pelo fato de terem convivido tanto tempo, encontrado uma forma de falar um com o outro com uma porção considerável de aparente indiferença e tranquilidade, mas ele não conseguia fazer isso agora. O tempo o havia mudado, ou Louisa o havia mudado. Havia consciência de algum tipo. Sua aparência estava muito boa, não parecia que estivesse sofrendo por saúde ou por sentimento, e ele falava de Uppercross, dos Musgrove, ora, mesmo de Louisa, e lançou até um momentâneo olhar satisfeito a respeito da própria importância quando citou o nome dela. Ainda assim, o capitão Wentworth não estava confortável, não estava à vontade nem era capaz de fingir que estava.

Não surpreendia, mas doía em Anne observar que Elizabeth não assumiria conhecê-lo. Ela notou que ele vira Elizabeth, que Elizabeth o vira, que ambos se reconheceram; estava convencida de que ele estava pronto para ser reconhecido como alguém conhecido, que até esperava isso, mas sofreu ao ver a irmã virar-lhe as costas com uma frieza inalterada.

A carruagem de lady Dalrymple, pela qual a srta. Elliot aguardava com impaciência cada vez maior, apareceu; o criado entrou e a anunciou. Estava começando a chover novamente, e, de modo geral, houve um atraso, e um alvoroço, e uma conversa, que devia fazer com que toda a pequena multidão compreendesse que lady Dalrymple vinha buscar a srta. Elliot. Por fim, a srta. Elliot e a amiga, acompanhadas somente pelo criado (pois o primo ainda não tinha retornado), saíram; e o capitão Wentworth, observando-as, virou-se mais uma vez para Anne e, com um gesto, não com palavras, ofereceu-lhe o braço.

— Agradeço muito — foi a resposta dela —, mas não vou com elas. A carruagem não consegue acomodar tantas pessoas. Vou a pé, prefiro caminhar.

— Mas está chovendo.

— Ah, muito pouco. Nada que me incomode.

Depois de uma pausa, ele falou:

— Embora eu tenha chegado somente ontem, já me equipei adequadamente para Bath, veja só — ele apontou para um guarda-chuva novo. — Gostaria que o usasse, se estiver mesmo determinada a caminhar. Mas acho mais prudente me deixar conseguir uma liteira para a senhorita.

Ela ficou muito agradecida, mas declinou todas as ofertas, repetindo sua convicção de que a chuva logo passaria, e acrescentando:

— Estou apenas esperando o sr. Elliot. Ele chegará em um instante, tenho certeza.

Ela mal acabara de falar quando o sr. Elliot entrou. O capitão Wentworth se recordava perfeitamente dele. Não havia diferença entre ele e o homem que tinha parado nos degraus em Lyme admirando Anne enquanto ela passava, com exceção do ar, da expressão e da maneira de parente e amigo privilegiado. Ele chegou com impaciência e parecia ver e pensar apenas nela; pediu desculpas pela demora, lamentou tê-la deixado esperando e ansiou por levá-la para casa antes que a chuva ficasse mais forte. No momento seguinte, os dois saíram juntos, de braços dados, e um olhar gentil e constrangido, junto com um "Tenha uma boa manhã!", foi tudo que ela teve tempo de fazer ao passar.

Assim que saíram de vista, as damas do grupo do capitão Wentworth começaram a falar deles.

— O sr. Elliot não desgosta da prima, ou estou imaginando coisas?

— Ah, não, isso é bastante claro. É possível imaginar o que vai acontecer ali. Ele está sempre junto, praticamente vive com a família, creio eu. Que homem bonito!

— Sim, e a srta. Atkinson, que jantou com ele uma vez na casa dos Wallis, diz que ele é o homem mais agradável com quem já esteve.

— Ela é bonita, eu acho. Anne Elliot. Muito bonita, quando se presta atenção. Não é de bom tom dizer, mas confesso que a admiro mais que a irmã.

— Ah, eu também!

— E eu também. Não tem comparação. Mas os homens estão todos doidos atrás da srta. Elliot. Anne é delicada demais para eles.

Anne teria ficado particularmente grata ao primo se ele tivesse caminhado a seu lado durante todo o caminho até Camden Place sem dizer uma palavra. Ela nunca achara tão difícil ouvi-lo, embora nada pudesse exceder sua preocupação e seu cuidado, e embora os assuntos fossem principalmente aqueles que sempre costumavam ser interessantes: elogios calorosos, justos e distintos a lady Russell e insinuações altamente racionais contra a sra. Clay. Entretanto, naquele momento, ela só conseguia pensar no capitão Wentworth. Não conseguia compreender os sentimentos atuais dele, se ele estava realmente sofrendo muito de decepção ou não, e, até que esse ponto fosse resolvido, Anne não poderia ser completamente ela mesma.

Ela esperava se tornar sábia e razoável com o tempo, mas ai!, ai!, precisava confessar a si mesma que não era sábia ainda.

Outra circunstância que era muito essencial que ela soubesse era quanto tempo ele pretendia ficar em Bath. Ele não havia mencionado, ou ela não se lembrava. Talvez estivesse apenas de passagem. Mas era mais provável que tivesse vindo para ficar. Nesse caso, tão sujeito quanto todo mundo estava a se encontrar com todo mundo em Bath, muito provavelmente lady Russell o veria em algum lugar. Ela se lembraria dele? Como seria?

Ela já tinha sido obrigada a contar a lady Russell que Louisa Musgrove se casaria com o capitão Benwick. Havia lhe custado encarar a surpresa de lady Russell; e agora, se ela por acaso fosse vista na companhia do capitão Wentworth, seu conhecimento imperfeito do caso poderia acrescentar outra sombra de preconceito contra ele.

Na manhã seguinte, Anne saiu com a amiga e, durante a primeira hora, ficou em um tipo de temerosa e incessante vigilância por ele em vão. Por fim, ao descer de volta a Pulteney Street, ela o distinguiu na calçada da direita a uma distância tal que possibilitava vê-lo de boa parte da rua. Havia muitos outros homens com ele, muitos grupos caminhando na mesma direção, mas era impossível confundi-lo. Ela instintivamente olhou para lady Russell, mas não com qualquer ideia louca de que ela pudesse reconhecê-lo tão rápido quanto ela mesma. Não, não era de se supor que lady Russell o notasse até que estivessem frente a frente com ele. No entanto, Anne olhava para ela de tempos em tempos, ansiosa; e quando se aproximou o momento que poderia apontá-lo, embora não ousasse olhar de novo (em razão do próprio semblante, ela sabia que era melhor não ser vista), ela estava perfeitamente consciente de que os olhos de lady Russell se viravam na direção dele – que ela, em resumo, observava-o com intensidade. Anne podia compreender totalmente o tipo de fascínio que ele devia causar na mente de lady Russell, a dificuldade que ela devia ter de desviar o olhar, a perplexidade que devia estar sentindo por oito ou nove anos terem passado por ele, em climas estrangeiros e em serviço ativo também, sem lhe roubar qualquer encanto pessoal!

Finalmente, lady Russell virou a cabeça de volta. "Como será que ela falaria dele agora?"

— Você vai se perguntar — ela começou — o que eu estava observando por tanto tempo. No entanto, estava olhando algumas cortinas, das quais lady Alicia e a sra. Frankland me falaram ontem à noite. Elas descreveram as cortinas da sala de estar de uma das casas deste lado da calçada, e nesta parte da rua, como sendo as mais bonitas e bem penduradas de toda Bath, mas não conseguiam se lembrar do número exato, e venho tentando descobrir qual poderia ser. Porém, confesso que não vejo nenhuma cortina por aqui que corresponda à descrição delas.

Anne suspirou, e corou, e sorriu, com piedade e desdém, da amiga e dela mesma. A parte que mais a irritou foi que, com todo esse desperdício de precaução e cautela, ela provavelmente perdera o momento certo de notar se ele as vira.

Passaram-se um dia ou dois dias sem que nada acontecesse. O teatro e os salões, onde ele mais provavelmente estaria, não eram de bom gosto o bastante para os Elliot, cujas diversões noturnas estavam somente na estupidez elegante das festas particulares, nas quais eles ficavam cada vez mais empenhados. Anne, exausta de tal estagnação, enjoada de não saber de nada e imaginando-se fortalecida por sua força não ter sido posta à prova, estava muito impaciente pelo concerto daquela noite. Era um concerto em benefício de uma pessoa apadrinhada por lady Dalrymple. É claro que eles tinham que comparecer. Esperava-se que fosse ser muito bom, e o capitão Wentworth era um grande amante da música. Se pudesse apenas ter alguns minutos de conversa com ele mais uma vez, talvez ficasse satisfeita; em relação ao poder de se dirigir a ele, ela sentia ter toda a coragem caso a oportunidade surgisse. Elizabeth tinha dado as costas a ele, lady Russell o tinha deixado passar; os nervos dela estavam fortalecidos por essas circunstâncias. Ela sentia que lhe devia atenção.

Ela havia parcialmente prometido à sra. Smith que passaria a noite com ela, mas, em uma visita rápida, deu uma desculpa e adiou o encontro, com uma promessa mais firme de uma visita mais longa no dia seguinte. A sra. Smith lhe deu um consentimento bem-humorado.

— Claro — disse. — Apenas me conte tudo quando vier. Quem estará com você?

Anne citou todos os nomes. A sra. Smith não respondeu, mas, quando ela estava saindo, com uma expressão meio séria, meio divertida, disse:

— Bom, desejo de coração que o concerto atenda às expectativas. E não deixe de vir amanhã, se puder, pois começo a pressentir que talvez não receba mais tantas visitas suas.

Anne ficou surpresa e confusa, mas, depois de permanecer ali na expectativa, foi obrigada, e não lamentava isso, a ir embora depressa.

Capítulo 20

Sir Walter, suas duas filhas e a sra. Clay foram os primeiros de todo o grupo a chegar aos salões naquela noite e, como tinham que esperar lady Dalrymple, pararam próximo a uma das lareiras do Salão Octogonal. Mas tão logo haviam se acomodado, a porta foi aberta e o capitão Wentworth entrou, sozinho. Anne era quem estava mais perto e, dando ainda alguns passos para a frente, falou-lhe imediatamente. Ele estava preparado apenas para fazer uma mesura e seguir adiante, mas o gentil "Como vai?" dela o fez desviar da linha reta e se aproximar, retribuindo-lhe o cumprimento, apesar da presença intimidante do pai e da irmã ao fundo. Eles estarem ao fundo era um arrimo para Anne: como não conseguia ver suas expressões, sentiu-se capaz de fazer tudo que acreditava ser o certo.

Enquanto falavam, um sussurro entre o pai e Elizabeth chegou aos seus ouvidos. Ela não conseguia distinguir, mas podia supor o assunto; e, ao ver o capitão Wentworth fazer uma mesura a distância, ela compreendeu que o pai havia julgado bem lhe oferecer um simples reconhecimento, e ela se virou a tempo de ver de esguelha uma leve reverência de Elizabeth. Isso, embora tardio, relutante e indelicado, ainda era melhor que nada, e o ânimo dela melhorou.

Entretanto, depois de falarem do clima, de Bath e do concerto, a conversa dos dois começou a esmorecer, e tão pouco foi dito no fim que ela esperou que ele se afastasse a qualquer momento, mas ele não se afastou. Não parecia ter pressa alguma em deixá-la, e, com os ânimos renovados, um pequeno sorriso e um pequeno rubor, nesse instante ele disse:

— Mal a vi desde nosso dia em Lyme. Temo que a senhorita tenha sofrido com o choque, sobretudo por não ter se deixado dominar por ele naquele momento.

Ela lhe assegurou que não.

— Foi uma situação pavorosa — ele continuou. — Um dia pavoroso! — e passou a mão sobre os olhos, como se a lembrança ainda fosse muito dolorosa; no entanto, logo depois, com um meio sorriso novamente, acrescentou: — Aquele dia produziu alguns efeitos, porém, algumas consequências que podem ser consideradas o extremo oposto de pavorosas. Quando a senhorita teve a presença de espírito de sugerir que Benwick seria a pessoa mais apropriada para buscar um médico, não fazia a menor ideia de que ele depois se tornaria um dos mais preocupados com a recuperação dela.

— Sem dúvida, eu não fazia ideia. Mas parece... Espero que seja um casamento muito feliz. Dos dois lados há bons princípios e bom temperamento.

— Sim — concordou ele, olhando não exatamente para a frente. — Mas aí, penso eu, terminam as semelhanças. Desejo, de todo o coração, que eles sejam felizes, e me alegro com qualquer circunstância que favoreça isso. Eles não têm dificuldades para enfrentar em casa, nenhuma oposição, nenhum capricho, nenhuma protelação. Os Musgrove comportam-se como eles mesmos, da forma mais honrada e gentil, apenas ansiosos com verdadeiros corações de pais para promover o conforto da filha. Tudo isso está muito, muito a favor da felicidade deles mesmo. Talvez mais que...

Ele parou. Uma recordação repentina pareceu lhe ocorrer e lhe fazer sentir o gosto da emoção que corava as bochechas de Anne e fixava os olhos dela no chão. Entretanto, depois de limpar a garganta, ele procedeu da seguinte maneira:

— Confesso que acredito haver uma disparidade, uma disparidade grande demais, e em um ponto não menos essencial que a mente. Considero Louisa uma moça muito afável, de temperamento doce e nem um pouco ignorante, mas Benwick é algo mais. Ele é um homem inteligente, um homem de leitura; e confesso que julgo a afeição dele por ela um pouco surpreendente. Se tivesse sido o efeito da gratidão, se ele tivesse aprendido a amá-la porque acreditava que ela o preferia, teria sido outra coisa. Mas não tenho razão para supor que seja esse o caso. Parece, ao contrário, que foi um sentimento perfeitamente espontâneo e natural da parte dele, e isso me surpreende. Um homem como ele, na situação dele! Com o coração rasgado, ferido, quase partido. Fanny Harville era uma criatura muito superior, e a afeição dele por ela era enorme. Um homem não se recupera de tamanha devoção por tal mulher. Ele não pode; ele não consegue.

Fosse pela consciência de que, mesmo assim, o amigo tinha se recuperado, ou por alguma outra consciência, ele não continuou. E Anne, que, apesar da voz comovida na última parte que tinha sido proferida, e apesar de todos os variados barulhos do ambiente, a batida quase incessante da porta, o burburinho incessante de pessoas entrando, conseguira distinguir cada palavra, ficou perplexa, satisfeita, confusa, e começou a respirar muito rápido, e a sentir uma centena de coisas ao mesmo tempo. Era impossível para ela entrar em tal assunto; ainda assim, depois de uma pausa, sentindo a necessidade de falar e não tendo o maior desejo de mudar completamente de assunto, ela desviou-o apenas para dizer:

— O senhor ficou um bom tempo em Lyme, não ficou?

— Mais ou menos duas semanas. Não consegui partir até que fosse praticamente certo que Louisa estivesse bem. Fiquei preocupado demais com o terrível incidente para me sentir em paz tão cedo. Foi culpa minha, somente minha. Ela não teria sido tão obstinada se eu não tivesse sido tão fraco. O campo em torno de Lyme é muito bonito. Caminhei e cavalguei bastante e, quanto mais eu via, mais encontrava o que admirar.

— Eu gostaria muito de rever Lyme — Anne disse.

— Mesmo? Eu não presumiria que tivesse achado qualquer coisa em Lyme que inspirasse tal sentimento. O horror e a angústia em que foi envolvida, o esforço mental, o desgaste do espírito! Eu teria imaginado que suas últimas impressões de Lyme fossem de extremo desgosto.

— As últimas horas certamente foram muito dolorosas — Anne respondeu —, mas, quando a dor cessa, a lembrança com frequência se torna prazerosa. Não se ama menos um lugar por ter sofrido nele, a não ser que tenha sido tudo sofrimento, nada além de sofrimento, o que de modo algum foi o caso em Lyme. Ficamos ansiosos e angustiados apenas nas últimas duas horas; antes disso, houve muito divertimento. Tanta novidade e beleza! Viajei tão pouco que todo lugar novo seria interessante para mim. No entanto, há uma beleza real em Lyme, e, em resumo — ela ruborizou levemente por conta de algumas lembranças —, em geral, minhas impressões sobre o lugar são muito agradáveis.

Enquanto ela concluía, a porta de entrada se abriu mais uma vez e apareceu justamente o grupo pelo qual esperavam. "Lady Dalrymple, lady Dalrymple!" foi o som da alegria, e, com toda a avidez misturada a uma ansiosa elegância, sir Walter e suas duas damas deram um passo à frente, indo ao encontro dela. Lady Dalrymple e a srta. Carteret, acompanhadas pelo sr. Elliot e o coronel Wallis, que por acaso haviam chegado quase ao mesmo tempo, avançaram pelo salão. Os outros se juntaram a eles, e era um grupo ao qual Anne se descobriu necessariamente incluída. Ela foi separada do capitão Wentworth. A conversa interessante, quase interessante demais, dos dois teve que ser interrompida por um tempo, mas era leve a penitência em comparação a toda a felicidade ocasionada. Anne descobrira, nos últimos dez minutos, mais sobre os sentimentos dele acerca de Louisa, mais sobre todos os sentimentos dele, do que ousava imaginar. Ela cedeu às demandas do grupo, às civilidades indispensáveis do momento, com primorosas, mas agitadas, sensações. Estava bem-humorada com tudo. Recebera informações que a deixaram disposta a ser gentil e cortês com todos e se compadeceu de todo mundo pelo fato de serem menos felizes que ela.

As agradáveis emoções foram um pouco atenuadas quando, ao se afastar do grupo para se juntar novamente ao capitão Wentworth, ela percebeu que ele havia indo embora; olhou bem a tempo de vê-lo entrar na Sala de Concerto. Ele havia partido... Ele havia desaparecido, e ela sentiu um arrependimento momentâneo. Entretanto, "eles se encontrariam mais uma vez. Ele a procuraria, ele a encontraria antes que a noite terminasse, e, naquele momento, talvez, fosse melhor que estivessem separados. Ela precisava de um breve intervalo para se recompor".

Com a chegada de lady Russell um pouco depois, o grupo ficou completo, e tudo o que lhes restava era se organizarem e seguirem para a Sala de Concerto, apropriando-se de toda a importância que lhes era devida, atraindo muitos olhares, provocando muitos sussurros e incomodando tantas pessoas quanto conseguissem.

Muito, muito felizes estavam Elizabeth e Anne Elliot quando entraram na sala. Elizabeth, de braços dados com a srta. Carteret, e encarando as costas largas da viscondessa viúva Dalrymple diante de si, não desejava nada que não estivesse ao seu alcance, e Anne... mas seria um insulto à natureza da felicidade de Anne fazer qualquer comparação com a da irmã: a origem de uma era apenas vaidade egoísta, e da outra, afeição generosa.

Anne não viu nada, não achou nada do esplendor da sala. Sua felicidade vinha de dentro. Seus olhos brilhavam, suas bochechas coravam, mas ela não tinha consciência de nada disso. Pensava apenas na última meia hora, e, enquanto seguiam para seus assentos, a mente dela a repassou rapidamente. A escolha de assuntos dele, suas expressões e, mais ainda, seus modos e sua figura tinham sido tais que ela só conseguia vê-lo sob uma única luz. Sua opinião sobre a inferioridade de Louisa Musgrove, uma opinião que ele parecera ávido para dar, sua surpresa quanto ao capitão Benwick, seus sentimentos quanto a uma primeira e vigorosa afeição, frases iniciadas que não conseguira terminar, o desviar dos olhos e o olhar expressivo, tudo, tudo revelava que o coração dele, enfim, voltava-se para ela; que a raiva, o ressentimento, a evitação não existiam mais, e que foram substituídos não somente por amizade e estima, mas também pela ternura do passado. Sim, alguma porção da ternura do passado. Ela não conseguia contemplar aquela mudança como nada menos que isso. Ele tinha que amá-la.

Eram esses pensamentos, com as visões que os acompanhavam, que a ocupavam e a agitavam demais para que restasse qualquer poder de observação, e ela atravessou a sala sem nenhum vislumbre dele, sem nem mesmo tentar discerni-lo. Quando os assentos foram determinados e todos estavam adequadamente acomodados, ela olhou ao redor para ver se, por acaso, os dois estavam na mesma parte da sala, mas não estavam. O olhar dela não podia alcançá-lo, e, com o início do concerto, ela devia se permitir ser feliz de forma mais contida.

O grupo foi dividido e disposto em dois bancos contíguos: Anne estava entre aqueles que ficaram no primeiro, e o sr. Elliot armara muito bem, com a ajuda do amigo, o coronel Wallis, para se sentar ao lado dela. A srta. Elliot, rodeada pelas primas e objeto principal dos galanteios do coronel Wallis, estava bastante satisfeita.

A mente de Anne estava no estado mais favorável para o entretenimento da noite; era ocupação o bastante: ela tinha sentimentos para a ternura, ânimo para a alegria, atenção para o científico e paciência para o enfadonho, e nunca havia gostado mais de um concerto, pelo menos durante o primeiro ato. Próximo ao fim dele, no intervalo que se seguiu a uma canção italiana, ela explicou as palavras da música para o sr. Elliot. Havia um folheto do concerto entre os dois.

— Este — informou ela — é quase o sentido, ou melhor, o significado das palavras, pois sem dúvida o sentido de uma canção de amor italiana não deve ser discutido, mas é o mais próximo do significado que eu consigo oferecer, pois não tenho pretensões de entender a língua. Sou uma péssima estudante de italiano.

— Sim, sim, estou vendo que é. Vejo que não sabe nada do assunto. Tem apenas conhecimento o suficiente da língua para traduzir, no ato, esses versos italianos invertidos, transpostos e abreviados para um inglês claro, compreensível e elegante. Não precisa falar mais nada sobre sua ignorância. Eis aqui a prova completa.

— Não vou me opor a uma cortesia tão amável, mas eu lamentaria ser inquirida por alguém realmente proficiente.

— Não tive o prazer de visitar Camden Place por tanto tempo — ele respondeu — sem saber algo sobre a srta. Anne Elliot, e eu a considero alguém modesta demais para que todo mundo conheça metade de seus talentos e talentosa demais para que a modéstia seja natural em qualquer outra mulher.

— Que vergonha! Que vergonha! É bajulação demais. Até me esqueci do que ouviremos a seguir — ela disse, virando o folheto.

— Talvez — ele continuou, falando baixo — eu conheça o seu caráter há mais tempo do que pressupõe.

— É mesmo? Como? O senhor só pode conhecê-lo desde que cheguei a Bath, a menos que tenha ouvido falar de mim antes disso, por intermédio de minha família.

— Eu a conhecia por meio de relatos muito antes de chegar a Bath. Tinha ouvido descrições suas de pessoas que a conheciam intimamente. Há muitos anos a conheço pelo caráter. Sua pessoa, sua disposição, seus talentos, seus modos... tudo me foi apresentado.

O sr. Elliot não ficou desapontado com o interesse que esperava suscitar. Ninguém consegue resistir ao charme de tal mistério. Ter sido descrita tanto tempo antes para um conhecido por uma pessoa anônima é irresistível, e Anne foi consumida pela curiosidade. Ela pensou e o questionou avidamente, mas foi em vão. Ele ficou encantado ao ser inquirido, mas não contaria quem tinha sido.

Não, não. Talvez em algum outro momento, mas não agora. Ele não mencionaria nomes agora; mas esse tinha sido o fato, ele podia garantir. Há muitos anos recebera uma descrição da srta. Anne Elliot que inspirara nele a mais elevada noção de seus méritos e despertara a mais fervorosa curiosidade de conhecê-la.

Anne não conseguia pensar em ninguém tão provável de ter falado dela com tamanha parcialidade tantos anos antes além do sr. Wentworth de Monkford, irmão do capitão Wentworth. Ele devia ter estado na companhia do sr. Elliot, mas ela não teve coragem de perguntar.

— O nome de Anne Elliot — ele disse — há muito soa interessante para mim. Há muito ele tem exercido fascínio sobre a minha imaginação, e, se pudesse ousar, sussurraria meus desejos de que esse nome nunca mudasse.

Aquelas, ela presumia, foram as palavras dele. Mas ela mal percebera seu som quando sua atenção foi capturada por outros sons imediatamente atrás de si, que tornaram todo o restante trivial. Seu pai e lady Dalrymple conversavam.

— Um rapaz de boa aparência — sir Walter disse —, de muito boa aparência.

— Um rapaz muito bonito mesmo! — lady Dalrymple respondeu. — Mais distinto do que geralmente se vê em Bath. Irlandês, ouso dizer.

— Não, sei somente o nome dele. Um conhecido de cumprimentos. Wentworth, capitão Wentworth, da Marinha. A irmã dele é casada com meu locatário em Somersetshire, os Croft, que alugam Kellynch.

Antes que sir Walter tivesse alcançado esse ponto, os olhos de Anne haviam captado a direção certa, e ela distinguiu o capitão Wentworth de pé entre um grupo de homens a uma curta distância. Assim que os olhos dela caíram nele, os dele pareceram se desviar dela. Parecia isso. Parecia que ela havia chegado um instante depois, tarde demais, e, pelo tempo que se atreveu a observar, ele não a olhou de novo. Entretanto, a apresentação estava recomeçando, e ela foi forçada a parecer ter restabelecido a atenção na orquestra e olhar para a frente.

Quando conseguiu olhar mais uma vez, ele tinha mudado de lugar. Não poderia ter se aproximado nem se quisesse: Anne estava cercada e fechada demais. No entanto, ela preferiria ter encarado seu olhar.

A fala do sr. Elliot também a afligia. Ela não tinha mais nenhuma disposição para falar com ele. Desejava que ele não estivesse tão próximo.

O primeiro ato chegou ao fim. Agora ela esperava alguma mudança proveitosa; e, depois de um período de nada a dizer entre o grupo, alguns deles decidiram sair em busca de um chá. Anne foi uma das poucas que preferiram não se mover. Ela permaneceu no assento, assim como lady Russell; mas teve o prazer de se livrar do sr. Elliot. Não pretendia, não importava como se sentisse em relação a lady Russell, esquivar-se de uma conversa com o capitão Wentworth, se ele lhe desse a oportunidade. Anne foi convencida pela expressão de lady Russell de que a amiga o havia visto.

Ele não veio, contudo. Anne às vezes imaginava tê-lo distinguido a distância, mas ele não retornou. O angustiante intervalo consumiu-se de forma improdutiva. Os outros voltaram, a sala se encheu novamente, bancos foram reivindicados e reocupados, e mais outra hora de prazer ou penitência seria encarada, mais outra hora de música causaria deleite ou bocejos conforme um gosto real ou fingindo por ela prevalecesse. Para Anne, o período trazia sobretudo a perspectiva de uma hora de agitação. Ela não poderia deixar aquela sala em paz sem vislumbrar o capitão Wentworth mais uma vez, sem a troca de um olhar amigável.

Ao se reacomodarem, houve muitas trocas, e o resultado foi favorável a ela. O coronel Wallis se recusou a se sentar novamente, e o sr. Elliot foi convidado por Elizabeth e pela srta. Carteret, de uma forma que não poderia declinar, a se sentar entre elas; e por algumas outras remoções, e uma pequena maquinação própria, Anne conseguiu se instalar bem mais perto do final do banco do que estivera antes, bem mais ao alcance de um passante. Ela não conseguiu fazê-lo sem se comparar à srta. Larolles, a inimitável srta. Larolles[5], mas ainda assim o fez sem um efeito muito mais feliz. Apesar do que pareceu boa sorte, graças à saída precoce de seus vizinhos próximos, ela se viu no extremo do banco antes do final do concerto.

Essa era a situação de Anne, com um lugar vago à disposição, quando o capitão Wentworth foi avistado novamente. Ela o viu não muito distante. Ele a viu também; contudo, estava sério e parecia indeciso, e apenas em passos muito lentos ele por fim se aproximou o suficiente para falar com ela. Ela sentiu que havia algum problema. A mudança era incontestável. A diferença entre seu aspecto atual e como estivera no Salão Octogonal era imensa. Por quê? Ela pensou no pai, em lady Russell. Teria havido alguma troca de olhares desagradável? Ele começou a falar do concerto com seriedade, parecia mais o capitão Wentworth de Uppercross; disse que estava desapontado, que esperava mais canto; em suma: devia confessar que não lamentaria quando acabasse. Anne respondeu, falando tão bem em defesa da apresentação e, no entanto, de forma tão agradável em condescendência com os sentimentos dele,

---

[5] A srta. Larolles é uma personagem do romance *Cecília, ou memórias de uma herdeira*, publicado em 1782 e escrito pela autora Frances Burney (1752-1840). Srta. Larolles é uma mulher que durante um concerto senta na ponta de um banco, em busca de falar com o sr. Meadows, paralelo com a srta. Anne, que muda de lugar no banco na esperança de encontrar o sr. Wentworth.

que o semblante do capitão Wentworth melhorou, e ele replicou quase com um sorriso. Os dois conversaram por mais alguns minutos. A melhora se manteve, ele até olhou em direção ao banco, como se visse um lugar que valia a pena ocupar, quando naquele momento um toque no ombro obrigou Anne a se virar. Era o sr. Elliot. Ele se desculpou, mas a presença dela era solicitada para explicar italiano mais uma vez. A srta. Carteret estava inquieta para ter uma ideia geral do que seria cantado a seguir. Anne não pôde recusar, mas nunca havia se sacrificado em prol da cortesia com maior sofrimento.

Alguns minutos, embora tão poucos quanto possível, foram consumidos, e, quando ela se tornou dona de si mais uma vez, quando conseguiu se virar e olhar para onde havia olhado antes, foi abordada pelo capitão Wentworth com uma espécie de despedida reservada, porém apressada. Ele precisava desejar-lhe boa-noite; estava indo embora. Devia chegar em casa o mais rápido possível.

— Não vale a pena ficar por esta canção? — Anne indagou, invadida de súbito por uma ideia que a deixou ainda mais ávida por encorajá-lo.

— Não! — ele respondeu, enfaticamente. — Não há nada pelo que valha a pena ficar — e partiu de imediato.

Ciúmes do sr. Elliot! Era o único motivo compreensível. O capitão Wentworth com ciúmes do afeto dela! Ela não teria acreditado naquilo uma semana antes, três horas antes! Por um momento, a satisfação foi fenomenal. Mas, ora essa! Os pensamentos que se seguiram eram muito diferentes. Como tal ciúme poderia ser abrandado? Como a verdade poderia alcançá-lo? Como, com todas as desvantagens peculiares de suas respectivas situações, ele iria conhecer os verdadeiros sentimentos dela? Era um suplício pensar nas atenções do sr. Elliot. Seu mal era incalculável.

Capítulo 21

Anne lembrou-se com prazer na manhã seguinte da promessa de visitar a sra. Smith, pois isso a manteria longe de casa no período em que havia maior probabilidade de o sr. Elliot passar por lá. Evitá-lo era quase um objetivo prioritário.

Ela sentia grande dose de boa vontade em relação a ele. Apesar do mal causado por suas atenções, ela lhe devia gratidão e estima, talvez compaixão. Não podia evitar pensar demais nas circunstâncias extraordinárias em que se conheceram, no direito que ele parecia ter de atrair seu interesse, por toda a situação, pelos próprios sentimentos dele, pelo juízo precoce que fizera em relação a ela. Tudo era muito extraordinário; lisonjeiro, mas doloroso. Havia muito de que se arrepender. Como ela teria se sentido se não houvesse um capitão Wentworth na história não era uma pergunta que valia a pena ser feita, pois havia um capitão Wentworth. E fosse a conclusão do suspense atual boa ou ruim, seu afeto seria dele para todo o sempre. Sua união, ela acreditava, não poderia afastá-la mais de outros homens do que sua separação definitiva.

Jamais poderiam passar pelas ruas de Bath reflexões mais belas de amor fervilhante e de constância eterna do que as que Anne carregava no trajeto entre Camden Place e Westgate Buildings. Era quase suficiente para espalhar purificação e perfume por todo o caminho.

Ela estava certa de que teria uma recepção amigável, e a amiga parecia, naquela manhã, particularmente agradecida pela visita, parecia não ter esperado que ela fosse, mesmo que tivessem firmado o compromisso.

Um relato do concerto foi solicitado imediatamente, e as lembranças de Anne eram felizes o bastante para animar suas feições e deixá-la alegre por falar a respeito. Tudo que podia contar, ela o fez com prazer, mas esse tudo era pouco para quem tivesse estado lá e não satisfatório para uma inquiridora como a sra. Smith, que já tinha ouvido, por meio de um atalho pescado da conversa entre uma lavadeira e um garçom, muito mais sobre o sucesso geral e o resultado da noite do que Anne poderia relatar, e que agora a interrogava em vão sobre vários detalhes da companhia. Todas as pessoas de alguma importância ou notoriedade em Bath eram bem conhecidas de nome pela sra. Smith.

— Os pequenos Durand estavam lá, pelo que averiguei — disse ela —, com as bocas abertas para captar a música, como filhotes de pardais prontos para serem alimentados. Eles nunca perdem um concerto.

— Sim. Não os vi, mas ouvi o sr. Elliot dizer que eles estavam na sala.

— Os Ibbotson estavam lá? E as duas novas beldades, com o oficial irlandês alto, que está prometido para uma das duas?

— Não sei. Acredito que não estavam.

— E a velha lady Mary Maclean? Nem preciso perguntar dela, ela nunca perde um concerto, sei disso, e você deve tê-la visto. Ela deve estar no seu círculo, pois, como foi com lady Dalrymple, ficaram nos assentos de honra, próximos à orquestra, é claro.

— Não, isso era o que eu temia. Seria muito desagradável para mim em todos os aspectos. Porém, felizmente lady Dalrymple sempre escolhe ficar mais distante, e ficamos excepcionalmente bem acomodados, quero dizer, para escutar. Não devo dizer para ver, porque parece que eu vi muito pouco.

— Ah! Você viu o suficiente para se divertir. Posso entender. Há um tipo de diversão íntima a ser conhecida mesmo em uma multidão, e foi isso que você teve. Só vocês já formavam um grupo grande, não precisavam de mais nada.

— Mas eu deveria ter olhado mais ao meu redor — Anne respondeu, ciente, enquanto falava, de que na verdade não havia necessidade de olhar ao redor, e sim de que o foco havia sido insatisfatório.

— Não, não, você tinha mais o que fazer. Não precisa me dizer que passou uma noite adorável. Vejo nos seus olhos. Vejo perfeitamente como as horas se passaram: você sempre tinha algo agradável para ouvir. Nos intervalos do concerto, era a conversa.

Anne deu um meio sorriso e disse:

— Vê nos meus olhos?

— Vejo, sim. Seu semblante me informa perfeitamente que na noite passada você esteve na companhia da pessoa que considera a mais encantadora do mundo, a pessoa que lhe interessa no presente instante mais do que todo o restante do mundo junto.

Um rubor espalhou-se pelas bochechas de Anne. Ela não conseguiu responder nada.

— E sendo esse o caso — a sra. Smith continuou, após uma breve pausa —, espero que acredite que sei valorizar a sua gentileza de me visitar hoje. É mesmo muita bondade sua vir e sentar comigo quando deve ter tantas demandas mais deleitantes para usar seu tempo.

Anne não ouviu nada daquilo. Ela ainda estava mergulhada na perplexidade e na confusão causadas pela sagacidade da amiga, incapaz de imaginar como qualquer relato do capitão Wentworth poderia ter chegado a ela. Depois de mais um breve silêncio:

— Diga-me — prosseguiu a sra. Smith —, o sr. Elliot está ciente de que você me conhece? Ele sabe que estou em Bath?

— O sr. Elliot! — repetiu Anne, erguendo os olhos estupefata. Uma reflexão momentânea lhe mostrou o erro que cometera. Ela o captou de imediato e, recuperando a coragem com um sentimento de segurança, logo acrescentou, mais calma: — Você conhece o sr. Elliot?

— Nós nos conhecíamos bastante bem — respondeu a sra. Smith, séria. — Mas parece que a relação se desgastou agora. Faz algum tempo desde que nos vimos.

— Eu não fazia ideia disso. Você nunca mencionou antes. Se soubesse, teria tido o prazer de falar a ele a seu respeito.

— Para dizer bem a verdade — prosseguiu a sra. Smith, assumindo seu habitual ar bem-humorado —, esse é exatamente o prazer que desejo que você tenha. Quero que fale de mim ao sr. Elliot. Quero que use de sua influência com ele. Ele pode ser de uma ajuda essencial para mim, e, se você tiver a bondade, minha querida srta. Elliot, de tornar esse um propósito seu, é claro que dará certo.

— Eu ficaria extremamente feliz. Espero que não duvide de minha disposição de ser de qualquer ajuda para você — Anne respondeu —, mas suspeito que esteja considerando que tenho mais poder sobre o sr. Elliot, um direito maior de influenciá-lo, do que é realmente o caso. Tenho certeza de que você, de uma maneira ou de outra, absorveu tal convicção. Deve me considerar apenas uma familiar do sr. Elliot. Se, sob essa luz, houver qualquer coisa que você julgar que a prima dele possa razoavelmente lhe solicitar, peço que não hesite em se aproveitar de minha posição.

A sra. Smith lançou-lhe um olhar penetrante e, sorrindo, disse:

— Vejo que fui um pouco precipitada. Perdoe-me. Eu deveria ter esperado pela informação oficial. Mas agora, minha querida srta. Elliot, como uma velha amiga, me dê uma pista em relação a quando posso falar. Na próxima semana? Estou certa de que na próxima semana terei permissão para acreditar que tudo estará decidido, e poderei arquitetar meus próprios esquemas egoístas sobre a sorte do sr. Elliot.

— Não — retorquiu Anne. — Nem na próxima semana, nem na outra e nem na outra. Garanto-lhe que nada do tipo em que está pensando estará decidido em semana alguma. Não vou me casar com o sr. Elliot. Gostaria de saber por que imagina que irei.

A sra. Smith olhou para ela mais uma vez com seriedade, sorriu, sacudiu a cabeça e exclamou:

— Céus, como gostaria de compreendê-la! Como gostaria de saber em que está metida! Tenho uma opinião bastante resoluta de que você não tem intenção de ser cruel quando o momento certo chegar. Até que chegue de fato, você sabe, nós, mulheres, nunca temos intenção de aceitar ninguém. É algo natural entre nós, todos os homens serão recusados... até que proponham. Porém, por que você seria cruel? Deixe-me advogar pelo meu... não posso chamá-lo de amigo atual, mas meu antigo amigo. Onde pode procurar um enlace mais adequado? Onde poderia esperar achar um homem mais cavalheiro e agradável? Permita-me recomendar o sr. Elliot. Não tenho dúvida de que você só ouve coisas boas a respeito dele por intermédio do coronel Wallis, e quem poderia conhecê-lo melhor do que o coronel Wallis?

— Minha querida sra. Smith, a esposa do sr. Elliot morreu não faz mais de meio ano. Não se deveria supor que ele estivesse cortejando qualquer pessoa.

— Ah! Se essas são suas únicas objeções — exclamou a sra. Smith, com malícia —, o sr. Elliot está a salvo, e não preciso mais me preocupar com ele. Não se esqueça de mim quando estiver casada, só isso. Deixe-o saber que você é minha amiga, e então ele vai considerar pequeno o aborrecimento necessário, já que é muito natural para ele agora, com tantos negócios e tantas obrigações próprias, evitar e tentar se livrar como ele pode; muito natural, talvez. Noventa e nove por cento das pessoas fariam o mesmo. É claro, ele não pode estar ciente da importância disso para mim. Bem, minha querida srta. Elliot, espero e confio que você será muito feliz. O sr. Elliot tem inteligência para compreender o valor de uma mulher assim. Sua paz não será arruinada como a minha tem sido. Você está a salvo quanto a todas as questões materiais, e também quanto ao caráter dele. Ele não será desviado do bom caminho, não será iludido por outros até se arruinar.

— Não — Anne disse. — Posso acreditar sem dificuldade em tudo isso a respeito do meu primo. Ele parece ter um temperamento calmo, mas decidido, nem um pouco acessível a impressões perigosas. Tenho-lhe muito respeito. Não tenho motivo, por nada que tenha passado por minha observação, para não ter. No entanto, não o conheço há muito tempo, e ele não é um homem, acredito, a quem se possa conhecer intimamente tão rápido. Será que essa forma como falo dele, sra. Smith, consegue convencê-la de que ele não é nada para mim? Sem dúvida me expresso com calma o suficiente. E, dou-lhe minha palavra, ele não é nada para mim. Se ele um dia pedir minha mão (coisa que tenho pouquíssima razão para imaginar que ele tenha qualquer intenção de fazer), não aceitarei. Garanto-lhe que não. Garanto-lhe que o sr. Elliot não tem qualquer parte, como você supõe, em nenhum prazer que o concerto da noite passada me propiciou. Não o sr. Elliot, não é o sr. Elliot que...

Ela parou, arrependida, com as bochechas intensamente ruborizadas, de que tivesse falado demais, mas menos que isso não teria sido suficiente. A sra. Smith dificilmente teria acreditado tão rápido no fracasso do sr. Elliot, a não ser pela impressão de haver outra pessoa. Dessa forma, ela de imediato cedeu e fingiu não ter percebido mais nada. E Anne, ansiosa para escapar de mais comentários, estava impaciente para saber por que a sra. Smith teria imaginado que ela iria se casar com o sr. Elliot; de onde ela teria tirado aquela ideia, ou de quem poderia tê-la ouvido.

— Conte-me como essa ideia lhe passou pela cabeça.

— Ela me passou pela cabeça pela primeira vez — respondeu a sra. Smith — quando soube quanto tempo estavam passando juntos, e acreditei que fosse a coisa mais provável do mundo que todas as pessoas próximas a vocês desejassem isso. E pode confiar que todos os seus conhecidos pensam o mesmo. Porém, eu nunca tinha ouvido ser dito até dois dias atrás.

— Isso foi, de fato, dito?

— Você reparou na mulher que abriu a porta para você quando veio me visitar ontem?

— Não. Não era a sra. Speed, como costuma ser, ou a criada? Não reparei em ninguém em particular.

— Era minha amiga, a sra. Rooke, a enfermeira Rooke, que, a propósito, estava muito curiosa para vê-la, e ficou contentíssima por estar aqui para abrir a porta para você. Ela veio de Marlborough Buildings só no domingo, e foi ela quem me disse que você iria se casar com o sr. Elliot. Ela ouvira da própria sra. Wallis, que não lhe pareceu uma fonte ruim. Sentou-se comigo durante uma hora na segunda à noite e me contou toda a história.

— Toda a história! — Anne repetiu, rindo. — Ela não poderia contar uma história tão longa, acredito eu, a respeito de um parágrafo tão curto com notícias infundadas.

A sra. Smith não falou nada.

— No entanto — continuou Anne, no instante seguinte —, apesar de não ser verdade que eu tenha essa influência sobre o sr. Elliot, ficaria extremamente feliz em ser útil para você de qualquer forma que puder. Devo mencionar que você está em Bath? Devo levar algum recado?

— Não, obrigada. Não, com certeza não. No calor do momento, e sob uma impressão errônea, eu talvez tenha tentado suscitar seu interesse em algumas circunstâncias, mas agora não. Não, eu agradeço, não tenho nada com o que incomodá-la.

— Acredito que tenha dito que conhece o sr. Elliot há muitos anos.

— Conheço.

— Não antes de ele se casar, suponho.

— Sim, ele não era casado quando eu o conheci.

— E... Vocês eram muito próximos?

— Íntimos.

— É mesmo? Então me conte como ele era nesse momento da vida. Tenho muita curiosidade de saber como era o sr. Elliot quando rapaz. Ele era parecido com o que é hoje?

— Não vi o sr. Elliot nos últimos três anos — foi a resposta da sra. Smith, dada com tanta gravidade que tornou impossível insistir mais no assunto, e Anne sentiu não ter ganhado nada além de mais curiosidade. As duas ficaram em silêncio; a sra. Smith, muito pensativa. Por fim: — Perdoe-me, minha querida srta. Elliot — exclamou ela, em seu natural tom de cordialidade. — Perdoe-me pelas respostas curtas que tenho oferecido, mas não tive certeza do que deveria fazer. Estive hesitando e pensando no que devia contar. Há muitas coisas para levar em consideração. Ninguém gosta de ser intrometido, de passar más impressões, de difamar. Mesmo a superfície suave da união familiar parece digna de ser preservada, ainda que não haja nada firme por baixo. Entretanto, tomei uma decisão, e acredito que estou certa: acho que você precisa conhecer o verdadeiro caráter do sr. Elliot. Apesar de acreditar completamente que você, neste momento, não tem a menor intenção de aceitá-lo, não há como prever o que pode acontecer. Pode ser que, em algum momento, ele a afete de forma diferente. Portanto, ouça a verdade agora, enquanto ainda é imparcial. O sr. Elliot é um homem sem coração e sem alma, um ser sorrateiro, cauteloso e sangue-frio que só pensa em si mesmo, que, para o próprio interesse ou bem-estar, seria culpado de qualquer crueldade, de qualquer perversidade que pudesse ser perpetrada sem risco para sua reputação em geral. Ele não tem compaixão pelos outros. Aqueles a quem foi a principal causa de ruína, ele consegue negligenciar ou abandonar sem o menor escrúpulo. Ele está absolutamente fora do alcance de qualquer sentimento de justiça ou clemência. Oh! Ele tem o coração perverso, vazio e perverso!

O ar atônito de Anne, e seu grito de espanto, a fizeram parar por um instante, e, de uma maneira mais calma, ela acrescentou:

— Minhas expressões a chocam. Deve perdoar uma mulher ferida e furiosa. Mas tentarei me controlar. Contarei apenas o que constatei sobre ele. Os fatos falarão por si. Ele era um amigo íntimo do meu querido marido, que o amava e confiava nele, e que o considerava um homem tão bom quanto ele mesmo. A intimidade havia se estabelecido antes de nosso casamento. Eu os conheci sendo amigos muito íntimos, e também fiquei excessivamente feliz com o sr. Elliot; nutria a opinião mais elevada sobre ele. Aos dezenove, você sabe, não se pensa muito seriamente. No entanto, o sr. Elliot me pareceu tão bom quanto os outros, e muito mais agradável do que a maioria dos outros. Estávamos quase sempre juntos. Ficávamos principalmente na cidade, vivendo em bom estilo. Naquele período, era ele quem estava em condições inferiores; ele era o pobre, estava acomodado no Temple, e isso era o máximo que ele podia fazer para manter a aparência de cavalheiro. Ele tinha um lar conosco sempre que queria, era sempre bem-vindo, era como um irmão. Meu pobre Charles, que tinha a alma mais admirável e generosa do mundo, teria dividido sua última moeda com ele. Sei que sua carteira sempre estava aberta para ele, e sei que o ajudava com frequência.

— Isso deve ter sido próximo ao exato momento na vida do sr. Elliot — Anne interrompeu — que sempre despertou minha curiosidade em particular. Deve ter sido na mesma época que minha irmã e meu pai o conheceram. Eu não o conheci então, apenas ouvi falar dele. Porém, houve alguma coisa em sua conduta na época, em relação ao meu pai e minha irmã, e depois, nas circunstâncias do seu casamento, que nunca consegui vincular muito bem ao presente. Parecia anunciar um tipo diferente de homem.

— Sei de tudo isso, sei de tudo — a sra. Smith lamentou. — Ele foi apresentado a sir Walter e a sua irmã antes que eu o conhecesse, mas sempre o ouvi falar dos dois. Sei que ele foi convidado e encorajado, e sei que escolheu não ir. Talvez eu possa satisfazer sua curiosidade em pontos que você nem imaginaria. Quanto ao casamento dele, eu soube de tudo na época. Eu estava a par de todos os prós e contras; fui a amiga a quem ele confidenciou suas expectativas e planos, e, embora não tenha conhecido sua esposa de antemão, posto que sua posição inferior na sociedade tenha, de fato, tornado isso impossível, ainda assim eu a conheci durante toda a vida depois, ou pelo menos até antes dos dois últimos anos de vida dela, e posso responder qualquer pergunta que você desejar fazer.

— Não — Anne declarou. — Não tenho nenhuma pergunta em particular sobre ela. Sempre ouvi que não eram um casal feliz. No entanto, gostaria de saber por que, nesse momento da vida, ele fez tão pouco caso da relação com meu pai. Meu pai sem dúvida estava disposto a recebê-lo de uma maneira muito gentil e digna. Por que o sr. Elliot recuou?

— O sr. Elliot — respondeu a sra. Smith —, nesse momento da vida, tinha um objetivo em vista: fazer a própria fortuna, e por um processo bem mais rápido do que teria sido por intermédio da lei. Ele estava determinado a fazê-lo por meio do casamento. Estava determinado, no mínimo, a não arruinar isso com um casamento imprudente. Sei que acreditava (se era justo ou não, com certeza não posso julgar) que seu pai e sua irmã, com suas cortesias e seus convites, estavam planejando juntar o herdeiro e a jovem dama, e era impossível que tal união tivesse satisfeito as ideias dele de riqueza e independência. Esse foi o motivo do recuo, posso lhe assegurar. Ele me contou toda a história; não tinha segredos comigo. Foi curioso que, tendo acabado de deixá-la em Bath, meu primeiro e principal conhecido ao me casar fosse seu primo, e que, por intermédio dele, eu continuasse a ouvir falar do seu pai e da sua irmã. Ele descrevia uma srta. Elliot, e eu pensava com muito carinho na outra.

— Será que — Anne exclamou, dominada por uma ideia repentina — por vezes você falou de mim para o sr. Elliot?

— Com certeza falei, e com muita frequência. Eu costumava me gabar da minha própria Anne Elliot, e assegurava que você era uma criatura muito diferente da...

Ela se deteve bem a tempo.

— Isso justifica algo que o sr. Elliot falou noite passada! — Anne exclamou. — Explica tudo. Descobri que ele costumava ouvir falar de mim. Não conseguia compreender como. Que ideias extravagantes uma pessoa tem quando seu próprio eu está envolvido! Quão certo é o equívoco! Mas peço desculpas por tê-la interrompido. Então o sr. Elliot se casou unicamente por dinheiro? E provavelmente foram essas circunstâncias que abriram os seus olhos para o caráter dele.

A sra. Smith hesitou um pouco.

— Ah, essas coisas são tão comuns! Quando a pessoa vive no mundo, o fato de um homem ou uma mulher se casar por dinheiro é comum demais para chocar alguém como deveria. Eu era muito jovem, e me associava apenas com jovens, e éramos uma turma imprudente e alegre, sem nenhuma regra estrita de conduta. Vivíamos para nos divertir. Penso de forma muito diferente agora; o tempo, a doença e o pesar me trouxeram outros pontos de vista. Contudo, naquele período, preciso confessar que não vi nada de repreensível no que o sr. Elliot estava fazendo. "Fazer o melhor para si mesmo" parecia uma obrigação.

— Mas ela não era uma mulher de classe muito baixa?

— Sim, ao que fiz objeção, mas ele não se importou. Dinheiro, dinheiro era tudo o que ele queria. O pai dela era um criador de gado, o avô havia sido açougueiro, mas tudo isso era nada. Ela era uma mulher admirável, havia recebido uma educação decente, fora apresentada à sociedade por alguns primos, ocorreu de por acaso estar na companhia do sr. Elliot e se apaixonou; não houve, da parte dele, nenhuma dificuldade e nenhum escrúpulo em relação ao berço dela. Toda a cautela dele se concentrou em confirmar o montante real da fortuna dela antes de firmar um compromisso. Não tenha dúvidas, qualquer estima que o sr. Elliot possa ter pela própria situação de vida agora, ele não dava o menor valor quando rapaz. A possibilidade da propriedade de Kellynch era algo, mas toda a honra da família, ele considerava insignificante. Eu o ouvi muitas vezes declarar que, se fosse possível vender títulos de baronete, ele entregaria o próprio a qualquer um por cinquenta libras, incluindo brasão e divisa, nome e libré. Mas não tenho intenção de repetir metade do que eu costumava ouvi-lo dizer sobre o assunto. Não seria justo. Ainda assim, você precisa ter provas, porque tudo isso são apenas afirmações, e provas você terá.

— Na verdade, minha querida sra. Smith, não quero nenhuma prova — Anne disse. — Você não afirmou nada que contradiga o que o sr. Elliot me pareceu ser alguns anos atrás. Isso tudo só confirma o que costumávamos ouvir e acreditar. Estou mais curiosa para saber por que ele se comportaria de forma tão diferente agora.

— Para minha satisfação, no entanto, se você tiver a bondade de tocar a sineta para chamar Mary... Fique. Tenho certeza de que terá a bondade ainda maior de ir você mesma ao meu quarto e me trazer a caixinha adornada que encontrará na prateleira superior do armário.

Anne, vendo que a amiga estava seriamente empenhada nisso, fez o que ela pediu. A caixa foi trazida e colocada na frente dela, e a sra. Smith, suspirando enquanto a abria, disse:

— Ela está cheia de papéis que pertencem a ele, ao meu marido. Uma pequena porção de tudo o que tive que cuidar quando o perdi. A carta que estou procurando foi escrita pelo sr. Elliot para ele antes do nosso casamento, e calhou de ter sido guardada; a razão, é difícil imaginar. Mas ele era descuidado e nem um pouco organizado com essas coisas, como qualquer homem. Quando precisei examinar esses papéis, encontrei-a junto com outras cartas, ainda mais triviais e de pessoas diferentes, espalhadas por aqui e por ali. Aqui está. Não quis queimá-la, pois, por mais que estivesse bem pouco satisfeita com o sr. Elliot na época, estava determinada a preservar todo documento que comprovasse nossa intimidade anterior. Agora tenho outro motivo para me alegrar de poder revelá-la.

Esta era a carta, dirigida ao "distinto sr. Charles Smith, Tunbridge Wells", e datada do distante julho de 1803, em Londres.

Caro Smith,

Recebi o que me enviou. Sua gentileza quase me arrebata. Gostaria que a natureza tivesse feito mais corações como o seu, mas vivi vinte e três anos no mundo e não encontrei nenhum igual. No momento, acredite, não preciso de seus préstimos, pois tenho dinheiro de novo. Dê-me os parabéns: consegui me livrar de sir Elliot e da senhorita. Eles voltaram para Kellynch, e quase me fizeram jurar que os visitaria no próximo verão; mas minha primeira visita a Kellynch será com o agrimensor, para que ele me diga como fazer o melhor proveito do terreno. Contudo, não é improvável que o baronete se case de novo; ele é tolo o suficiente para isso. Se ele se casar, porém, vão me deixar em paz, o que pode ser um equivalente razoável para a reversão da herança. Ele está pior do que no último ano.

Gostaria de ter qualquer outro sobrenome que não Elliot. Ele me causa ojeriza. Ao nome Walter, eu posso renunciar, graças a Deus! E desejo que você nunca mais me insulte com o meu segundo W, de forma que, para o resto da minha vida, serei seu verdadeiro amigo.

Wm. Elliot

Uma carta como aquela não poderia ser lida sem fazer Anne ruborizar, e a sra. Smith, observando a cor intensa no rosto dela, disse:

— A linguagem, eu sei, é extremamente desrespeitosa. Embora eu tenha me esquecido das palavras exatas, tenho a perfeita impressão do significado geral. Mas isso mostra quem é o homem. Observe as declarações dele ao meu pobre marido. É possível haver algo mais forte?

Anne não conseguiu de imediato se recuperar do baque e da humilhação de descobrir que tais palavras foram aplicadas ao pai. Ela foi obrigada a se recordar que ver a carta era uma violação das leis de honra, que ninguém deveria ser julgado ou conhecido por tais testemunhos, que nenhuma correspondência privada deveria se dirigir a olhos alheios, antes de conseguir recuperar a calma o suficiente para devolver a carta sobre a qual refletia e dizer:

— Obrigada. Isso sem dúvida é uma prova inquestionável, prova de tudo o que você falava. Mas por que se relacionar conosco agora?

— Posso explicar isso também — afirmou a sra. Smith, sorrindo.

— Pode mesmo?

— Sim. Eu lhe mostrei como era o sr. Elliot doze anos atrás e vou mostrar como ele é agora. Não tenho como apresentar provas escritas desta vez, mas posso dar um testemunho oral tão autêntico quanto desejar do que ele quer agora e do que está fazendo atualmente. Ele não é hipócrita. Quer se casar com você de verdade. Suas atenções presentes à sua família são muito sinceras, realmente vêm do coração. Vou revelar qual é a minha fonte segura: o amigo dele, coronel Wallis.

— O coronel Wallis! Você o conhece?

— Não. O relato não chegou até mim em uma linha tão direta assim, ele fez um ou dois desvios, mas nada importante. O correr das águas é tão puro quanto a nascente, os pequenos restolhos que ele recolhe nas curvas são facilmente afastados. O sr. Elliot fala sem reservas ao coronel Wallis das opiniões que tem de você. O tal coronel Wallis, imagino eu, tem um caráter muito sensato, comedido e astuto. Porém, ele tem uma esposa muito bonita e tola, a quem conta coisas que não deveria e para quem repete tudo o que ouve. Ela, com os ânimos transbordantes pela recuperação, repete tudo para a enfermeira. E a enfermeira, conhecendo minha relação com você, muito naturalmente traz tudo para mim. Na noite de segunda, minha grande amiga, a sra. Rooke, me contou todos os segredos de Marlborough Buildings. Quando falei de toda a história, portanto, veja que eu não estava romantizando tanto quanto você supôs.

— Minha querida sra. Smith, sua fonte é insuficiente. Não vai servir. O fato de o sr. Elliot ter qualquer opinião sobre mim não vai nem explicar minimamente os esforços que ele fez para se reconciliar com meu pai. Tudo isso aconteceu antes de eu vir para Bath. Eu os encontrei em termos bastante amigáveis quando cheguei.

— Eu sei que sim. Sei perfeitamente, no entanto…

— De fato, sra. Smith, não podemos esperar obter um relato autêntico por tal via. Fatos ou opiniões que passam pelas mãos de tantas pessoas, que podem ser mal interpretados pela tolice de uma e ignorância de outra, dificilmente guardam muita verdade.

— Apenas me ouça. Em breve será capaz de julgar o devido crédito ao ouvir algumas particularidades que você mesma pode imediatamente contradizer ou confirmar. Ninguém supunha que você fosse o primeiro alvo dele. Ele, na verdade, a viu antes de chegar a Bath, e a admirou, mas sem saber que se tratava de você. Assim me contou minha informante, pelo menos. É verdade? Ele a viu no verão ou no outono passado, "em algum lugar do oeste", para usar palavras dele, sem saber que se tratava de você?

— Ele me viu, sem dúvida. Até agora, é tudo verdade. Em Lyme. Aconteceu de eu estar em Lyme.

— Bem — continuou a sra. Smith, triunfante —, dê à minha amiga o devido crédito por ter estabelecido corretamente o primeiro ponto.

Então ele a viu em Lyme e gostou de você a ponto de ficar extremamente satisfeito quando a encontrou novamente em Camden Place, como a srta. Anne Elliot, e, a partir desse momento, não tenho dúvidas, passou a ter mais um motivo para fazer suas visitas. Mas havia outro, anterior, que explicarei agora. Se houver qualquer coisa em minha história que souber falsa ou improvável, me interrompa. O relato que recebi é que a amiga da sua irmã, a dama que está hospedada com vocês, sobre a qual já a ouvi mencionar, que veio a Bath com a srta. Elliot e sir Walter ainda em setembro (em resumo, quando eles chegaram por aqui) e que desde então está hospedada com vocês, é uma mulher astuta, insinuante e bonita, humilde e sensata, e, de modo geral, por sua condição e suas maneiras, passa a impressão entre os conhecidos de sir Walter de querer se tornar lady Elliot. Eles também ficam surpresos com o fato de que a srta. Elliot pareça tão cega quanto a esse perigo.

Nesse momento a sra. Smith fez uma breve pausa; Anne, no entanto, não tinha nenhuma palavra a dizer, então ela continuou:

— Foi sob essa luz que a situação se apresentou àqueles que conheciam a família, muito antes de você voltar. O coronel Wallis estava de olho no seu pai o suficiente para se sensibilizar, embora ainda não tivesse visitado Camden Place. No entanto, sua estima pelo sr. Elliot suscitava nele um interesse em tudo o que acontecia ali, e, quando o sr. Elliot veio a Bath por um dia ou dois, como costumava fazer um pouco antes do Natal, o sr. Wallis o deixou a par da aparência das coisas e dos relatos que começavam a predominar. Agora, você precisa entender que o tempo provocou uma mudança muito substancial nas opiniões do sr. Elliot quanto ao valor de um título de baronete. A respeito de todas as questões relacionadas a sangue e família, ele é um homem completamente mudado. Tendo há muito tempo tanto dinheiro quanto poderia querer gastar, sem nada a desejar no sentido de avareza ou indulgência, ele está aprendendo gradualmente a fixar sua felicidade na importância da qual é herdeiro. Achei que isso tinha ocorrido antes de nossa relação acabar, mas agora é um sentimento confirmado. Ele não consegue suportar a ideia de não ser sir William. Você pode adivinhar, por essa razão, que as notícias que ele ouviu do amigo não poderiam ser muito agradáveis, e pode adivinhar o que isso acarretou: a decisão de voltar a Bath o mais rápido possível e de se estabelecer aqui por um tempo, com a intenção de renovar a antiga relação e recuperar uma posição com a família que lhe oferecesse os meios de confirmar o grau do perigo que corria e de afastar a dama se achasse que era necessário. Esse foi o acordo entre os dois amigos, a única coisa a ser feita. E o coronel Wallis iria ajudá-lo da maneira que pudesse. Ele seria apresentado, a sra. Wallis seria apresentada, e todos seriam apresentados. O sr. Elliot voltou, como combinado, e, quando pediu, foi perdoado, como você sabe, e readmitido no seio da família. E este era o seu objetivo constante, o único objetivo (até que sua chegada adicionou mais outro motivo): vigiar sir Walter e a sra. Clay. Ele não se esquivou de nenhuma oportunidade de estar com eles, se pôs no caminho dos dois, visitou-os a qualquer hora. Mas não preciso entrar em detalhes nesse assunto. Você pode imaginar o que um homem astucioso faria; e, com essa minha explicação, talvez possa se lembrar do que o viu fazer.

— Sim — Anne assentiu —, você não me conta nada que não esteja de acordo com o que eu sabia ou podia imaginar. Sempre há algo de ofensivo nos detalhes de um ardil. As manobras do egoísmo e da duplicidade são sempre asquerosas, mas não ouvi nada que realmente me surpreendesse. Conheço pessoas que ficariam chocadas com tal representação do sr. Elliot, que teriam dificuldade em acreditar; no entanto, nunca me convenci. Sempre achei que havia outro motivo para sua conduta além do aparente. Gostaria de saber a opinião atual dele quanto à probabilidade do evento que ele teme, se considera que o perigo está diminuindo ou não.

— Está diminuindo, pelo que entendi — respondeu a sra. Smith. — Ele acredita que a sra. Clay tem medo dele e está ciente de que ele nota suas intenções, então não ousa proceder como faria na ausência dele. Entretanto, como ele fica ausente por um período ou outro, não consigo enxergar como poderia assegurar seu objetivo enquanto ela mantém a influência que tem atualmente. A sra. Wallis teve uma ideia engraçada, como a enfermeira me contou, que seria incluir no acordo nupcial que, se você e o sr. Elliot se casarem, seu pai não pode se casar com a sra. Clay. Um esquema digno da inteligência da sra. Wallis, pelo que eu soube, mas minha sensata enfermeira Rooke vê o absurdo de tudo. "Porque, tenha certeza, senhora", ela disse, "isso não o impediria de se casar com outra pessoa." E, de fato, para dizer a verdade, não acho que a enfermeira, em seu íntimo, seja uma opositora muito ferrenha a sir Walter se casar de novo. Ela deve ser perdoada por ser uma entusiasta do matrimônio, sabe. E (já que estou me intrometendo) quem pode dizer que ela não tenha vislumbres de cuidar da próxima lady Elliot, por intermédio de uma recomendação da sra. Wallis?

— Fico muito satisfeita por saber de tudo isso — Anne disse, após um momento de reflexão. — Será mais doloroso para mim, em alguns aspectos, estar na companhia dele, mas saberei melhor o que fazer. Minha linha de conduta será mais direta. O sr. Elliot evidentemente é um homem malicioso, dissimulado e mundano, que nunca teve nenhum princípio melhor para se guiar do que o egoísmo.

Mas elas ainda não haviam terminado de falar sobre o sr. Elliot. A sra. Smith havia se desviado de sua direção inicial, e Anne havia se esquecido, devido ao interesse pelos problemas da própria família, quanto havia sido originalmente sugerido a respeito dele. A atenção dela, no entanto, naquele momento direcionou-se à explicação daquelas primeiras pistas, e ela ouviu um relato que, se não justificava perfeitamente a amargura absoluta da sra. Smith, provava que ele tinha sido muito insensível em sua conduta com ela, muito desprovido tanto de justiça quanto de compaixão.

Ela descobriu (a intimidade entre eles permaneceu intacta após o casamento do sr. Elliot) que eles continuaram tão próximos quanto antes, e que o sr. Elliot induziu o amigo a fazer gastos muito superiores à sua fortuna. A sra. Smith não queria assumir a culpa, e era muito sensível para jogá-la sobre o marido, mas Anne conseguiu identificar que a renda deles nunca fora equivalente ao seu estilo de vida e que desde o início houvera um grande volume de extravagância geral e conjunta. Do relato que a esposa fazia dele, ela conseguiu perceber que o sr. Smith fora um homem de sentimentos calorosos, temperamento fácil, hábitos descuidados e não muito inteligente, muito mais amável que o amigo, muito diferente dele e, provavelmente, fora induzido e menosprezado por ele. O sr. Elliot, cujo casamento o havia elevado a uma grande riqueza, dispôs de toda a gratificação de prazer e vaidade que lhe fizesse jus sem se comprometer (pois, com todo o seu egoísmo, ele se tornara um homem prudente), e, começando a ser rico, tanto quanto seu amigo devia ter descoberto ser pobre, pareceu não ter nenhuma preocupação com as prováveis finanças do amigo; pelo contrário, tinha impelido e encorajado despesas que só poderiam resultar em ruína, e os Smith, consequentemente, ficaram arruinados.

O marido havia morrido a tempo de ser poupado de saber de tudo isso. Eles haviam vivido humilhações o suficiente para pôr à prova a amizade de seus amigos e para saber que era melhor não testar a do sr. Elliot. Entretanto, foi somente com sua morte que o estado lastimável de seus negócios foi completamente revelado. Com a confiança da estima do sr. Elliot, e crendo mais nos sentimentos do que no julgamento dele, a sra. Smith o apontou como executor do testamento do marido. O sr. Elliot, contudo, não aceitou, e as dificuldades e as angústias que essa recusa jogou sobre ela, além do inevitável sofrimento da situação, foram tais que não podiam ser narradas sem agonia no espírito nem ouvidas sem uma indignação correspondente.

Foram mostradas a Anne algumas cartas dele da época, respostas a pedidos urgentes da sra. Smith, todas as quais emanavam a mesma dura resolução de não se envolver em problemas infrutíferos e, sob uma fria cortesia, manifestavam a mesma indiferença impiedosa a respeito de qualquer um dos males que isso poderia acarretar a ela. Era um retrato terrível de ingratidão e desumanidade, e Anne sentiu, em alguns momentos, que nenhum crime flagrante teria sido pior. Ela teve muito o que escutar, todas as particularidades de tristes cenas passadas, todas as minúcias de angústias, uma atrás da outra, as quais haviam sido apenas insinuadas em conversas anteriores e que foram agora narradas com uma indulgência natural. Anne era capaz de compreender perfeitamente o alívio extraordinário da amiga, e ficou ainda mais admirada com a compostura de seu estado de espírito habitual.

Havia uma circunstância na história de suas queixas que provocou uma irritação em particular. Ela tinha uma boa razão para acreditar que uma propriedade do marido nas Índias Orientais, que estivera por muitos anos sob uma espécie de confisco pelo pagamento de seus próprios impostos, poderia ser recuperada por meio de medidas adequadas, e que essa propriedade, embora não fosse grande, seria suficiente para deixá-la comparativamente rica. Mas não havia ninguém para cuidar disso. O sr. Elliot recusara-se a fazer qualquer coisa, e ela não podia fazer nada por si só, igualmente incapaz de um esforço pessoal em razão de seu estado de fraqueza corporal e da impossibilidade de contratar outra pessoa, pela falta de dinheiro. Ela não tinha parentes naturais para auxiliá-la com um conselho que fosse, e não podia pagar por assistência jurídica. Isso causou um agravamento cruel de sua situação financeira já restrita. Sentir que deveria estar em circunstâncias melhores, que um pequeno esforço no lugar certo bastaria, e temer que aquela demora poderia até reduzir seus direitos, era duro de suportar.

Era nesse ponto que ela esperava envolver a ajuda de Anne com o sr. Elliot. Antes, com a expectativa do casamento dos dois, ela estivera bastante apreensiva de perder a amiga por causa disso. Mas, estando certa de que ele não poderia fazer nenhuma tentativa dessa natureza, já que nem fazia ideia de que ela estava em Bath, imediatamente lhe ocorreu que algo poderia ser feito a seu favor pela influência da mulher que ele amava, e ela estivera precipitadamente se preparando para envolver os sentimentos de Anne, tanto quanto as observâncias devidas do caráter do sr. Elliot permitissem, quando a recusa de Anne em relação ao suposto noivado mudou a face de tudo; e, embora isso tenha lhe tirado a nova esperança de ser bem-sucedida no assunto que mais lhe causava aflição, deixou-a pelo menos com o conforto de contar toda a história à sua própria maneira.

Depois de ouvir esse relato completo da sra. Smith, Anne não conseguiu deixar de expressar alguma surpresa acerca do fato de a sra. Smith ter falado de forma tão favorável dele no início da conversa. "Ela parecia enaltecê-lo e elogiá-lo!"

— Minha querida — foi a resposta da sra. Smith —, não havia mais nada a fazer. Eu considerava certo o casamento de vocês dois, embora ele talvez não tivesse feito o pedido, e não poderia mais falar a verdade sobre ele se ele fosse seu marido. Fiquei com o coração partido por você enquanto falava de felicidade. Ainda assim, ele é sensato, agradável e, com uma mulher com você, não é um caso completamente perdido. Ele foi muito cruel com a primeira esposa. Eles eram infelizes juntos. Mas ela era ignorante e tola demais para ser respeitada, e ele nunca a amou. Eu estava disposta a esperar que você se saísse melhor.

Anne foi capaz apenas de reconhecer dentro de si a possibilidade de ter sido induzida a se casar com ele, o que a deixou arrepiada diante da ideia do sofrimento que se seguiria. Era muito possível que ela talvez fosse persuadida por lady Russell! E, sob tal suposição, qual delas teria sido a mais sofrível quando o tempo revelasse tudo, tarde demais?

Era muito desejável que lady Russell não fosse mais enganada; e um dos acordos finais dessa importante conversa, que as conduziu ao longo da maior parte da manhã, foi que Anne tinha liberdade total de comunicar à amiga tudo que fosse relacionado à sra. Smith que envolvesse a conduta dele.

Capítulo 22

Anne foi para casa refletir sobre tudo o que tinha ouvido. Por um lado, seus sentimentos foram aliviados pelas descobertas a respeito do sr. Elliot. Não havia mais nenhuma ternura devida a ele. Ele era o oposto do capitão Wentworth, com todo o seu intrometimento inconveniente; e o mal que suas atenções na noite anterior causaram, todo o prejuízo irremediável que ele talvez tivesse ocasionado, foram ponderados com sensações inclassificáveis, inconfundíveis. A compaixão que sentia por ele desvaneceu totalmente. Mas esse era o único ponto de alívio. Em todos os outros aspectos, olhando ao redor ou examinando o porvir, ela via mais razões para desconfiança e apreensão. Preocupava-se com o desgosto e a dor que lady Russell sentiria, com as humilhações que estariam pairando sobre o pai e a irmã e com todas as aflições de antever muitos males sem saber como impedir nenhum deles. Ela estava muito grata pelas informações que tinha dele. Nunca se considerara merecedora de um prêmio por não ter menosprezado uma amiga antiga como a sra. Smith, mas ali estava o prêmio, de fato, emergindo de toda a situação! A sra. Smith fora capaz de lhe contar o que ninguém mais foi. Será que as informações poderiam ser contadas à família dela? Contudo, essa era uma ideia inútil. Ela tinha que falar com lady Russell, contar-lhe, consultá-la, e, tendo feito seu melhor, esperar pelo evento com a maior calma possível; e, por fim, a maior necessidade de serenidade residiria naquele um quarto de informação que não poderia ser aberto a lady Russell; naquele fluxo de aflições e temores que deveriam ser guardados para si mesma.

Ela descobriu, ao chegar em casa, que tinha, como pretendia, escapado de ver o sr. Elliot; que ele havia passado ali e feito uma longa visita matinal. Mas ela mal havia se congratulado e se sentido segura quando ouviu que ele voltaria à noite.

— Eu não tinha a menor intenção de convidá-lo — Elizabeth disse, com uma indolência afetada —, mas ele deixou tantas indiretas... Ao menos, é o que diz a sra. Clay.

— De fato, eu disse. Nunca vi ninguém na minha vida desejar tanto ser convidado. Pobrezinho! Fiquei muito compadecida dele... pois a insensível da sua irmã, srta. Anne, parece inclinada à crueldade.

— Ah! — Elizabeth exclamou. — Estou acostumada demais a esse jogo para ceder tão logo às indiretas de um cavalheiro. Porém, quando percebi o quão excessivamente ele lamentava não ter visto meu pai esta manhã, me rendi de imediato, pois eu nunca omitiria uma oportunidade de uni-lo a sir Walter. Eles parecem obter muitas vantagens da companhia um do outro. Os dois se comportando de maneira tão agradável. O sr. Elliot o admirando com tanto respeito.

— É um deleite! — a sra. Clay completou, não se atrevendo, porém, a voltar os olhos para Anne. — Exatamente como pai e filho! Querida srta. Elliot, não devo dizer pai e filho?

— Ah! Não coloco embargos nas palavras de ninguém. Se quiser, tenha tais ideias! No entanto, dou minha palavra, não percebi que as atenções dele sejam maiores do que as de outros homens.

— Minha querida srta. Elliot! — a sra. Clay exclamou, levantando as mãos e os olhos e afundando todo o resto de seu espanto em um silêncio conveniente.

— Bem, minha querida Penelope, não precisa ficar tão alarmada por causa dele. Eu o convidei, você sabe. Ele foi embora com sorrisos. Quando descobri que ele iria realmente visitar os amigos em Thornberry Park durante o dia inteiro amanhã, senti compaixão por ele.

Anne admirou a boa atuação da amiga, por ser capaz de demonstrar tanto deleite quanto o fez com a expectativa e a chegada exatamente da pessoa cuja presença devia estar mesmo interferindo em seu principal objetivo. Era impossível que a sra. Clay detestasse a visão do sr. Elliot, e mesmo assim ela era capaz de assumir uma expressão das mais diligentes e plácidas e parecer estar muito satisfeita com a licença restrita de devotar-se a sir Walter apenas metade do tempo que, de outro modo, devotaria.

Para Anne, foi muito angustiante ver o sr. Elliot entrar na sala, e bastante doloroso que ele se aproximasse e falasse com ela. Ela estava habituada a sentir que ele talvez não fosse sempre completamente sincero, mas agora enxergava dissimulação em tudo. A deferência cortês dele ao pai dela, em contraste com sua linguagem anterior, era odiosa. E quando ela pensava na conduta cruel dele com a sra. Smith, mal conseguia suportar a visão de seus sorrisos e indulgências, ou o som de seus bons sentimentos artificiais.

Ela pretendia evitar qualquer mudança em seus modos que pudesse provocar alguma queixa nele. Era um grande objetivo seu escapar de todos os interrogatórios ou aclamações, no entanto, era sua intenção ser o mais decididamente fria com ele quanto fosse compatível com a relação que tinham; e retroceder, da maneira mais discreta que pudesse, os poucos passos de intimidade desnecessária que gradualmente dera. Portanto, ela permaneceu mais resguardada e mais serena do que na noite anterior.

Ele queria reanimar a curiosidade dela quanto a como e onde poderia tê-la ouvido ser elogiada anteriormente; queria muito ser recompensando com mais perguntas; no entanto, o encanto havia se quebrado: ele descobriu que o calor e a animação de uma sala pública eram necessários para incitar a vaidade da modesta prima; descobriu, ao menos, com as tentativas que conseguiu fazer em meio às exigentes reivindicações dos outros, que não deveria fazer isso naquele momento. Ele mal imaginou que era um motivo que agora agia exatamente contra o interesse dele, que levava imediatamente os pensamentos dela para todas aquelas partes de sua conduta que eram mais imperdoáveis.

Ela obteve alguma satisfação ao descobrir que ele realmente deixaria Bath na manhã seguinte, bem cedo, e que ficaria fora durante a maior parte dos dois dias seguintes. Foi convidado mais uma vez a Camden Place na mesma noite em que retornaria; porém, de quinta-feira até a noite de sábado, sua ausência era certa. Era ruim o suficiente que a sra. Clay estivesse sempre por ali, mas que um hipócrita ainda maior fosse incluído no grupo parecia a destruição de tudo relativo a paz e conforto. Era muito humilhante refletir sobre a constante fraude praticada contra seu pai e Elizabeth, considerar as diversas fontes de mortificação que se preparavam para eles! O egoísmo da sra. Clay não era tão complicado nem tão revoltante quanto o dele, e Anne teria se conformado prontamente com o casamento, com todos os seus males, para se livrar dos artifícios do sr. Elliot na tentativa de impedi-lo.

Na manhã de sexta-feira, ela planejava ir bem cedo à casa de lady Russell para realizar a comunicação necessária, e teria ido logo após o café da manhã, mas a sra. Clay também estava saindo para fazer um favor à irmã dela e livrá-la da obrigação, o que a fez decidir esperar até estar a salvo de tal companhia. Ela conferiu se a sra. Clay já estava bem longe, portanto, antes de começar a falar que passaria a manhã em Rivers Street.

— Muito bem — Elizabeth disse —, não tenho nada a enviar a não ser meu amor. Ah! Você poderia levar aquele livro cansativo que ela me emprestou e fingir que eu o li inteiro? Realmente não posso me aborrecer para sempre com todos esses novos poemas e ficções que saem. Lady Russell é bastante fastidiosa com suas novas publicações. Não precisa lhe dizer isso, mas achei o vestido dela horroroso na outra noite. Costumava achar que ela tinha bom gosto para vestidos, mas fiquei envergonhada por ela no concerto. Havia algo de muito formal e empolado em seu aspecto! E ela se senta tão ereta! Envie-lhe meu amor, é claro.

— E o meu — acrescentou sir Walter. — Meus cumprimentos mais gentis. E pode lhe dizer que pretendo visitá-la em breve. Transmita uma mensagem cortês, mas devo apenas enviar meu cartão. Visitas matinais nunca são justas para mulheres da idade dela, que se maquiam tão pouco. Se ela ao menos usasse ruge, não temeria ser vista. Contudo, na última vez que a visitei, percebi que as persianas foram baixadas imediatamente.

Enquanto o pai dela falava, houve uma batida à porta. Quem seria? Anne, lembrando-se das visitas ocasionais e a qualquer hora do sr. Elliot, acreditaria ser ele, não fosse o compromisso que o mantinha a sete milhas de distância. Depois do período usual de suspense, sons usuais de aproximação foram ouvidos, e "o sr. e a sra. Charles Musgrove" foram conduzidos à sala.

Surpresa foi a emoção mais forte suscitada pela aparição deles, mas Anne ficou verdadeiramente feliz em vê-los, e os outros não lamentaram senão o fato de não poderem assumir uma expressão decente de boas-vindas. Assim que ficou claro que eles, seus familiares mais próximos, não chegaram com a intenção de se acomodar naquela casa, sir Walter e Elizabeth puderam se animar em cordialidade e fazer as honras muito bem. Eles haviam ido a Bath por alguns dias com a sra. Musgrove, e ficariam em White Hart. Isso tudo foi logo compreendido, mas, até que sir Walter e Elizabeth levassem Mary até a outra sala de estar e se regalassem com a admiração dela, Anne não conseguiu arrancar de Charles o verdadeiro motivo da ida deles, ou uma explicação para algumas insinuações sorridentes que tinham sido ostensivamente feitas por Mary sobre um negócio particular, assim como para a aparente confusão que parecia haver a respeito de com quem eles tinham ido.

Ela descobriu, então, que se tratava da sra. Musgrove, de Henrietta e do capitão Harville, além deles dois. Ele fez um relato muito direto e compreensível do todo, uma narração na qual ela viu bastante do procedimento característico da família. O esquema recebera seu primeiro impulso do desejo do capitão Harville de ir a Bath a negócios. Ele começara a falar disso uma semana antes, e, como forma de encontrar algo a fazer, já que a temporada de caça havia chegado ao fim, Charles propôs ir junto, e a sra. Harville parecera gostar muito da ideia, como uma vantagem para o marido. Mary, porém, não suportava a ideia de ficar para trás e ficou tão infeliz com isso que, durante um dia ou dois, tudo pareceu ficar em suspenso ou cancelado. Mas então o plano foi aceito pelo pai e a mãe dele. A mãe tinha velhos amigos em Bath que desejava visitar; essa foi considerada uma boa oportunidade para Henrietta ir e comprar o enxoval de casamento para ela e para a irmã. Resumindo: acabou se tornando uma romaria da mãe dele, e tudo ficou confortável e fácil para o capitão Harville. Ele e Mary foram incluídos na viagem por questão de conveniência geral. Eles haviam chegado tarde na noite anterior. A sra. Harville, os filhos e o capitão Benwick haviam ficado com o sr. Musgrove e Louisa em Uppercross.

A única surpresa de Anne foi que o noivado estivesse avançado o suficiente para que o enxoval de casamento de Henrietta virasse assunto. Ela imaginara que existiam dificuldades financeiras tais a ponto de impedir que as núpcias estivessem ao alcance das mãos; no entanto, descobriu por intermédio de Charles que, muito recentemente (desde a última carta que recebera de Mary), Charles Hayter fora recomendado por um amigo para assumir a casa paroquial de um jovem que só poderia ocupá-la dali a muitos anos, e que, pela força da renda atual dele e da quase certeza de algo mais permanente muito antes do período em questão, as duas famílias consentiram os desejos do jovem casal, e a união deles provavelmente ocorreria em alguns meses, quase tão em breve quanto a de Louisa.

— E é uma casa muito boa — Charles acrescentou. — Fica somente a vinte e cinco milhas de Uppercross, em uma região muito boa: uma parte excelente de Dorsetshire. No centro de uma das melhores reservas do reino, rodeada por três grandes proprietários, cada um mais cuidadoso e desconfiado que o outro; e, pelo menos de dois deles, Charles poderá receber uma recomendação especial. Não que ele fosse valorizar isso como deveria — ele observou. — Charles é tranquilo demais para caçar. Essa é a pior parte dele.

— Fico extremamente feliz, de verdade — Anne respondeu —, particularmente feliz de que isso aconteça e que duas irmãs que merecem ficar igualmente bem e que sempre foram tão amigas não vejam que as boas perspectivas de uma possam diminuir as da outra. Que elas desfrutem igualmente de prosperidade e conforto. Espero que seu pai e sua mãe estejam muito felizes pelas duas.

— Ah, sim! Meu pai ficaria bem mais satisfeito se os cavalheiros fossem mais ricos, mas não é capaz de encontrar outro defeito. Dinheiro, você sabe, ter que gastar dinheiro, e com duas filhas de uma vez, não deve ser uma operação muito agradável, e isso o restringe em muitas coisas. Entretanto, não quero dizer que elas não tenham direito a isso. É muito apropriado que elas recebam seus dotes como filhas, e tenho certeza de que ele sempre foi um pai muito gentil e liberal. Mary não gosta muito da união de Henrietta. Nunca gostou, você sabe. Mas ela não faz justiça ao noivo nem pensa de forma razoável sobre Winthrop. Não consigo fazê-la enxergar o valor da propriedade. É um casamento muito justo, conforme o tempo passa. Gostei de Charles Hayter minha vida toda, não vai ser agora que vou deixá-lo de lado.

— O sr. e a sra. Musgrove são pais excelentes — disse Anne — e devem estar felizes com os casamentos dos filhos. Eles fazem de tudo para que sejam felizes, estou certa. Que bênção para jovens estar em tais mãos! Seu pai e sua mãe parecem totalmente livres de todos aqueles sentimentos de ambição que levam a tanta imoralidade e sofrimento, tanto em jovens quanto em velhos. Espero que Louisa esteja completamente recuperada agora.

Ele respondeu de forma um tanto hesitante:

— Sim, acredito que sim. Bastante recuperada, mas ela mudou. Não corre e não salta para lá e para cá, não ri nem dança. Está muito diferente. Se acontece de alguém bater uma porta com um pouco de força, ela se assusta e se contorce como filhote de mergulhão na água. E Benwick se senta ao seu lado, lendo versos ou sussurrando, o dia inteiro.

Anne não pôde evitar rir.

— Pode não ser muito do seu gosto, eu sei — disse —, mas acredito mesmo que ele é um jovem excelente.

— Com certeza, é. Ninguém duvida. E espero que não me ache tão tacanho a ponto de desejar que todos os homens tenham os mesmos objetivos e prazeres que eu. Valorizo muito Benwick. E quando alguém consegue fazê-lo falar, ele tem muito a dizer. Seu hábito de leitura não lhe causou nenhum mal, pois ele lutou tanto quanto leu. É um sujeito corajoso. Eu o conheci melhor na última segunda-feira, mais do que jamais conhecera antes. Tivemos o famoso confronto de caça aos ratos durante toda a manhã nos enormes celeiros do meu pai, e ele executou tão bem seu papel que passei a gostar mais dele desde então.

Nesse instante, foram interrompidos pela necessidade absoluta de que Charles seguisse os outros para admirar espelhos e porcelanas, mas Anne tinha ouvido o suficiente para entender a situação atual de Uppercross e se deleitar com sua felicidade. Embora tenha suspirado ao se deleitar, não foi um suspiro de má vontade ou inveja. Ela certamente teria partilhado suas alegrias se pudesse, mas não queria diminuir as dos Musgrove.

A visita se passou em geral com muito bom humor. Mary estava bastante animada, aproveitando a alegria e a dança, e tão satisfeita com a viagem na carruagem de quatro cavalos da sogra, e com a própria completa independência de Camden Place, que estava com o temperamento exato para admirar tudo como deveria e para aceitar todas as superioridades da casa conforme lhes eram detalhadas. Ela não tinha exigências a fazer ao pai ou à irmã; sua própria importância fora ampliada por aquelas belas salas de estar.

Elizabeth, por um breve momento, sofreu bastante. Ela sentia que a sra. Musgrove e todo o grupo dela deveriam ser convidados para jantar, mas não conseguia suportar a diferença no estilo e a redução na quantidade de criados, o que o jantar revelaria, testemunhada por aqueles que um dia foram tão inferiores aos Elliot de Kellynch. Era uma disputa entre decoro e vaidade, mas a vaidade levou a melhor, e Elizabeth voltou a ficar feliz. Estas eram suas persuasões internas: "Noções antiquadas; hospitalidade provinciana; nós não oferecemos jantares; poucas pessoas em Bath o fazem; lady Alicia nunca oferece; ela nem havia convidado a família da própria irmã, que esteve aqui durante um mês; ouso dizer que seria muito inconveniente para a sra. Musgrove, a tiraria de seu caminho. Tenho certeza de que ela preferiria não comparecer; ela não consegue se sentir à vontade conosco. Vou convidá-los para passar uma noite aqui, será muito melhor; será uma novidade e uma diversão. Eles nunca viram duas salas de estar como estas antes. Ficarão encantados de vir amanhã à noite. Deverá ser uma festa normal, pequena, mas muito elegante". E isso satisfez Elizabeth. Quando o convite foi feito aos dois presentes, e estendido aos ausentes, Mary ficou completamente satisfeita. Ela foi convidada em particular para conhecer o sr. Elliot e ser apresentada a lady Dalrymple e à srta. Carteret, que felizmente já estavam comprometidas a ir; e não poderia ter recebido uma atenção mais gratificante. A srta. Elliot teria a honra de visitar a sra. Musgrove ao longo da manhã, e Anne saiu com Charles e Mary para vê-la, e também Henrietta, pessoalmente.

O plano dela de conversar com lady Russell deveria ser adiado por ora. Eles três fizeram uma visita de alguns minutos a Rivers Street, mas Anne se convenceu de que um dia de atraso na conversa pretendida não teria importância, e apressou-se em direção a White Hart para rever os amigos e companheiros do último outono com uma avidez e um entusiasmo que tantas amizades contribuíram para formar.

Encontraram a sra. Musgrove e a filha dentro de casa e sozinhas, e Anne recebeu calorosas boas-vindas das duas. Henrietta, com as expectativas para o futuro recentemente melhoradas e a felicidade recém-adquirida, estava repleta de afeição e interesse por todos aqueles de quem já havia gostado antes; e o afeto real da sra. Musgrove tinha sido conquistado pela utilidade que demonstrara quando estavam tomados pela angústia. Era uma amabilidade, uma ternura e uma sinceridade com as quais Anne se deleitava, ainda mais em razão da triste falta de tais bênçãos em seu lar. Imploraram para que ela lhes cedesse o máximo de seu tempo quanto possível, e convidaram-na para ir todos os dias e passar o dia inteiro com eles, e ela foi reivindicada como parte da família; em retribuição, naturalmente voltou aos seus hábitos de atenção e auxílio. Quando Charles as deixou, Anne ficou ouvindo a história de Louisa relatada pela sra. Musgrove, a de Henrietta contada por ela mesma, dando opiniões e recomendações de lojas; nos intervalos, ajudava Mary em tudo o que ela lhe pedia, desde trocar a fita dela até acertar suas contas; de encontrar suas chaves e organizar seus berloques até tentar convencê-la de que ninguém estava se aproveitando dela; algo que Mary não podia deixar de imaginar por vezes quando ficava distraída em seu posto na janela, observando a entrada para o Salão da Bomba, das termas.

Uma manhã de completa confusão era esperada. Um grupo grande em um hotel garantia uma cena dinâmica e animada. Em cinco minutos, receberam um bilhete, em mais cinco, um embrulho; e Anne não estava ali havia meia hora quando a sala de jantar deles, espaçosa como era, parecia estar metade cheia: um grupo de velhos amigos regulares estava sentado em torno da sra. Musgrove, e Charles voltou com os capitães Harville e Wentworth. A aparição do último não podia ser mais do que a surpresa do momento. Era impossível para ela não sentir que a chegada de seus amigos em comum logo os reuniria mais uma vez. O último encontro dos dois fora muito importante para revelar os sentimentos dele; ela havia passado disso a uma convicção deleitosa; mas receava, em razão do semblante dele, que o mesmo juízo infeliz que o fizera se apressar para fora da Sala de Concerto ainda o governasse. Ele não parecia desejar estar perto suficiente para uma conversa.

Ela tentou permanecer calma e deixar as coisas seguirem seu curso, e tentou se apoiar com afinco na seguinte convicção racional: "É claro que, se houver uma afeição constante dos dois lados, nossos corações deverão compreender um ao outro sem demora. Não somos crianças para ficar caprichosamente irritados, confusos com a inadvertência de todo momento e brincando maliciosamente com nossa própria felicidade". Ainda assim, alguns minutos depois, ela sentiu que estarem na companhia um do outro nas atuais circunstâncias apenas serviria para expô-los a inadvertências e más interpretações das mais perniciosas.

— Anne — Mary gritou, ainda da janela —, ali está a sra. Clay, tenho certeza, de pé debaixo da colunata, junto com um cavalheiro. Eu os vi virar a esquina da Bath Street agora mesmo. Eles parecem imersos em uma conversa. Quem é ele? Venha e me diga. Meu Deus! Eu me lembro. É o próprio sr. Elliot.

— Não! — Anne rapidamente exclamou. — Não pode ser o sr. Elliot, eu lhe garanto. Ele iria sair de Bath hoje, às nove da manhã, e não volta antes de amanhã.

Enquanto falava, ela sentiu sobre si o olhar do capitão Wentworth, e a consciência disso a incomodou e constrangeu, e a fez se arrepender de ter dito tanto, por mais que não fosse quase nada.

Mary, ressentida por supostamente não ser capaz de reconhecer o próprio primo, começou a falar com muito entusiasmo sobre os traços da família e a protestar com mais intensidade que aquele era mesmo o sr. Elliot, chamando Anne mais uma vez para ir e olhar por ela mesma, mas Anne não tinha intenção de ceder, e tentou se manter calma e despreocupada. Sua aflição se reanimou, no entanto, ao perceber os sorrisos e olhares astuciosos entre duas ou três das damas visitantes, como se acreditassem estar a par de um segredo. Era evidente que uma notícia relativa a ela havia se espalhado, e a breve pausa que se sucedeu parecia garantir que agora se espalharia ainda mais.

— Venha, Anne! — Mary insistiu. — Venha e veja por si mesma. Vai ser tarde demais se não se apressar. Eles estão se despedindo, estão apertando as mãos um do outro. Ele está se virando. Eu não conseguir reconhecer o sr. Elliot, ora essa! Você parece ter se esquecido de Lyme.

Para apaziguar Mary, e talvez esconder o próprio embaraço, Anne foi tranquilamente até a janela. Ela chegou a tempo de confirmar que era de fato o sr. Elliot, embora não tivesse acreditado, antes de ele desaparecer para um lado, enquanto a sra. Clay caminhava depressa para o outro. Administrando a própria surpresa, que não pôde evitar sentir diante daquele encontro amigável entre duas pessoas com interesses totalmente opostos, ela calmamente disse:

— Sim, é o sr. Elliot, com certeza. Ele mudou o horário de saída, suponho, é tudo. Ou eu talvez tenha me enganado, não sei — e voltou à sua cadeira, recomposta e com a confortável esperança de ter se saído bem.

Os visitantes foram embora; e Charles, tendo educadamente os observado sair, fez uma careta para eles, insultando-os por terem vindo, e começou a falar:

— Bem, mãe, fiz algo de que vai gostar. Fui ao teatro e reservei um camarote para amanhã à noite. Não sou um bom menino? Sei que adora uma peça, e tem espaço para todos nós. Tem capacidade para nove pessoas. Convidei o capitão Wentworth. Anne não lamentará se juntar a nós, tenho certeza. Todos nós gostamos de uma peça. Não fiz bem, mãe?

A sra. Musgrove começava a expressar com alegria sua perfeita disposição para a peça, se Henrietta e os demais gostassem da ideia, quando Mary ansiosamente a interrompeu, bradando:

— Meu Deus, Charles! Como pode pensar em uma coisa dessas? Conseguir um camarote para amanhã à noite! Esqueceu que temos um compromisso em Camden Place amanhã à noite? E que fomos particularmente convidados para conhecer lady Dalrymple e a filha dela, e o sr. Elliot, todas as principais relações familiares, com o propósito de sermos apresentados a eles? Como pode ser tão esquecido?

— Ah, sim, claro! — Charles retorquiu. — O que é uma festa noturna? Nunca é digna de ser lembrada. Seu pai teria nos convidado para jantar, acredito eu, se quisesse nos ver. Pode fazer o que quiser, mas eu vou à peça.

— Ah, Charles! Será abominável demais se você não for, quando prometeu comparecer.

— Não, não prometi. Apenas sorri, fiz uma mesura e disse a palavra "feliz". Não houve promessa.

— Mas você tem que ir, Charles. Seria imperdoável faltarmos. Fomos convidados com o propósito de sermos apresentados. Sempre houve uma importante relação entre os Dalrymple e nós. Nunca ocorreu nada de cada lado que não fosse imediatamente anunciado. Somos parentes bem próximos, você sabe. E há o sr. Elliot também, que você deve particularmente conhecer. Qualquer atenção é devida ao sr. Elliot. Pense, é o herdeiro do meu pai, o futuro representante da família.

— Não me fale de herdeiros e representantes — revidou Charles. — Não sou desses que negligenciam o poder reinante para me curvar ao sol nascente. Se eu não vou em atenção ao seu pai, acho escandaloso ir em atenção ao herdeiro dele. O que esse sr. Elliot representa para mim?

O tom descuidado despertou Anne; ela percebeu que o capitão Wentworth estava muito alerta, assistindo e escutando com toda a concentração, e que as últimas palavras levaram o foco de seus olhos inquisidores de Charles para ela.

Charles e Mary continuavam discutindo no mesmo estilo: ele, meio sério e meio galhofeiro, mantendo o plano de ir à peça, e ela, invariavelmente séria, opondo-se com fervor e deixando transparecer que, embora estivesse determinada a ir a Camden Place, consideraria um insulto se eles fossem à peça sem ela. A sra. Musgrove interveio:

— É melhor adiarmos. Charles, seria melhor se você voltasse e mudasse o camarote para terça-feira. Seria uma lástima nos separarmos, e também ficaríamos sem a srta. Anne, visto que a festa será na casa do pai dela. Tenho certeza de que nem Henrietta nem eu nos importaríamos muito com a peça se a srta. Anne não pudesse estar conosco.

Anne se sentiu verdadeiramente grata por tamanha gentileza, e quase o mesmo tanto pela oportunidade que isso lhe deu de dizer em um tom decidido:

— Se dependesse só de minha vontade, minha senhora, a festa em casa (exceto por consideração a Mary) não seria o menor impedimento. Não tenho o menor prazer nesse tipo de ocasião, e ficaria muito feliz em trocá-la por assistir a uma peça junto com vocês. No entanto, talvez seja melhor nem tentar.

Ela falou, mas estremeceu ao terminar, consciente de que suas palavras foram ouvidas e sem se atrever nem a tentar observar o efeito delas.

Logo ficou acordado entre todos que terça-feira seria o dia. Somente Charles se reservou à vantagem de seguir atormentando a esposa, insistindo que iria à peça no dia seguinte mesmo que ninguém mais fosse.

O capitão Wentworth levantou-se de seu assento e caminhou até a lareira, provavelmente com a intenção de se afastar dela logo depois e tomar um lugar, de forma menos descarada, ao lado de Anne.

— A senhorita não está há tempo suficiente em Bath — começou ele — para desfrutar as festas noturnas da cidade.

— Ah, não! O estilo usual delas não me interessa em nada. Não jogo cartas.

— Sei que não gostava antes. Não costumava gostar de cartas, mas o tempo provoca muitas mudanças.

— Ainda não mudei tanto assim — Anne respondeu e parou, temendo uma má interpretação de algo que mal conseguia identificar o que era. Depois de esperar alguns instantes, ele disse, como se fosse resultado de um sentimento instantâneo:

— É de fato um longo período! Oito anos e meio é bastante tempo!

Se ele se aprofundaria no assunto foi algo que ficou a cargo da imaginação de Anne ponderar em uma hora mais tranquila, pois, enquanto ainda ouvia os sons que ele havia expressado, sua atenção foi chamada a outros assuntos por Henrietta, que, ansiosa para fazer uso do tempo livre que tinham para sair, chamou os companheiros para que não desperdiçassem tempo, temendo que mais alguém chegasse.

Eles foram obrigados a se mover. Anne anunciou que estava perfeitamente pronta e tentou fazer parecer que sim, mas sentiu que, se Henrietta tivesse ideia do pesar e da relutância que sentia em seu coração ao se levantar daquela cadeira, preparando-se para sair do ambiente, ela teria descoberto, em todos os sentimentos que nutria pelo primo, na própria segurança da afeição dele, algo para se compadecer dela.

Os preparativos, entretanto, logo se interromperam. Sons alarmantes foram ouvidos; outros visitantes se aproximavam, e a porta foi escancarada por sir Walter e a srta. Elliot, cuja entrada pareceu causar um arrepio em todos. Anne se sentiu coagida de imediato, e, para quem quer que olhasse, via sinais do mesmo. O conforto, a liberdade, a alegria da sala cessaram, transformando-se rapidamente em compostura fria, silêncio determinado ou conversa insípida, para estar à altura da elegância sem entusiasmo do pai e da irmã dela. Como era humilhante sentir aquilo!

Seu olhar enciumado foi satisfeito por um detalhe. O capitão Wentworth foi cumprimentado mais uma vez pelos dois, e por Elizabeth, mais graciosamente do que antes. Ela até se dirigiu a ele uma vez, e o olhou mais de uma vez. Elizabeth, na verdade, estava se preparando para um grande ato. O que veio em sequência explicou tudo. Depois de desperdiçarem alguns minutos dizendo bobagens apropriadas, ela começou a fazer o convite que deveria incluir todos os Musgrove remanescentes.

— Amanhã à noite, para encontrar alguns amigos. Não será uma festa formal.

Isso foi dito com muita graciosidade, e os cartões com os quais havia se munido, em que se lia "Na casa da srta. Elliot", foram deixados sobre a mesa, com um sorriso cortês e abrangente a todos, e um sorriso e um cartão mais decididamente oferecidos ao capitão Wentworth. A verdade era que Elizabeth estava em Bath havia tempo suficiente para compreender a importância de um homem com tal aspecto e tal aparência. O passado não significava nada. O presente era que o capitão Wentworth ficaria muito bem na sala de estar dela. O cartão foi enfaticamente entregue, e sir Walter e Elizabeth se levantaram e desapareceram.

A interrupção fora curta, porém severa, e o sossego e a animação retornaram para a maior parte daqueles que os dois deixaram para trás quando a porta se fechou, mas não para Anne. Ela só conseguia pensar no convite que, com muita perplexidade, havia testemunhado, e na maneira como ele fora recebido: suscitando dúvida quanto à sua natureza, surpresa, em vez de gratificação, e contendo reconhecimento educado, em vez de aceitação. Ela o conhecia; viu o desdém em seus olhos e não ousava acreditar que ele estivesse determinado a aceitar tal proposta como uma reparação por toda a insolência do passado. O ânimo dela afundou. Ele segurou o cartão depois que os dois partiram, como se considerasse o assunto profundamente.

— Mas que coisa que Elizabeth tenha incluído todo mundo! — Mary sussurrou bem alto. — Não me admira que o capitão Wentworth esteja encantado! Veja que ele não consegue largar o cartão.

Anne capturou o olhar dele, viu suas bochechas ruborizarem e sua boca se contorcer em uma momentânea expressão de desprezo e se virou, para que não visse nem ouvisse mais nada que a chateasse.

O grupo se separou. Os cavalheiros tinham os próprios assuntos, e as damas seguiram seus propósitos e não voltaram a se encontrar com eles enquanto estavam na companhia de Anne. Fervorosamente, imploraram-lhe para voltar e jantar e passar o restante do dia com elas, mas seus ânimos haviam sido tão exigidos, e por tanto tempo, que naquele momento ela não sentia disposição para mais nada, a não ser para ficar em casa, onde poderia ter a garantia de ficar em quanto silêncio desejasse.

Dessa forma, com a promessa de estar com elas durante toda a manhã seguinte, ela pôs fim ao passeio exaustivo com uma penosa caminhada até Camden Place, para passar ali a noite sobretudo ouvindo os agitados preparativos que Elizabeth e a sra. Clay organizavam para a festa da noite seguinte, a enumeração frequente das pessoas convidadas e o detalhamento contínuo de todos os adornos que tornariam aquela a festa mais elegante do tipo em Bath, enquanto se atormentava com a dúvida eterna quanto ao comparecimento, ou não, do capitão

Wentworth. As duas consideravam a presença dele como certa, mas, para Anne, era uma preocupação corrosiva que não apaziguava nem por cinco minutos. Na maior parte, ela achava que ele iria, porque na maior parte achava que ele deveria ir. Mas aquele era um caso que não se moldava como um claro ato de dever ou cortesia, de modo que inevitavelmente desafiava as sugestões de sentimentos muito opostos.

Ela só emergiu das ruminações daquela angustiante agitação para informar a sra. Clay de que ela fora vista com o sr. Elliot três horas depois do horário em que ele supostamente estaria fora de Bath. Por ter aguardado em vão que a dama desse qualquer indicação sobre o encontro, ela decidiu mencioná-lo, e lhe pareceu haver culpa na expressão da sra. Clay enquanto ela ouvia. Foi transitória: sumiu em um instante. No entanto, Anne pôde imaginar ter lido ali a consciência de ter, por alguma complicação de uma armação mútua, ou de alguma autoridade dominante dele, sido obrigada a ouvir (talvez por meia hora) as censuras e restrições dele a respeito dos objetivos dela quanto a sir Walter. Ela exclamou, porém, com uma imitação bastante tolerável de naturalidade:

— Ah, minha nossa! É verdade. Imagine só, srta. Elliot, para minha grande surpresa, encontrei o sr. Elliot em Bath Street. Nunca fiquei tão espantada. Ele deu meia-volta e caminhou comigo até o Pátio da Bomba D'água. Não tinha conseguido ir a Thornberry, mas me esqueci por qual motivo, pois estava com pressa e não podia ficar muito. Posso dizer apenas que ele estava determinado a não atrasar seu retorno. Queria saber quão cedo poderia chegar amanhã. Falava sem parar sobre "amanhã", e é bastante evidente que eu também não paro de pensar nisso desde que entrei na casa e descobri a extensão do plano e tudo o que tinha ocorrido, senão o fato de tê-lo visto não teria me fugido tão absolutamente.

Capítulo 23

Havia se passado apenas um dia desde a conversa de Anne com a sra. Smith, entretanto, um interesse mais vivo surgira, e a conduta do sr. Elliot a afetava tão pouco, a não ser pelos efeitos em um aspecto específico, que na manhã seguinte foi natural para ela adiar mais uma vez a visita explanatória a Rivers Street. Ela havia prometido ficar com os Musgrove desde o café da manhã até o jantar. O compromisso estava feito, e o caráter do sr. Elliot, como a cabeça da sultana Sherazade[6], ganharia mais um dia de vida.

Ela não conseguiu chegar pontualmente em sua visita, porém. O clima estava desfavorável, e ela lamentara a chuva por causa da amiga, e sentira muito por causa de si mesma, antes de ser capaz de arriscar a caminhada. Quando chegou a White Hart e percorreu o caminho até o aposento propriamente dito, percebeu que nem havia chegado no horário nem fora a primeira a chegar. O grupo diante dela consistia na sra. Musgrove, conversando com a sra. Croft, e o capitão Harville conversando com o capitão Wentworth. Ela imediatamente ouviu que Mary e Henrietta, impacientes demais para esperar, haviam saído no momento em que o tempo melhorara, mas voltariam logo, e que tinham dado ordens estritas à sra. Musgrove de mantê-la ali até que voltassem. Para Anne, restou apenas concordar, sentar-se, permanecer externamente calma e sentir-se mergulhada de uma só vez em todas as agitações que aguardara apenas para o fim da manhã. Não houve demora nem desperdício de tempo. Ela se sentiu, de imediato, profundamente feliz em

---

[6] A referência é ao livro *As mil e uma noites*, história em que Sherazade se casa com um sultão que executava cada nova esposa com o amanhecer do dia. Sherazade o manteve entretido com histórias todas as noites, de forma que ele, interessado em saber mais no dia seguinte, não a matava.

tal infelicidade, ou infeliz em tal felicidade. Dois minutos depois que ela entrou no cômodo, o capitão Wentworth disse:

— Vamos escrever aquela carta da qual falávamos agora mesmo, Harville, se você me der os materiais.

Os materiais estavam todos à mão, em uma mesa separada. Ele foi até lá e, quase dando as costas a todo o grupo, foi absorvido pela escrita.

A sra. Musgrove contava à sra. Croft a história do noivado da filha mais velha, justo naquele tom inconveniente de voz que era perfeitamente audível enquanto fingia ser um sussurro. Anne sentiu que não pertencia àquela conversa, mas, ainda assim, como o capitão Harville parecia pensativo e nem um pouco disposto a falar, ela não pôde deixar de ouvir muitas particularidades indesejáveis, entre elas, "como o sr. Musgrove e meu irmão Hayter se encontraram repetidas vezes para discutir o assunto; o que meu irmão Hayter dissera um dia, e o que o sr. Musgrove propusera no outro, e o que acontecera à minha irmã Hayter, e o que os jovens desejaram, e eu disse a princípio que nunca poderia consentir, mas depois fui persuadida a achar que daria muito certo" e muito mais no mesmo estilo de comunicação franca: minúcias que, mesmo contadas com elegância e delicadeza, algo que a boa sra. Musgrove não era capaz de fazer, só seriam de interesse próprio daqueles envolvidos. A sra. Croft prestava atenção com muito bom humor, e, sempre que falava, era de forma sensível. Anne torcia para que os cavalheiros estivessem absortos demais para escutar.

— E dessa maneira, senhora, considerando tudo — disse a sra. Musgrove, em seu sussurro poderoso —, embora pudéssemos ter desejado que fosse diferente, ainda assim, no todo, não achamos justo nos contrapor por mais tempo, pois Charles Hayter foi muito persistente, e Henrietta não ficou muito longe. Por isso, achamos que seria melhor que se casassem logo de uma vez e se resolvessem do melhor modo possível, como muitos outros antes deles fizeram. De qualquer forma, eu disse que assim seria melhor do que um noivado longo.

— Isso é precisamente o que eu ia comentar — a sra. Croft respondeu. — Prefiro que os jovens se estabeleçam com um rendimento pequeno logo e enfrentem juntos algumas dificuldades a se envolverem em um noivado longo. Sempre acreditei que um mútuo...

— Ah, querida sra. Croft! — exclamou a sra. Musgrove, incapaz de deixá-la terminar de falar. — Não há nada que eu abomine mais para jovens do que um noivado longo. Sempre protestei contra isso para meus filhos. Não há nada de mal, eu costumava dizer, nos jovens ficarem noivos se existir uma certeza de que conseguirão se casar em seis meses, ou mesmo em doze, mas um noivado longo...

— Sim, minha querida! — concordou a sra. Croft. — Ou um noivado incerto, um noivado que talvez seja longo. Acredito que começar sem saber se em determinado tempo haverá os meios para se casar é muito perigoso e insensato, e acho que todos os pais devem evitar isso tanto quanto possível.

Anne encontrou um interesse inesperado nesse ponto. Sentiu que se aplicava a ela mesma, sentiu-o como um arrepio nervoso por todo o corpo; e, no mesmo momento em que seus olhos instantaneamente fitaram a mesa distante, a pena do capitão Wentworth parou de se mover, a cabeça dele se ergueu, pausando, ouvindo, e ele se virou no instante seguinte para lançar-lhe um olhar rápido e consciente.

As duas damas continuaram a conversar, a reafirmar as mesmas verdades professadas e a reforçá-las com exemplos de efeito desfavorável da prática contrária que haviam caído em sua observação, mas Anne não conseguia distinguir mais nada, era apenas um zumbido em sua orelha, sua mente estava em confusão.

O capitão Harville, que na verdade não estava ouvindo nada daquilo, deixou seu lugar e caminhou até uma janela, e Anne, parecendo observá-lo, embora com a mente ausente por completo, gradualmente tomou consciência de que ele a estava convidando para acompanhá-lo. Ele a olhou com um sorriso e fez um ligeiro meneio com a cabeça que parecia expressar "Venha aqui, tenho algo a lhe dizer", e a amabilidade sincera e simples de seus modos, que indicavam os sentimentos de uma relação mais antiga do que aquela realmente era, reforçou o convite. Ela se levantou e foi até ele. A janela junto à qual ele estava de pé ficava do outro lado da sala, diante de onde as duas damas estavam sentadas, e, apesar de ser mais próxima da mesa do capitão Wentworth, não era tão próxima assim. Quando ela se juntou ao capitão Harville, o semblante dele reassumiu a expressão séria e pensativa que lhe parecia ser natural.

— Veja isto — ele começou, abrindo um embrulho em sua mão e mostrando uma miniatura pintada. — Sabe quem é?

— É claro. O capitão Benwick.

— Sim. E pode imaginar para quem seja isto. Entretanto — ele disse, em um tom grave —, não foi feito para ela. Srta. Elliot, lembra-se de quando caminhamos juntos em Lyme, lamentando por ele? Mal pensei na época... mas não importa. Isto foi pintado no Cabo. Ele encontrou um talentoso jovem pintor alemão no Cabo e, para cumprir uma promessa à minha pobre irmã, posou para ele e estava trazendo a pintura para casa, para ela. Agora, fui encarregado de mandá-la emoldurar para outra! Ele me deu essa missão! A quem mais poderia dar? Espero conseguir cumpri-la para ele. Não lamento, de fato, transmitir a tarefa para outra pessoa. Ele a assumiu — falou, olhando em direção ao capitão Wentworth —, está escrevendo sobre isso agora. — E, com os lábios trêmulos, ele terminou acrescentando: — Pobre Fanny! Ela não o teria esquecido tão cedo!

— Não — respondeu Anne, em uma voz baixa e comovida. — Nisso consigo acreditar facilmente.

— Não era da natureza dela. Ela era louca por ele.

— Não seria da natureza de nenhuma mulher que amasse de verdade.

O capitão Harville sorriu e indagou:

— E reivindica isso para o seu sexo?

E ela respondeu à pergunta também sorrindo:

— Sim. Nós com certeza não nos esquecemos dos senhores tão rapidamente quanto se esquecem de nós. Talvez seja o nosso destino, e não nosso mérito. Não conseguimos evitar. Vivemos quietas e confinadas em nossos lares, e nossos sentimentos nos rondam. Os senhores são forçados ao trabalho. Sempre têm uma profissão, atividades, negócios de um tipo ou de outro, para puxá-los de volta ao mundo imediatamente, e ocupação e mudanças contínuas logo enfraquecem as impressões.

— Mesmo que eu aceite sua afirmação de que o mundo faz isso mais depressa para os homens (com o que, entretanto, não acho que eu concorde), isso não se aplica a Benwick. Ele não foi forçado a trabalhar. A paz o colocou em terra firme naquele exato momento, e ele tem vivido conosco, em nosso pequeno círculo familiar, desde então.

— É verdade — Anne concordou. — Bem verdade. Eu não me lembrava disso. Mas o que devemos dizer agora, capitão Harville? Se a mudança não vem por via de circunstâncias externas, deve vir de dentro. Deve ter sido a natureza, a natureza masculina, que agiu sobre o capitão Benwick.

— Não, não, não foi a natureza masculina. Não permitirei que seja mais da natureza do homem do que da mulher ser inconstante e se esquecer daqueles a quem amam, ou amaram. Acredito no contrário. Acredito em uma analogia verdadeira entre nossas estruturas físicas e mentais, e que, por nossos corpos serem mais fortes, também o são nossos sentimentos, capazes de suportar as mais penosas missões e de superar as tempestades mais fortes.

— Seus sentimentos podem ser mais fortes — Anne redarguiu —, mas a mesma analogia me permitirá afirmar que os nossos são mais ternos. O homem é mais robusto que a mulher, mas vive menos, o que explica exatamente minha visão da natureza dos afetos. Não, seria difícil demais para os senhores se fosse o contrário. Já têm dificuldades, privações e perigos o suficiente para enfrentar. Estão sempre trabalhando duro, expostos a todo tipo de risco e adversidade. Seu lar, seu país, seus amigos, tudo fica para trás. Tempo, saúde, vida, nada disso os senhores podem reclamar como seus. Seria difícil demais — disse, com a voz hesitante — se os sentimentos de uma mulher fossem somados a tudo isso.

— Nunca concordaremos nesse ponto — o capitão Harville começava a dizer quando um som leve chamou a atenção dos dois para o canto em que o capitão Wentworth estava, até então, em perfeito silêncio. Não foi nada mais do que a queda da pena dele, mas Anne se assustou ao percebê-lo mais perto do que havia suposto, e ficou meio inclinada a suspeitar que a pena só havia caído porque ele estava ocupado com eles, esforçando-se para captar sons, os quais ainda assim não achava que ele tinha sido capaz de captar.

— Terminou a carta? — perguntou o capitão Harville.

— Ainda não, faltam algumas linhas. Devo terminar em cinco minutos.

— Não há pressa da minha parte. Estarei pronto quando estiver. Estou em uma boa ancoragem aqui — disse ele, sorrindo para Anne —, bem abastecido e sem necessidade de mais nada. Bom, srta. Anne — ele baixou a voz —, como eu dizia, nunca concordaremos, suponho, nesse ponto. Nenhum homem e nenhuma mulher concordariam, provavelmente. Contudo, deixe-me observar que todas as histórias estão contra a senhorita, todas as histórias, em prosa e em verso. Se eu tivesse a memória de Benwick, poderia citar cinquenta trechos em um instante a favor do meu argumento, e acho que nunca abri um livro na vida em que não houvesse algo sobre a inconstância da mulher. Canções e provérbios, todos falam da volubilidade da mulher. Mas talvez vá dizer que todos eles foram escritos por homens.

— Talvez eu diga. Sim, sim, por favor, sem referências a exemplos de livros. Os homens tiveram todas as vantagens sobre nós para contar a própria história. A educação tem sido deles em um grau muito mais elevado, a pena sempre esteve nas mãos deles. Não permitirei que livros provem coisa nenhuma.

— Mas como vamos provar alguma coisa?

— Não vamos. Não podemos esperar provar coisa alguma sobre esse ponto. É uma diferença de opinião que não admite prova. Nós dois começamos, provavelmente, com uma ligeira inclinação ao nosso próprio sexo, e sobre essa inclinação construímos todas as circunstâncias a favor do que tenha ocorrido dentro de nossos círculos. Muitas dessas circunstâncias (talvez aqueles casos que mais nos surpreendam) podem ser precisamente aquelas que não podem ser reveladas sem que traiam a confiança ou, em algum aspecto, sem que se diga algo que não deveria ser dito.

— Ah! — exclamou o capitão Harville, em um tom de forte comoção. — Se eu pudesse ao menos fazê-la compreender o que um homem sofre quando olha a esposa e os filhos pela última vez e assiste ao barco no qual os embarcou partir, pelo tempo em que está à vista, e depois vira as costas e diz "Sabe lá Deus se nos encontraremos mais uma vez!". Se eu pudesse lhe transmitir o fulgor na alma dele quando os encontra; quando, retornando após doze meses de ausência, talvez, e obrigado a parar em outro porto, ele calcula com que rapidez seria possível levá-los até ali, fingindo enganar-se e dizendo "Eles não conseguem chegar aqui antes de dia tal", mas o tempo todo esperando que cheguem doze horas antes, e vendo-os, por fim, chegar, como se os Céus lhes tivessem concedido asas, muitas horas antes mesmo! Se eu pudesse lhe explicar tudo isso, e tudo o que um homem é capaz de suportar e fazer, e se orgulhar por fazer, por todos esses tesouros de sua existência! Digo isso, a senhorita sabe, somente de homens que têm coração! — e pressionou o próprio coração, emocionado.

— Oh! — Anne disse, sôfrega. — Espero fazer jus a tudo o que é sentido pelo senhor e por aqueles que se parecem com o senhor. Deus me perdoe diminuir os sentimentos calorosos e fiéis de qualquer um dos meus semelhantes! Eu mereceria o mais absoluto desprezo se me atrevesse a supor que o afeto e a constância verdadeiros fossem sentimentos conhecidos apenas por mulheres. Não, acredito que os senhores sejam capazes de tudo o que é grande e bom em suas vidas de casado. Acredito que se equiparam em todos os esforços importantes e em toda a indulgência doméstica, desde que, se me permite a expressão, desde que tenham um objetivo. Quero dizer, enquanto a mulher que amam estiver viva, e viva pelos senhores. Todo o privilégio que reivindico para o meu sexo (não é um muito invejável, não precisa cobiçá-lo) é o de amar por mais tempo, quando a existência ou a esperança já se desvaneceram.

Ela não seria capaz de proferir imediatamente mais nenhuma frase; seu coração estava muito cheio, e seu fôlego, oprimido demais.

— A senhorita é uma boa alma — declarou o capitão Harville, pondo a mão sobre o braço dela de forma muito afetuosa. — Não há discussão com a senhorita. E quando penso em Benwick, minha língua trava.

A atenção dos dois foi atraída pelos outros. A sra. Croft estava de saída.

— Aqui, Frederick, você e eu nos separamos, acredito — ela falou. — Vou para casa, e você tem um compromisso com seu amigo. Esta noite, talvez tenhamos o prazer de nos encontrarmos todos novamente na sua festa — disse ela, virando-se para Anne. — Recebemos o cartão da sua irmã ontem, e fui informada de que Frederick recebeu um cartão também, embora eu não tenha visto. E você está livre, Frederick, não está, assim como nós?

O capitão Wentworth estava dobrando a carta com muita pressa e não conseguiu, ou não quis, responder adequadamente.

— Sim — respondeu ele —, é verdade. Aqui nos separamos, mas Harville e eu logo a seguiremos. Quer dizer, se estiver pronto, Harville, estarei em meio minuto. Sei que não se queixará de sair. Devo estar às suas ordens em meio minuto.

A sra. Croft os deixou, e o capitão Wentworth, tendo selado a carta com muita rapidez, também estava pronto, e tinha até um ar apressado e agitado que parecia revelar impaciência para sair. Anne não sabia como entender aquilo. Recebeu o mais gentil "Bom dia, Deus a abençoe!" do capitão Harville, mas dele nem uma palavra, nem sequer um olhar! Ele atravessara a sala sem nem olhar para ela!

No entanto, ela só teve tempo de se aproximar da mesa na qual ele estivera escrevendo quando passos foram ouvidos mais uma vez; a porta se abriu, era ele. Ele pediu desculpas, mas havia esquecido as luvas, e imediatamente cruzando a sala até a escrivaninha, tirou uma carta debaixo dos papéis desordenados, colocou-a diante de Anne com os olhos ardentes de súplica fixados nela por um tempo e, pegando as luvas apressado, saiu da sala novamente, quase antes de a sra. Musgrove ter notado que ele voltara: foi o trabalho de um instante!

A revolução que um instante havia feito em Anne era quase inefável. A carta, com o destinatário quase ilegível, "Srta. A. E.", era evidentemente a que ele havia dobrado de forma tão apressada. Enquanto supostamente escrevia apenas para o capitão Benwick, ele também estivera escrevendo para ela! Do conteúdo daquela carta dependia tudo o que este mundo poderia fazer por ela. Tudo era possível, tudo poderia ser desafiado, menos o suspense. A sra. Musgrove tinha os próprios afazeres para dar conta em sua mesa, ela deveria confiar naquela distração. Afundando na cadeira que ele ocupara, sucedendo-o no mesmo lugar em que ele havia se debruçado e escrito, os olhos dela devoraram as seguintes palavras:

> *Não posso mais ouvir em silêncio. Preciso falar-lhe pelos meios que estão ao meu alcance. A senhorita trespassa minha alma. Sou metade agonia, metade esperança. Não me diga que cheguei tarde demais, que esses preciosos sentimentos se foram para sempre. Ofereço-me mais uma vez com o coração ainda mais seu do que quando quase o partiu, oito anos e meio atrás. Não se atreva a dizer que o homem esquece mais rápido que a mulher, que o amor dele tem uma morte prematura. Não amei ninguém além da senhorita. Talvez eu tenha sido injusto, fui fraco e ressentido, mas nunca inconstante. Apenas sua presença me trouxe a Bath. Só para a senhorita são meus pensamentos e planos. Não percebeu isso? Não é capaz de compreender meus desejos? Eu não teria esperado nem esses dez dias se pudesse ter lido os seus sentimentos, como acredito que deve ter decifrado os meus. Mal sou capaz de escrever. A todo instante ouço alguma coisa que me arrebata. Pode baixar sua voz, mas consigo distinguir os tons dessa voz quando eles teriam se perdido para os outros. Criatura boa demais, extraordinária demais! Faz-nos justiça, de fato. Acredita que há afeto e constância verdadeiros entre os homens. Creia este ser o mais fervoroso, o mais imutável.*
>
> *F. W.*
>
> *Tenho que ir, incerto de meu destino. Contudo, retornarei para cá, ou acompanharei seu grupo, assim que possível. Uma palavra, um olhar, será suficiente para decidir se entrarei na casa de seu pai esta noite ou nunca.*

Não havia forma de se recuperar rápido de uma carta como aquela. Meia hora de solidão e reflexão talvez a tivesse tranquilizado; mas os dez minutos que se passaram antes de ela ser interrompida, com todas as limitações de sua situação, não bastaram para trazer-lhe tranquilidade. Era uma felicidade arrebatadora. E, antes que ela ultrapassasse o primeiro estágio de sensação plena, Charles, Mary e Henrietta apareceram.

A absoluta necessidade de parecer controlada produziu então um esforço imediato; porém, depois de um tempo, ela não conseguiu mais continuar. Começou a não compreender uma palavra do que diziam e foi obrigada a apelar para uma indisposição e pedir licença. Eles podiam ver que ela parecia muito indisposta, ficaram chocados e preocupados, e de forma nenhuma sairiam sem ela. Aquilo era terrível. Se tivessem apenas saído e a deixado na posse silenciosa daquela sala, isso teria sido sua cura. Mas ter todos de pé ou aguardando-a ao seu redor era perturbador, e, em desespero, ela avisou que iria para casa.

— Com certeza, minha querida — a sra. Musgrove disse. — Vá direto para casa e se cuide, para que possa estar disposta à noite. Gostaria que Sarah estivesse aqui para medicá-la, pois não faço isso. Charles, toque a sineta e peça uma liteira. Ela não deve andar.

Mas a liteira não serviria jamais. Era pior que tudo! Perder a possibilidade de trocar duas palavras com o capitão Wentworth no curso do trajeto tranquilo e solitário pela cidade (e ela tinha quase certeza de que o encontraria) não poderia ser suportado. A liteira foi energicamente recusada, e a sra. Musgrove, que pensava somente em um tipo de indisposição, tendo se assegurado, com alguma ansiedade, de que não houvera nenhuma queda naquele caso, que Anne não havia escorregado e batido a cabeça em nenhum momento recente, que ela estava perfeitamente convencida de não ter sofrido nenhuma queda, conseguiu se despedir dela alegremente e convencer-se de que a encontraria melhor à noite.

Ansiosa por não omitir nenhuma precaução possível, Anne fez um esforço e disse:

— Temo, senhora, que não esteja perfeitamente claro. Por favor, faça a bondade de mencionar aos outros cavalheiros que esperamos ver todo o seu grupo esta noite. Temo que tenha havido algum engano, e desejo que assegure particularmente ao capitão Harville e ao capitão Wentworth que esperamos ver os dois.

— Ah, minha querida! Está tudo muito bem compreendido, dou-lhe minha palavra. O capitão Harville nem pensa em deixar de ir.

— Acha mesmo? Mas temo que deixe de ir, e eu lamentaria muito. Prometa-me que mencionará isso quando os vir novamente. A senhora ainda os verá esta manhã, ouso dizer. Prometa-me, por favor.

— Prometo, sim, se é seu desejo. Charles, se vir o capitão Harville por aí, lembre-se de transmitir a mensagem de Anne. Porém, de verdade, minha querida, não precisa se preocupar. O capitão Harville está muito comprometido, posso assegurar. E o capitão Wentworth também, ouso dizer.

Anne havia chegado ao seu limite. Porém, seu coração profetizava algum azar que sufocaria a perfeição de sua felicidade. Não poderia durar muito, no entanto. Mesmo se ele não fosse em pessoa a Camden Place, ela teria chance de enviar uma frase inteligível pelo capitão Harville. Outro tormento momentâneo ocorreu. Charles, com sua preocupação real e boa índole, a acompanharia até em casa, não havia como impedi-lo. Era quase cruel. Mas ela não era capaz de ser mal-agradecida por muito tempo, ele estava sacrificando um compromisso com um armeiro para ajudá-la; e ela partiu com ele, com nenhum sentimento além de gratidão aparente.

Estavam na Union Street quando um passo mais rápido vindo atrás dos dois, um som familiar, deu a ela dois instantes para se preparar para a visão do capitão Wentworth. Ele os alcançou; mas, como se estivesse indeciso quanto a se juntar a eles ou seguir adiante, nada disse, apenas os olhou. Anne foi capaz de se controlar o suficiente para receber esse olhar, e sem constrangimento. As bochechas, antes pálidas, agora ruborizavam, e os movimentos, antes hesitantes, agora estavam decididos. Ele caminhou ao lado dela. Pouco depois, tomado por um pensamento repentino, Charles perguntou:

— Capitão Wentworth, para qual lado está indo? Apenas até a Gay Street ou mais além na cidade?

— Não sei bem — respondeu o capitão Wentworth, surpreso.

— Vai até Belmont? Vai até próximo de Camden Place? Pois, se for, não terei escrúpulos em lhe pedir para assumir meu lugar e dar seu braço para Anne até a porta da casa do pai dela. Ela está bastante exausta esta manhã e não deve ir tão longe sem ajuda, e eu preciso ver aquele sujeito no mercado. Ele prometeu me mostrar uma arma fantástica que está para enviar, disse que a deixaria desembalada até o último instante possível para que eu pudesse vê-la, e, se eu não der meia-volta agora, perderei a oportunidade. Pela descrição dele, parece muito aquela minha espingarda de dois canos tamanho médio com a qual você atirou um dia próximo a Winthrop.

Não poderia haver nenhuma objeção. Houve somente uma disposição adequada, uma concordância cortês em público, e sorrisos controlados e espíritos dançantes em um êxtase privado. Em meio minuto, Charles estava novamente no final da Union Street, e os outros dois seguiam juntos. Logo haviam trocado palavras o suficiente para decidir tomar a direção do comparativamente quieto e reservado caminho de cascalhos, onde o poder da conversa transformaria aquela hora em uma verdadeira bênção e a prepararia para toda a imortalidade que as recordações mais felizes do próprio futuro deles poderiam guardar. Ali compartilharam mais uma vez aqueles sentimentos e aquelas promessas que antes pareceram assegurar tudo, mas que foram seguidas por tantos e tantos anos de separação e estranhamento. Ali voltaram mais uma vez ao passado, talvez ainda mais extraordinariamente felizes em sua reunião do que haviam projetado de início; com mais ternura, mais experiência e mais firmeza no conhecimento do caráter, da verdade e do afeto de cada um; mais constantes para agir e mais motivados na ação. E ali, enquanto lentamente subiam a suave ladeira, alheios a todos os grupos ao redor deles, não percebendo políticos perambulando, governantas agitadas, garotas namoradeiras, babás e crianças, eles puderam desfrutar dos retrospectos e das confissões, e em especial daquelas explicações do que havia precedido diretamente o momento atual, que provocaram interesse tão pungente e tão contínuo. Todas as pequenas variações da semana anterior foram repassadas, e as de ontem e de hoje dificilmente teriam um fim.

Ela não havia se equivocado a respeito dele. Os ciúmes do sr. Elliot eram o peso inibidor, a dúvida, o tormento. Isso havia começado a operar desde o momento do primeiro encontro dos dois em Bath; voltara, depois de um breve intervalo, para arruinar o concerto; e influenciara tudo o que ele dissera e fizera, ou o impedira de dizer ou fazer nas últimas vinte e quatro horas. Esse sentimento começara a ceder aos poucos e a se transformar em esperanças melhores, ocasionalmente encorajadas pelos olhares, pelas palavras ou pelas ações dela; e havia sido derrotado, por fim, por aquelas emoções e palavras que o haviam alcançado enquanto ela conversava com o capitão Harville. Sob a governança irresistível de tudo isso, ele pegou uma folha de papel e derramou seus sentimentos.

Do que ele havia escrito, então, não havia nada a ser retratado ou mudado. Ele reafirmou que nunca amara ninguém além dela. Ninguém nunca a substituíra. Ele nem mesmo acreditava ter encontrado alguém à altura dela. Porém, isto ele fora obrigado a reconhecer: que havia se mantido imutável inconscientemente, não intencionalmente, e que havia tentado esquecê-la, e acreditava ter sido bem-sucedido. Ele se imaginara indiferente, quando estivera somente enraivecido, e fora injusto com os méritos dela, pois havia sofrido em razão deles. A personalidade dela estava agora fixada na mente dele como a própria perfeição, sustentando o mais fascinante equilíbrio entre coragem e gentileza. No entanto, ele fora obrigado a reconhecer também que apenas em Uppercross havia aprendido a lhe fazer justiça, e que somente em Lyme começara a compreender a si mesmo. Em Lyme, ele havia recebido lições de mais de um tipo. A admiração passageira do sr. Elliot ao menos o despertara, e as cenas no Cobb e na casa do capitão Harville o convenceram de uma vez da superioridade dela.

Sobre as tentativas anteriores de se afeiçoar a Louisa Musgrove (tentativas movidas por um orgulho enfurecido), ele protestou, explicando que sempre sentira ser impossível, que ele não havia se importado, não poderia se importar com Louisa; embora, até aquele momento, até o tempo para reflexão que se seguiu, ele não tivesse compreendido a perfeita excelência do espírito de Anne, com o qual Louisa jamais poderia suportar uma comparação, ou o domínio perfeito e inigualável que tinha sobre o dele. Ali ele aprendera a distinguir entre a constância do princípio e a obstinação da teimosia, entre as ousadias do descuido e a resolução de um espírito sereno. Ali ele vira, com tudo que exaltava em sua estima, a mulher que havia perdido, e ali começou a lamentar o orgulho, a tolice, a loucura do ressentimento que o haviam impedido de tentar reconquistá-la quando ela foi lançada em seu caminho.

Foi nesse período que a penitência dele se tornara severa. Mal se livrara do horror e do remorso que estiveram presentes nos primeiros dias depois do acidente de Louisa, mal havia começado a se sentir vivo mais uma vez, ele começara a sentir que, embora vivo, não estava livre.

— Descobri — ele disse — que Harville me considerava um homem noivo! Que nem Harville nem a esposa dele tinham nenhuma dúvida de nosso afeto mútuo. Fiquei apavorado e chocado. Até certo nível, eu conseguia contradizer isso de imediato, mas, quando comecei a refletir que os outros talvez sentissem o mesmo... a família dela... não, talvez ela mesma, eu não estava mais à minha própria disposição. Eu seria dela em honra se ela assim desejasse. Eu havia sido descuidado. Não havia pensado com seriedade nesse assunto antes. Não havia considerado que a intimidade excessiva de minha parte poderia causar prejuízos de várias formas, e que eu não tinha o direito de experimentar se seria capaz de me afeiçoar a qualquer uma das meninas, sob o risco de provocar até mesmo um burburinho desagradável, se não houvesse ainda outros efeitos nocivos. Eu estivera grosseiramente errado, e tinha que aceitar as consequências.

Em resumo, ele descobriu tarde demais que havia se envolvido e que, exatamente quando tomou ciência de que não se importava nem um pouco com Louisa, vira-se preso a ela, caso os sentimentos dela por ele fossem o que os Harville imaginavam. Isso o fez decidir deixar Lyme e esperar que ela se recuperasse por completo em outro lugar. Ele alegremente enfraqueceria, por qualquer meio razoável, quaisquer sentimentos ou especulações a respeito dele que pudessem existir, portanto, foi para a casa do irmão, com a intenção de voltar a Kellynch depois de um tempo e agir como as consequências exigissem.

— Passei seis semanas com Edward — ele falou — e o encontrei feliz. Eu não poderia ter nenhum outro prazer; não merecia nenhum. Ele perguntou de maneira muito particular sobre a senhorita, perguntou até se tinha mudado fisicamente, sem suspeitar que, aos meus olhos, nunca poderia mudar.

Anne sorriu e deixou passar. Era uma bobagem agradável demais para ser repreendida. Significa algo para uma mulher ser assegurada, aos seus vinte e oito anos, de que ela não perdera um charme da juventude; no entanto, o valor de tal homenagem foi inexpressivamente aumentado para Anne ao comparar com palavras anteriores e sentir que era o resultado, e não a causa, do resgate do caloroso afeto dele.

Ele permanecera em Shropshire lamentando a cegueira do próprio orgulho e os erros das próprias conjecturas, até ser liberto por Louisa pela notícia surpreendente e propícia do noivado dela com Benwick.

— Nesse ponto — disse ele —, encerrou-se o pior do meu estado, pois agora eu podia ao menos me colocar no caminho da felicidade, podia me empenhar, podia fazer alguma coisa. Mas ter esperado tanto para agir, e esperando pelo pior, foi horrível. Nos primeiros cinco minutos, eu disse "Estarei em Bath na quarta-feira", e assim aconteceu. Foi imperdoável achar que valia a pena vir? E chegar aqui com algum grau de esperança? A senhorita estava solteira. Era possível que ainda preservasse os sentimentos do passado, como eu preservava, e um encorajamento eu tinha. Não poderia jamais duvidar que seria amada e procurada por outros, mas sabia, com alguma certeza, que havia recusado pelo menos um homem, com pretensões melhores que as minhas, e não pude evitar me perguntar com frequência "Seria por minha causa?".

O primeiro encontro em Milsom Street ofereceu muito do que se falar, mas o concerto, ainda mais. Aquela noite pareceu ter sido composta por momentos esplêndidos. O instante em que ela deu o primeiro passo no Salão Octogonal para falar com ele, o momento em que o sr. Elliot apareceu para levá-la embora, e um ou dois momentos subsequentes, marcados pelo retorno da esperança ou pela intensificação do desalento, foram deliberados com energia.

— Vê-la — ele exclamou — em meio àqueles que não poderiam desejar meu bem, ver seu primo próximo, conversando e rindo, e me dar conta de todas as vantagens e conveniências daquela união! Considerar que esse era um desejo certo de todos os seres que poderiam desejar influenciá-la! Mesmo se seus próprios sentimentos fossem relutantes ou indiferentes, imagine os poderosos arrimos que ele teria! Não era o bastante para que eu fosse o tolo que pareci? Como poderia ver tudo isso sem agonia? Não era a amiga que estava sentada atrás, não era a lembrança do que havia acontecido, o conhecimento da influência dela, a impressão indelével e imutável do que a persuasão causara antes... não estava tudo isso contra mim?

— Deveria ter percebido a diferença — Anne replicou. — Não deveria ter suspeitado de mim agora. A situação é muito diferente, e minha idade é muito diferente. Se errei em ceder à persuasão antes, lembre-se de que era uma persuasão exercida no sentido da segurança, e não do risco. Quando cedi, acreditei cumprir meu dever, mas nenhum dever poderia ser cumprido aqui. Se me casasse com um homem que fosse indiferente para mim, todos os riscos seriam corridos, e todos os deveres, violados.

— Talvez eu devesse ter raciocinado dessa forma — ele respondeu —, mas não fui capaz. Não conseguia obter benefício do conhecimento que havia adquirido recentemente sobre o seu caráter. Não conseguia trazer isso ao jogo, estava dominado, soterrado, perdido naqueles sentimentos anteriores que me fizeram sofrer ano após ano. Só conseguia pensar a seu respeito como alguém que havia cedido, que havia desistido de mim, que havia sido influenciada por qualquer pessoa que não eu. Eu a vi justamente com a pessoa que a havia guiado naquele ano de sofrimento. Não tinha razão para acreditar que ela tivesse menos autoridade agora. A força do hábito precisa ser considerada.

— Eu deveria ter imaginado — Anne disse — que meus modos em relação ao senhor poderiam tê-lo poupado de muito ou tudo isso.

— Não, não! Seus modos poderiam vir do alívio que seu noivado com outro homem ofereceria. Eu a deixei com essa crença; e, ainda assim, estava determinado a vê-la mais uma vez. Meus ânimos voltaram pela manhã, e eu senti que ainda tinha uma razão para permanecer aqui.

Enfim, Anne chegara em casa, e mais feliz do que qualquer um ali poderia conceber. Toda a surpresa e todo o suspense, e qualquer outra parte dolorosa da manhã, foram dissipados por aquela conversa, e ela entrou mais uma vez em casa tão feliz que foi obrigada a encontrar alguma moderação em apreensões momentâneas de que aquilo era impossível de se manter. Um intervalo de meditação séria e grata seria o melhor remédio para todo o perigo naquela felicidade tão elevada; e ela foi para o quarto e permaneceu impassível e destemida na gratidão de seu deleite.

A noite chegou, as salas foram iluminadas, e todas as visitas, reunidas. Não passava de uma festa de jogatina, era uma mistura de pessoas que nunca haviam se visto antes com pessoas que se viam com grande frequência; um evento comum, numeroso demais para intimidade, pequeno demais para variedade; mas Anne nunca sentira uma noite ser mais curta. Resplandecente e adorável em sua sensibilidade e felicidade, e mais admirada por todos do que imaginava ou do que se importava, ela tinha sentimentos alegres ou indulgentes por cada criatura ao seu redor. O sr. Elliot estava lá; ela o evitou, mas conseguia se compadecer dele. Os Wallis... ela se divertiu ao compreendê-los. Lady Dalrymple e a srta. Carteret em breve se tornariam primas inofensivas para ela. Ela não se importava com a sra. Clay e não tinha nada pelo que ruborizar nas maneiras públicas de seu pai e sua irmã. Com os Musgrove, houve a conversa feliz perfeitamente à vontade; com o capitão Harville, a troca carinhosa como entre irmão e irmã; com lady Russell, tentativas de conversa que um delicioso pensamento interrompia; com o almirante e a sra. Croft, tudo que dizia respeito a uma cordialidade peculiar e um interesse fervoroso, que o mesmo pensamento procurava esconder; e com o capitão Wentworth, alguns momentos de comunicação continuamente ocorrendo, sempre com a esperança de mais, sempre com a consciência de que ele estava lá.

Foi em um desses breves encontros, cada um parecendo ocupado em admirar uma bela exposição de plantas de estufa, que ela falou:

— Estive refletindo sobre o passado e tentando julgar de forma imparcial o certo e o errado, quero dizer, a respeito de mim mesma, e devo acreditar que estava certa, por mais que tenha sofrido, que estava perfeitamente certa em ter sido guiada pela amiga de quem gostará mais do que gosta agora. Para mim, ela ocupava o lugar de uma mãe. Não me entenda mal, porém. Não estou dizendo que ela não tenha se enganado no conselho. Talvez esse fosse um daqueles casos em que o conselho é bom ou ruim de acordo com o resultado do evento. E eu, certamente, jamais daria, em nenhuma circunstância vagamente semelhante, um conselho desses. Mas quero dizer que estava certa em me sujeitar a ela e que, se tivesse feito o oposto, teria sofrido mais ao continuar o noivado do que sofri ao abrir mão dele, porque teria sofrido em minha consciência. Não tenho agora, tanto quanto tal sentimento é permitido na natureza humana, nada pelo que me repreender. E, se não estou enganada, um forte senso de dever não é uma parte ruim do destino de uma mulher.

Ele olhou para ela, depois para lady Russell e, voltando a olhá-la, respondeu, como se em uma deliberação calma:

— Ainda não. Contudo, há esperanças de que com o tempo ela seja perdoada. Confio que em breve estaremos em paz. Mas também estive refletindo sobre o passado, e uma indagação me surgiu: se uma pessoa não foi mais a minha inimiga do que a dama. Eu mesmo. Diga-me, quando voltei à Inglaterra, no ano oito, com alguns poucos milhares de libras, e fui alocado no Laconia, se tivesse lhe escrito na época, teria respondido à minha carta? Teria, em suma, retomado o noivado então?

— Se teria? — foi sua única resposta, mas o tom foi suficientemente incontestável.

— Meu Deus! — ele exclamou. — A senhorita teria! Não é que eu não tivesse pensado, ou desejado isso, como se somente isso fosse capaz de coroar todos os meus outros sucessos. Mas eu era orgulhoso, orgulhoso demais para propor novamente. Eu não a compreendia. Fechava meus olhos e nem a compreendia nem lhe fazia justiça. Essa é uma lembrança que poderia me fazer perdoar todo mundo antes de mim mesmo. Seis anos de separação e sofrimento podiam ter sido evitados. É um tipo de dor, também, o que é algo novo para mim. Estava acostumado ao contentamento de acreditar que receberia qualquer bênção que julgasse merecer. Eu me valorizava por meio de trabalhos honrosos e recompensas justas. Como qualquer outro grande homem sob reveses — acrescentou ele, com um sorriso —, devo me empenhar para subjugar minha mente à minha sorte. Devo aprender a aceitar ser mais feliz do que mereço.

Capítulo 24

Quem poderia duvidar do que ocorreu a seguir? Quando dois jovens colocam na cabeça que vão se casar, têm muita certeza de que, pela perseverança, atingirão esse objetivo, mesmo que sejam muito pobres ou muito imprudentes, ou que haja pouca probabilidade de serem necessários ao conforto do outro. Talvez essa conclusão seja uma moral ruim, mas acredito que seja verdadeira; e, se tais partes forem bem-sucedidas, como um capitão Wentworth e uma Anne Elliot, com a vantagem da maturidade da mente, da consciência do certo e de uma fortuna que lhes garantiria independência, falhariam em superar qualquer oposição? Talvez tenham, na verdade, se preparado para lidar com mais oposição do que realmente encontraram, pois houve pouco que lhes afligisse além da falta de benevolência e receptividade. Sir Walter não fez objeções, e Elizabeth não fez nada pior do que parecer fria e indiferente. O capitão Wentworth, com vinte e cinco mil libras, e tão elevado em sua profissão quanto o mérito e a atividade poderiam lhe permitir, já não era mais um ninguém. Ele agora era estimado como alguém digno de devotar-se à filha de um baronete tolo e esbanjador, que não tivera princípio ou noção o suficiente para se manter na situação em que a Providência o colocara, e que no momento podia dar à filha apenas uma pequena parte do dote de dez mil libras que lhe era de direito.

Sir Walter, de fato, embora não tivesse nenhum afeto por Anne e sua vaidade não fosse adulada a ponto de deixá-lo feliz na ocasião, estava muito longe de pensar que aquele era um casamento ruim para ela. Pelo contrário, quando viu o capitão Wentworth com mais atenção, viu-o repetidamente à luz do dia e o olhou bem, ficou abismado com seus atributos físicos e sentiu que a superioridade da aparência dele talvez não desequilibrasse a superioridade de classe dela. E tudo isso, junto ao sonoro sobrenome dele, permitiu que sir Walter enfim preparasse sua pena, com muita graciosidade, para inserir aquela união no volume de honra.

A única pessoa entre aqueles cuja oposição de sentimento poderia incitar alguma ansiedade grave era lady Russell. Anne sabia que lady Russell devia estar sofrendo da dor de compreender e renunciar ao sr. Elliot, e devia estar se esforçando para conhecer de verdade e fazer justiça ao capitão Wentworth. Isso, porém, era o que cabia a lady Russell fazer agora. Ela devia aprender a sentir que estivera equivocada quanto aos dois; que ela havia sido injustamente influenciada pelas aparências em cada situação; que, em razão de os modos do capitão Wentworth não estarem de acordo com as ideias dela, ela fora rápida demais em suspeitar que eles indicassem uma personalidade de impetuosidade perigosa; e que, em razão de as maneiras do sr. Elliot terem precisamente lhe agradado em sua propriedade e correção, sua cortesia e suavidade geral, ela fora rápida demais em aceitá-las como o resultado certo das opiniões mais corretas e da mente mais harmoniosa. Não havia nada mais para lady Russell fazer além de admitir que estivera completamente errada e aceitar um novo conjunto de opiniões e esperanças.

Há uma agilidade de percepção em algumas pessoas, uma sutileza no discernimento de caráter, uma perspicácia natural, em suma, às quais nenhuma experiência de outras pessoas pode se equiparar, e lady Russell fora menos abençoada nessa questão de compreensão do que a amiga mais jovem. Mas ela era uma mulher muito boa, e, se seu segundo objetivo era ser sensível e fazer bons julgamentos, o primeiro era ver Anne feliz. Ela amava Anne mais que amava as próprias aptidões e, quando o constrangimento inicial se dissipou, descobriu que havia pouca dificuldade em se afeiçoar como uma mãe ao homem que estava garantindo a felicidade de sua filha.

De toda a família, Mary provavelmente foi quem se contentou mais rápido com a circunstância. Isso podia ser creditado a ter uma irmã casada, e ela poderia se gabar de ter sido muito importante para a união, por ter mantido Anne com ela no outono; e como sua própria irmã deveria ser melhor do que as irmãs do marido, era muito agradável que o capitão Wentworth fosse mais rico do que o capitão Benwick ou Charles Hayter. Ela talvez tenha tido razão para sofrer quando elas retomaram o contato, ao ver Anne restaurada aos direitos de irmã mais velha e dona de uma bonita *landaulette*; mas tinha um futuro pelo qual ansiar, que era de enorme consolo. Anne não tinha um Uppercross Hall diante de si, nenhuma propriedade de terra e nenhuma chefia de família; e se eles pudessem evitar que o capitão Wentworth se tornasse um baronete, ela não teria sua situação em relação a Anne alterada.

Teria sido muito bom, para a irmã mais velha, se ela tivesse ficado igualmente satisfeita com sua situação, pois não havia mudança muito provável ali. Ela logo sentiu a humilhação de ver o sr. Elliot fugir, e, desde então, ninguém de condição apropriada se apresentara para erguer nem mesmo as esperanças infundadas que se foram com ele.

A notícia do noivado de Anne alcançou o sr. Elliot da forma mais inesperada. Perturbou seu grande plano de felicidade doméstica, sua grande esperança de manter sir Walter solteiro pela vigilância que os direitos de um genro lhe teriam concedido. No entanto, embora frustrado e desapontado, ele ainda podia fazer algo para seu próprio interesse e divertimento. Logo foi embora de Bath, e, pouco tempo depois, a sra. Clay também partiu, e a notícia seguinte foi que ela havia se estabelecido sob a proteção dele em Londres, o que tornou evidente o jogo duplo que ele pusera em ação e o quanto estava determinado a não se deixar abater por uma mulher ardilosa.

Os afetos da sra. Clay haviam superado seu interesse, e ela havia sacrificado, por causa do rapaz, a possibilidade de seguir com seu esquema relativo ao sir Walter. Ela tinha habilidades, porém, tanto quanto afetos; e agora era um ponto duvidoso se seria a astúcia dele, ou a dela, a ser bem-sucedida no fim; se, depois de impedi-la de se tornar a esposa de sir Walter, ele não seria adulado e afagado a ponto de fazer dela a esposa de sir William.

Não há dúvida de que sir Walter e Elizabeth ficaram chocados e mortificados com a perda da companheira e com a descoberta da fraude que ela era. Eles tinham as ótimas primas, é claro, a quem recorrer como consolo. No entanto, por muito tempo sentiriam que adular e seguir os outros, sem serem adulados e seguidos de volta, é uma situação de prazer parcial.

Anne, bem logo satisfeita com a intenção de lady Russell de amar o capitão Wentworth como deveria, não tinha mais nada que atrapalhasse a felicidade futura exceto a consciência de não ter familiares para apresentar que um homem de bom senso poderia valorizar. Ali ela sentia a própria inferioridade de forma muito aguda. A desproporção da fortuna deles não era nada, não lhe causava nenhuma mágoa, nem por um instante. Mas não ter uma família que o recebesse e o estimasse adequadamente, nenhuma respeitabilidade, harmonia ou boa vontade para oferecer em troca da honradez e da acolhida imediata que recebeu dos irmãos e irmãs dele era uma fonte de dor tão viva quanto a mente dela poderia sentir sob circunstâncias que, não fosse isso, seriam de felicidade incalculável. Ela tinha apenas duas amigas no mundo para acrescentar a essa lista, lady Russell e a sra. Smith. A essas, contudo, ele estava muito disposto a se afeiçoar. Lady Russell, apesar de todas as transgressões do passado, ele agora era capaz de apreciar com o coração. Mesmo que não fosse obrigado a dizer que acreditava que ela estivesse certa em separá-los no início, ele estava pronto para dizer quase qualquer coisa em favor dela. E quanto à sra. Smith, ela tinha atributos de vários tipos que a favoreciam rápida e permanentemente.

Seus bons serviços recentes a Anne haviam sido suficientes por si sós, e o casamento deles, em vez de privá-la de uma amiga, garantiu-lhe dois. Ela foi a primeira visita da nova vida deles, e o capitão Wentworth, ao colocá-la no caminho de recuperar a propriedade do marido nas Índias Orientais, escrevendo em seu nome e agindo por ela, e auxiliando-a em todas as coisas triviais do caso com o ímpeto e o esforço de um homem sem medo e um amigo determinado, retribuiu por completo os serviços que ela havia prestado, ou pretendera prestar, à esposa dele.

Os prazeres da sra. Smith não foram perturbados por essa melhoria nos rendimentos, por qualquer melhoria na saúde ou pela aquisição de amigos assim, com os quais podia se encontrar com frequência, pois a alegria e a vivacidade de espírito não lhe faltaram; e, enquanto esses excelentes suprimentos de bondade permanecessem, ela poderia ter desafiado até mesmo as maiores aquisições de prosperidade material. Ela poderia ser absolutamente rica e perfeitamente saudável, e ainda assim ser feliz. Sua fonte de felicidade estava no fulgor de sua alma, assim como a de sua amiga Anne estava no calor de seu coração. Anne era a ternura em pessoa, e ela recebia total retribuição por isso nos afetos do capitão Wentworth. Apenas a profissão dele poderia fazer as amigas dela desejarem que aquela ternura abrandasse, pelo medo de que uma guerra futura pudesse apagar o sol dela. Ela exultava em ser esposa de um marinheiro, mas deveria pagar o imposto de uma preocupação intensa por pertencer àquela profissão que é, se possível, mais distinta por suas virtudes domésticas do que por sua importância nacional.

Fim.

Livros para mudar o mundo. O seu mundo.

Para conhecer os nossos próximos lançamentos
e títulos disponíveis, acesse:

🌐 www.**citadel**.com.br

f /**citadeleditora**

📷 @**citadeleditora**

🐦 @**citadeleditora**

▶ Citadel - Grupo Editorial

Para mais informações ou dúvidas sobre a obra,
entre em contato conosco pelo e-mail:

✉ contato@**citadel**.com.br